EL SURREALISMO EN LA FICCIÓN HISPANOAMERICANA

BIBLIOTECA ROMÁNICA HISPÁNICA

DIRIGIDA POR DÁMASO ALONSO

II. ESTUDIOS Y ENSAYOS, 320

GERALD J. LANGOWSKI

EL SURREALISMO EN LA FICCIÓN HISPANOAMERICANA

BIBLIOTECA ROMÁNICA HISPÁNICA

EDITORIAL GREDOS

MADRID

PQ
7082
.N7
L33
1982

Depósito Legal: M. 10078-1982.

ISBN 84-249-0287-4. Rústica.
ISBN 84-249-0288-2. Tela.

Impreso en España. Printed in Spain.
Gráficas Cóndor, S. A., Sánchez Pacheco, 81, Madrid, 1982. — 5281.

PALABRAS DE AGRADECIMIENTO

Quiero manifestar mi profunda gratitud a mi esposa, Rosemary, y a mi familia por su paciencia durante la preparación de este libro.

Igualmente deseo dar las gracias al Profesor Jorge M. Febles, que leyó la traducción española del manuscrito.

INTRODUCCIÓN

La ficción hispanoamericana producida durante los últimos cincuenta años es tan variada como abundante. Sea lo que sea, en esta vasta producción literaria, hay muchos autores cuyas obras han sido influidas por el surrealismo francés. Por consiguiente, el propósito de este estudio será examinar las características del surrealismo en un número selectivo de obras.

Muchos críticos todavía insisten en limitar su estudio del surrealismo a solamente aquellos autores que tienen vínculos inequívocos con la escuela francesa. Otros lo han estudiado, y con razón creo, como un fenómeno general, que afecta a las obras de autores que nunca fueron seguidores de André Breton. Hace más de veinte años, cuando Arnold Hauser publicó su ya famosa *Social History of Art*, se atrevió a reconocer a Kafka y a Joyce como surrealistas, aunque ninguno participaba formalmente en el movimiento. No obstante, la aceptación de la escuela francesa como modelo oficial se debe más bien a la organización y propaganda de Breton y sus asociados que a derechos exclusivos que puedan reclamar por este código estético. Debemos recordar también que el surrealismo es un movimiento ecléctico y que mucho de lo que incorpora se había tratado en la literatura occidental.

El profesor Paul Ilie, en su libro sobre el surrealismo español, rechaza una adherencia a una creencia dogmática en la escuela francesa y nos ofrece algunos consejos:

Así, lo que dice la crítica francesa sobre los surrealistas en Francia ha llegado a ser la norma oficial para juzgar toda pretensión al título del surrealismo. A menos que los críticos estén convencidos de que ideas semejantes y formas de arte no puedan desarrollarse independientemente, pueden sólo resistir la imposición de tal dogma. Pero si están convencidos, entonces los críticos deben estar preparados para restringir la palabra «surrealismo» exclusivamente para la escuela francesa de escritores y pintores, o emplearla sólo donde su influencia está demostrada explícitamente[1].

J. H. Matthews, que ha escrito muchos estudios sobre el surrealismo francés, también rechaza una creencia dogmática en el grupo francés y propone que el contenido surrealista de cualquier obra sea determinado por la costumbre del observador o lector. Y dice también que esta determinación puede o no puede ser compartida por el autor. Previene, sin embargo, que tal juicio debe ser bastante sofisticado para no asimilar el surrealismo con todo lo que sea «extraño», «misterioso», o hasta «fantástico»[2].

Me atengo a esos críticos que creen que hay elementos que pueden determinar la calidad surrealista de una obra sin tener en cuenta vínculos históricos. Uno de los mejores sumarios de criterio surrealista para el lector ordinario es el que aparece en el libro del profesor Ilie sobre el surrealismo español:

Hay muchos criterios para determinar si una obra es surrealista. Probablemente el más infalible es el efecto subjetivo que tiene sobre el observador, la sensación de que está en presencia de un mundo extraño e inquietante. Este es invariablemente el impacto dejado por las pinturas de Chirico, Ernst, Dalí, Tanguy, y Magritte. Las raras sensaciones de misterio, de incongruencia, y de absurdo pertenecen a la experiencia estética del surrealismo. Un criterio más objetivo, sin embargo, es la técnica de irracionalidad que comprende una nueva lógica basada en la libre asociación. Aquí, formas tradicionales de significación son reemplazadas por la ilimi-

---

[1] Ilie, Paul, *The Surrealist Mode in Spanish Literature*, Ann Arbor: The University of Michigan Press, 1969, pág. 3. (La traducción es mía).

[2] Matthews, J. H., *Surrealism and the Novel*, Ann Arbor: The University of Michigan Press, 1966, pág. 6.

tada yuxtaposición de palabras, ideas, e imágenes. Estas relaciones fortuitas producen una realidad ya no confinada por las leyes de la lógica, causalidad, y sintaxis. El resultado es una obra de arte llena de encuentros extraordinarios, disímiles planos de realidad y disociaciones psicológicas de toda clase. Que estos resultados se deban a un puro automatismo, o a un intento deliberado y racional de crear un mundo incongruente o grotesco, las consecuencias estéticas son iguales. Es decir, el surrealismo proyecta las formas de deformación y las emociones de enajenamiento. Esto se cumple muchas veces por el uso artístico de estados oníricos y alucinaciones, la adaptación del psicoanálisis freudiano al arte y la exploración del ocultismo y lo sobrenatural. Pero, las más veces, el artista emplea estos elementos en conjunto con técnicas más conscientes. Por consiguiente, una obra de arte puede ser surrealista sólo en parte, y aun más interesante para nosotros debido a su aporte a la estética de la modalidad surrealista [3].

Un estudio del surrealismo en la ficción hispanoamericana le permite al crítico tres elecciones: 1) puede seguir una aproximación histórica, que incluiría solamente a esos autores que eran seguidores de André Breton; 2) puede analizar las obras según lo que observa, aplicando un criterio general sin consideración a vínculos históricos; o 3) puede escoger una combinación de los puntos uno y dos. Ya que creo que las tres elecciones son válidas según el criterio propuesto por los profesores Ilie y Matthews, he optado por seguir la aproximación más ecléctica del número tres. No obstante, el lector observará, a lo largo de mi análisis, que con frecuencia me inclino más a una aproximación histórica porque este estudio es un modesto intento pionero para entender mejor la modalidad surrealista en la ficción hispanoamericana. Por eso creo que conviene que una perspectiva histórica sea establecida.

En este estudio he escogido solamente siete novelas para presentar la modalidad surrealista en la ficción hispanoamericana: *La última niebla* de María Luisa Bombal; *El Señor Presidente* de Miguel Ángel Asturias; *Los pasos perdidos* de Alejo

---

[3] Ilie, *Op. cit.*, pág. 5. (La traducción es mía.)

Carpentier; *Sobre héroes y tumbas* de Ernesto Sábato; *Rayuela* de Julio Cortázar; *Pedro Páramo* de Juan Rulfo; y *La Casa Verde* de Mario Vargas Llosa. Ofrezco la siguiente exposición razonada para mis elecciones particulares:

1) Estas siete obras ofrecen tanto un compendio de novelas como una vista representativa de la modalidad surrealista en la ficción hispanoamericana.

2) Cada obra representa por lo menos un aspecto diferente del surrealismo.

3) Todos los autores o han atestiguado o participado en el surrealismo original en Francia o demuestran apoyo entusiasta por los principios surrealistas.

4) Todos los autores y obras abarcan el período incluido en mi teoría de generaciones descrita en el capítulo dos.

5) Todas las novelas presentan un desarrollo que señala los extremos de la modalidad surrealista en la ficción hispanoamericana.

Además de estas razones, se podría decir que estos autores han demostrado sustancialmente una concepción surrealista del mundo, es decir, una creencia en la fusión de los elementos realistas y fantásticos de la existencia humana.

Antes de desarrollar los argumentos avanzados en este estudio, sería mejor ofrecer una breve exposición de la materia que encontraremos en los siguientes capítulos. Los primeros dos capítulos son una lectura básica y preliminar para las obras estudiadas. Puesto que el término «surrealismo» se emplea tan ampliamente en la literatura contemporánea, conviene que el primer capítulo empiece con un breve boceto del surrealismo francés para dar más perspectiva al estudio. Mientras que los rasgos del surrealismo francés son expresados sucintamente en este capítulo, una explicación más amplia de cada punto se halla en el análisis de las obras individuales.

En el capítulo dos hay un intento de trazar los orígenes del surrealismo en la literatura hispanoamericana mostrando como la modalidad surrealista comenzó primero en la poesía y más tarde apareció en la prosa de ciertos escritores importantes. Este capítulo intenta también una orientación básica para el lector y no pretende ser omnímodo. Los capítulos restantes tratan de los análisis de las siete novelas que demuestran la presencia de las influencias surrealistas en la ficción hispanoamericana.

La última niebla de María Luisa Bombal marca un comienzo apropiado para nuestro estudio porque pinta muy adecuadamente la llamada «época de sueños» en la literatura surrealista. No pretendo proponer que esta novela sea el primer ejemplo de prosa surrealista en la literatura hispanoamericana. Lo importante es que Bombal es uno de los primeros escritores de su generación que hicieron experiencias con la nueva sensibilidad. Sin embargo, sus esfuerzos se limitan a un solo aspecto del surrealismo, la exploración del mundo onírico. Su obra refleja la primera etapa del surrealismo francés (1924-1930), cuando los surrealistas descubrieron las posibilidades de las teorías de Freud sobre los sueños como una fuente de inspiración poética.

El Señor Presidente de Miguel Ángel Asturias ofrece un desarrollo más completo de la modalidad porque casi todas las técnicas surrealistas se pueden encontrar en esta novela. En una rigurosa interpretación del surrealismo, esta obra merece ser llamada la primera novela surrealista hispanoamericana que alcanzó la madurez. Esto se debe mayormente al uso del lenguaje por Asturias; en resumidas cuentas, es el uso particular del lenguaje lo que constituye la base de la revolución surrealista.

Las primeras novelas de Alejo Carpentier demuestran de varias maneras la influencia del surrealismo. No obstante, es su tercera novela, *Los pasos perdidos*, la que ocupa un lugar único en el desarrollo de la prosa surrealista en Hispanoamérica. Es la primera obra que abarca un entendimiento de la condición humana siguiendo el concepto surrealista de *le merveilleux*. Pone de relieve, en una manera especial y sin las imágenes chocantes tan características de este concepto, la fusión surrealista de la realidad y la irrealidad.

Sobre héroes y tumbas de Ernesto Sábato es en verdad un aporte significativo a la modalidad surrealista hispanoamericana. Es obra ambiciosa, ya que, por una parte, Sábato trata de desenredar las perplejidades de la nación argentina y sus problemas enigmáticos, mientras, por otra, ahonda en lo inconsciente, haciendo un estudio penetrante de las vicisitudes de la condición humana. Emplea multitud de recursos surrealistas para subrayar los múltiples temas de la obra.

Este estudio espera presentar, como queda dicho, una idea de los extremos de la modalidad surrealista en la prosa hispanoamericana. *Rayuela* de Julio Cortázar, como anti-novela, pinta el extremo de abstracción que la novela surrealista ha alcanzado. Se puede hallar en *Rayuela* no sólo todas las técnicas propuestas por los surrealistas, sino también un intento de cumplir todas sus metas. Cortázar, uno de los autores más respetados, sostiene con convicción que, después de cinco décadas, los propósitos de los primeros surrealistas, que en 1924 lanzaron su ataque sobre la literatura y la vida, están todavía vigentes.

Pedro Páramo de Juan Rulfo es sin duda la novela mexicana más importante desde la segunda guerra mundial. Su tema central revela la psiquis mexicana como ninguna. Es un ejercicio en la escritura automática surrealista. Pero no la escritura automática practicada originalmente por los surrealistas franceses, sino una forma más controlada, que tipificaba sus últimas obras y que es característica de la novela contemporánea en Hispanoamérica.

Mario Vargas Llosa concluye nuestro rápido examen de la ficción surrealista hispanoamericana. Su inclusión en este estudio es importante por muchas razones. Entre ellas, podemos decir que su obra *La Casa Verde* ejemplifica la excelencia alcanzada por la novela hispanoamericana y que su autor es representativo de los escritores jóvenes que llevan adelante la tradición surrealista propuesta por los autores presentados en este estudio.

Estas siete novelas recorren más de cuatro décadas, en que la modalidad surrealista en Hispanoamérica ha pasado por períodos de imitación, modificación y, finalmente, absorción total. Además, estas obras, en muchos casos, representan lo mejor que se ha escrito en la literatura hispanoamericana.

Capítulo I

BREVE ESBOZO DEL SURREALISMO FRANCÉS

La presencia de elementos surrealistas en la literatura hispanoamericana es un hecho innegable. Sin embargo, surgen muchas ambigüedades cuando se discute hoy día el surrealismo, debido a las distintas opiniones que provienen principalmente de las interpretaciones del término «surrealismo». Históricamente, el término se asocia con la escuela francesa del surrealismo, que comenzó oficialmente en 1924. Pero basta leer un número limitado de estudios sobre la escuela francesa para darse cuenta de que los críticos mismos disienten entre sí en cuanto a las características, méritos e influencias de este fenómeno cultural. A pesar de estas diferencias, el surrealismo es sin duda un movimiento que ocurrió primero en la literatura francesa. Los estudios subsiguientes sobre el surrealismo en otras literaturas han tenido que volver a las fuentes originales para establecer una perspectiva histórica. Este será el procedimiento que seguiremos en este estudio.

El surrealismo no fue un movimiento espontáneo. Sufrió un proceso de desarrollo, que llegó a la fruición después de un considerable período de tiempo. Fue un movimiento ecléctico, que buscó su inspiración en muchos movimientos literarios y otras fuentes que se acomodaban sus propósitos. No obstante, se acepta comúnmente que el germen inmediato del surrealismo es el dadaísmo, uno de los muchos ismos vigentes durante el primer cuarto del siglo veinte.

La Primera Guerra Mundial marcó el colmo de las crisis de valores en el mundo occidental. La guerra convenció a muchos de que las instituciones democráticas no eran viables, que el sistema capitalista no cumplía con sus promesas utópicas, y que la ciencia y la tecnología no liberaban al hombre ni le facilitaban una vida digna. Al contrario, el progreso científico y tecnológico parecía haberle hecho víctima de su propio adelanto.

Durante la guerra, Zurich llegó a ser el punto de reunión para muchas víctimas de «esta guerra que terminaría todas las guerras». Entre la gente que se congregaba en esta ciudad suiza, había pacifistas, revolucionarios, escritores y artistas. Para los que creían en la bancarrota del mundo racional, el dadaísmo les proporcionaba el medio de expresar reacciones engendradas por su desilusión. El dadaísmo se basaba en la premisa de que la vida es absurda. La literatura y el arte adoptaron una actitud que parecía ser la última burla de cualquier criterio estético hasta entonces concebido [1].

El grupo de expatriados que se reunían en el Cabaret Voltaire de Zurich representaba una mezcla internacional. Su jefe reconocido fue un estudiante de filosofía rumano llamado Tristan Tzara. Fue él quien escogió al azar el término «Dada» del *Petit Larousse* para describir el negativismo del movimiento: «Dada no significaba nada... Mi propósito —añadía— fue sólo crear una palabra expresiva que, mediante su magia atrayente, cerrase todas las puertas de la comprensión y no fuera un ismo más» [2]. Como modalidad literaria, los dadaístas empleaban una poesía para la cual Tzara proporcionó la fórmula básica: «...recortar las palabras de una página, mezclarlas luego en un sombrero y ordenarlas según van saliendo» [3].

Después de la guerra, París llegó a ser el centro de la actividad dadaísta, y el número de sus miembros aumentó con los muchos escritores y artistas internacionales que buscaban un entendimiento de su existencia.

---

[1] Torre, Guillermo de, *Qué es el surrealismo*, Buenos Aires: Editorial Columba, 1955, pág. 12.

[2] Torre, *Op. cit.*, págs. 12-13.

[3] Torre, *Op. cit.*, pág. 14.

Los dadaístas atraían mucha atención a causa de sus extrañas actividades, especialmente las que tuvieron lugar en las representaciones públicas de sus recitales literarios y musicales, obras teatrales y exposiciones de arte. No había nada sistemático en lo que hacían; sin embargo, muchos esperaban ver alguna coherencia en sus actividades. Cuando esta esperanza se disipó, el movimiento empezó a menguar. El público se aburría de la monotonía de sus obras, y sus antiguos defensores, como André Gide, Paul Valéry, y Jean Cocteau, retiraron su simpatía[4]. Se hizo obvio que el dadaísmo no era arte ni filosofía sino «meramente una expresión colectiva de desilusión y cólera»[5]. Además, los desacuerdos personales de los dadaístas produjeron muchas defecciones en el grupo. Mientras que el dadaísmo se desintegraba, había quienes creían poder salvar algo de las metas originales del movimiento. En 1922, André Breton propuso una reunión de todos los futuristas, cubistas y dadaístas, para eliminar sus diferencias. Pero el llamado *Congrès de París* no tuvo lugar porque los personajes más destacados se negaron a participar. Poco después, Breton rompió con Tzara y con el movimiento dadaísta.

André Breton, poeta de mucho talento y hombre de personalidad extraordinaria, decidió dar nuevo impulso a los principios básicos del dadaísmo reuniendo a muchos de los antiguos dadaístas que querían ensanchar la perspectiva de su «estética». Este nuevo esfuerzo, que pronto sería llamado surrealismo, no señaló la muerte del dadaísmo. Tzara aún retuvo a algunos de sus partidarios. Con el tiempo, olvidó sus diferencias con Breton y hasta participó en el experimento surrealista.

Se puede atribuir la ruptura entre dadaístas y surrealistas a muchos factores. El más importante fue la aparente falta de dirección que caracterizaba al antiguo grupo. Breton estaba resuelto a poner orden en el caos, formulando una estética que sería observada rigurosamente. Guillermo de Torre, que pre-

---

[4] Lemaître, Georges, *From Cubism to Surrealism in French Literature*, Cambridge, Massachusetts: Harvard University Press, 1947, pág. 175. (La traducción es mía).

[5] Lemaître, *Op. cit.*, pág. 169. (La traducción es mía).

senció personalmente los inicios del desarrollo del surrealismo, sostiene que, hasta cierto punto, la espontaneidad del dadaísmo desapareció cuando el surrealismo entró en escena: «El superrealismo —a partir de cierta fecha— se transforma en un equipo regimentado, de código fijo y leyes inexorables. A su frente álzase la figura imperturbable del que fue llamado 'gran inquisidor', 'Papa negro' del surrealismo, André Breton —características que no por eso dejan de coexistir con la posesión de valores morales, amén de los literarios, que en su lugar quedarán destacados—, imponiendo normas, fulminando anatemas»[6]. A esto se reduce una de las paradojas del nuevo movimiento, que predicaba una doctrina de libertad total mientras intentaba restringir la libertad del movimiento que quería reemplazar. A fines de los años veinte y durante toda la década de los treinta, muchos de los seguidores del movimiento lo abandonaron, debido a la rigidez y obstinación de su máximo exponente, Breton.

En resumen, siendo el dadaísmo puro instinto, el surrealismo era un método; el dadaísmo se caracterizaba por el individualismo, el surrealismo era una disciplina; el dadaísmo rechazaba sarcásticamente la literatura y el arte, el surrealismo trataba de trascenderlos[7]. Como movimiento literario, el dadaísmo negaba precursores y optaba por encontrar su génesis en sí mismo. El surrealismo proponía establecer una lista de ídolos y antecedentes. Fue un movimiento ecléctico, que quería sistematizar todos los otros ismos y llegar a ser el último de ellos.

La palabra «surrealismo» la usó por primera vez, en 1918, Guillaume Apollinaire en una obra teatral, *Les Mamelles de Tirésias*. Pero fue André Breton quien definió el término, en 1924, cuando lanzó formalmente el nuevo movimiento con el *Primer Manifiesto*:

> Surrealismo s. m., automatismo psíquico puro, por medio del cual se desea expresar, sea verbalmente, sea por escrito, sea de cualquier otra manera, el funcionamiento real del pensamiento.

---

[6] Torre, Guillermo de, *Historia de las literaturas de vanguardia*, Madrid: Ediciones Guadarrama, 1965, págs. 366-367.

[7] Torre, *Qué es el surrealismo*, pág. 19.

Dictado del pensamiento en ausencia de cualquier control ejercido por la razón, fuera de cualquier preocupación estética o moral. Encicl. Filosofía. El surrealismo se basa sobre la creencia en la realidad superior de ciertas formas de asociación, descuidadas hasta entonces, sobre la omnipotencia del sueño, al juego desinteresado del pensamiento. Tiende a destruir definitivamente todos los otros mecanismos psíquicos, sustituyéndose a ellos en la solución de los principales problemas de la vida [8].

Las tres metas más importantes del surrealismo fueron: «La redención social del hombre, su completa liberación moral y su rejuvenecimiento intelectual» [9].

Puesto que los tentáculos del surrealismo alcanzaban a todos los rincones de la existencia humana, era no sólo un movimiento literario y artístico, sino una filosofía y también una religión. Pronto llegó a ser la moda de París, atrayendo la atención con sus muchas publicaciones, exposiciones de arte y las bulliciosas travesuras de sus adherentes. Durante los años treinta, muchas disputas dividían al grupo, de modo que hacia 1939 el surrealismo había cesado de ejercer la influencia que gozaba antes. Después de la Segunda Guerra Mundial, el surrealismo como movimiento sumamente organizado había menguado considerablemente. Para Breton, el surrealismo nunca murió, y fomentó activamente el movimiento hasta su propia muerte en 1966. Sin embargo, el surrealismo ya había producido sus mejores esfuerzos antes del comienzo de la guerra en 1939. Cuando hablamos hoy del surrealismo, pocas veces nos referimos al grupo cerrado de escritores y artistas que seguía a Breton, sino al legado estético heredado de estos hombres.

El surrealismo francés fue un movimiento doctrinario, pero, al mismo tiempo, siempre experimentaba cambios, siempre buscaba *le merveilleux*, ese mundo maravilloso donde pudieran

---

[8] Breton, André, *Manifestoes of Surrealism*, Ann Arbor: The University of Michigan Press, 1969, pág. 26. (Tomo la traducción española de: Baciu, Stefan, *Antología de la poesía surrealista latinoamericana*, México: Joaquín Mortiz, 1974, págs. 11-12).

[9] Gershman, Herbert, *The Surrealist Revolution in France*, Ann Arbor: The University of Michigan Press, 1969, pág. 80. (La traducción es mía).

conciliarse todas las contradicciones de la condición humana. Herbert Gershman, en su estudio sobre el surrealismo francés, ha señalado que la búsqueda de *le merveilleux* es el tema básico de la actividad surrealista:

> La estética surrealista puede reducirse a un tema: un intento de actualizar *le merveilleux*, el mundo maravilloso de revelación y sueño, y de esta manera permitir correr desenfrenadamente la suerte en el yermo de la realidad; no *le mystère*, la introducción voluntaria de oscuridad en el arte y la vida, que para Breton era una confesión de debilidad, sino la lucidez, que es el producto de la convicción y lo que unirá a los hombres en una fe contra la cual la razón vacilará y por fin se rendirá. Este cielo privado podría alcanzarse de varias maneras, y los surrealistas las probaron todas en distintas épocas [10].

El medio más importante para actualizar *le merveilleux* era la poética del sueño [11]. Penetrando los misterios del inconsciente, esperaban alcanzar esa realidad absoluta que se llamaba surrealidad. Los surrealistas sabían que una transcripción del inconsciente sería difícil, pero la creían artísticamente posible. Esperaban fijar en lienzo o con palabras esa parte del inconsciente llamada el sueño manifiesto. Durante los primeros años del movimiento, llamados frecuentemente *l'époque des sommeils*, los seguidores del surrealismo intentaron penetrar el inconsciente por muchos medios, incluso por las drogas y la hipnosis.

La técnica empleada en la representación de las imágenes del inconsciente era el automatismo o la escritura automática, adaptación del método psicoanalítico de libre asociación de Freud. La libre asociación ocasionaba la revelación de todo lo que entrara en la mente durante el período de psicoanálisis. Se esperaba que las expresiones sin revelación hechas por el paciente proporcionaran la clave al entendimiento de la enajenación mental. En la literatura surrealista, este proceso corres-

---

[10] Gershman, *Op. cit.*, pág. 1. (La traducción es mía).
[11] Ilie, Paul, *The Surrealist Mode in Spanish Literature*, Ann Arbor: The University of Michigan Press, 1968, pág. 4.

pondía a la transcripción directa de sueños o estados psíquicos sin un intento de suprimir o censurar las imágenes que brotaban. El procedimiento que seguía el escritor obraba así:

> [El escritor] debía contentarse con escuchar la voz de su inconsciente —'la voix surréaliste'— y transcribir palabra por palabra todo lo que esa voz dictara. Para recibir este dictado indistinto y murmurado, debía excluir, lo mejor posible, todas las inquietantes influencias de afuera. Reduciendo la actividad de su fuerza de voluntad a un mínimo, y adormeciendo, como fuera, su juicio crítico, se deslizaría insensiblemente a su estado semiconsciente; entonces transcribiría automáticamente con su pluma cada frase que se presentara a su mente imparcial... El automatismo completo es el *sine qua non* de la afortunada inscripción del mensaje surrealista. Una palabra debe atraer otra sin la solicitación de cualquier estímulo externo y sin la intervención del intelecto discerniente. Luego, una larga serie de frases, todas impregnadas con la sustancia de lo que hay dentro de nosotros, fluirán irresistiblemente de la parte recóndita de lo inconsciente. El mismo automatismo que proporciona al escritor una cadena sin fin de vocablos puede ofrecer al pintor una inagotable serie de imágenes sin cohesión [12].

Tal técnica producía una literatura muchas veces confusa e incoherente. Los surrealistas se dieron cuenta muy pronto de que, si deseaban hacerse entender, sería necesaria alguna modificación del método. Así, desarrollaron paulatinamente una forma de automatismo controlado muy semejante a lo que llamamos hoy monólogo interior. Este punto se aclarará más ampliamente cuando entremos en el análisis concreto de las obras en cuestión.

El intento surrealista de fijar lo inconsciente en forma escrita constituye un experimento en que el lenguaje llega a ser el medio por el cual se transmiten las imágenes, de ordinario en forma de metáforas o símiles. Sin embargo, los surrealistas rechazaban las imágenes racionalistas como ineficaces y trataban de reproducirlas de manera que sacudiera las sensibilidades normales. Una de las dificultades para interpretar estas imá-

---

[12] Lemaître, *Op. cit.*, págs. 205-206. (La traducción es mía.)

genes procede de la constante innovación que buscaban los surrealistas. Mary Ann Caws resume este proceso chocante e innovador:

> Si la imagen surrealista tiene que ser tan intensa y tan chocante, también tiene que ser nueva, no sólo para el observador o para el lector, sino para el propio artista o poeta... Para que el arte sea una fuerza constantemente destructiva y resucitadora, debe rechazar sus propios descubrimientos anteriores tan persistentemente como rechaza los modos de pensar 'normales' o invariables. Cualquier cosa, una vez vista, ya no puede parecer milagrosa. La tarea del ojo artístico y la imaginación poética es percibir y expresar sólo las relaciones innovadoras entre las entidades más heterogéneas y destruir así para siempre las falsas leyes de la yuxtaposición convencional [13].

Como consecuencia de su uso despreocupado del lenguaje, las imágenes surrealistas semejan muchas veces juegos verbales. No obstante, según el concepto surrealista de la estética, estos juegos verbales aumentan nuestro poder de revelación.

En resumen, estos son los rasgos principales que André Breton designó en el *Primer Manifiesto*: búsqueda de *le merveilleux*, poética del sueño, representación del inconsciente, escritura automática, imágenes chocantes e innovadoras, y experimento total con el lenguaje. A medida que crecía el movimiento surrealista, otros rasgos llegaron a ser características de esta escuela. Éstos se discutirán en este estudio a través de las obras. Cuando se quiere determinar lo que constituye una obra surrealista, es útil volver a estos atributos como guía, pero sería erróneo suponer que cada obra surrealista tuviera que contenerlos todos. Además, sería incorrecto creer que cada escritor que utiliza técnicas surrealistas tiene que ser un seguidor de André Breton.

---

[13] Caws, Mary Ann, *The Poetry of Dada and Surrealism*, Princeton: Princeton University Press, 1970, pág. 70. (La traducción es mía).

CAPÍTULO II

UN VISTAZO AL SURREALISMO HISPANOAMERICANO

Los estudios sobre el surrealismo hispanoamericano son muy recientes. Nos falta todavía una historia general de las influencias de este movimiento como las que existen sobre el mismo tema en Europa [1]. A falta de tal libro, intentaré un esquema del surrealismo en los países hispanoamericanos donde el movimiento ha tenido su mayor impacto. Tal esbozo tendrá que incluir las obras de algunos poetas importantes, ya que el surrealismo hispanoamericano comenzó con la poesía, igual que en Francia. Este esquema demostrará el desarrollo histórico del movimiento más bien que ofrecer un compendio de autores tocados por el surrealismo.

El surrealismo aparece en la literatura hispanoamericana al mismo tiempo que todos los demás ismos que estaban de moda durante los primeros veinte años de este siglo. Algunos críticos propenden a designar todos estos ismos con el término «vanguardia», debido a la dificultad de diferenciar con precisión sus características y filosofías. Hace unos años, cuando se le preguntó a Octavio Paz qué importancia tenía el surrealismo entre los otros ismos, dio la siguiente respuesta: «Mi primera reacción ante esta pregunta es responder: el surrealismo es la van-

---

[1] Un libro de índole general sobre la poesía surrealista en Hispanoamérica es: Baciu, Stefan, *Antología de la poesía surrealista latinoamericana*, México: Joaquín Mortiz, 1971.

guardia»[2]. Su opinión no es única, y demuestra que el término «vanguardia» es muy discutible.

Durante el primer cuarto de este siglo hubo cinco ismos mayores de origen europeo: futurismo, expresionismo, cubismo, dadaismo, y surrealismo. Podemos añadir dos más, que pertenecen principalmente a la literatura hispánica: creacionismo y ultraísmo. El período al que aplicamos el término «vanguardia» empezó formalmente en 1909, cuando el poeta italiano Filipo Marinetti publicó el manifiesto en que lanzó el futurismo y pidió la destrucción de todos los antiguos códigos de estética. Los expresionistas llegaron después, en 1910, con su propio manifiesto, y el cubismo recibió su primera articulación teórica en 1912[3]. Los dadaístas publicaron su manifiesto en 1916, y los surrealistas iniciaron formalmente su programa en 1924. Todos estos movimientos tenían mucho en común. Todos se preocupaban de la bancarrota de valores de aquel período e intentaban expresar esta preocupación con nuevos medios literarios y artísticos.

París llegó a ser la Meca donde florecía la vanguardia, y los hispanoamericanos, tan admiradores de la cultura francesa, conocían las obras de sus contemporáneos en Francia. Enrique Anderson-Imbert dice que los escritores hispanoamericanos de aquella época se movían al compás de los escritores europeos y que «Tristan Tzara, Paul Éluard, André Breton, Louis Aragon, Paul Morand, Blaise Cendrais, Drieu La Rochelle, Valéry Larbaud, Max Jacob fueron los mejores escritores conocidos de Hispanoamérica»[4]. Las ideas absorbidas de estos modelos empezaban a aparecer en gran escala en las revistas literarias que circulaban en Hispanoamérica. Algunas de estas revistas eran: *Prisma* (1921-22) y *Proa* (1924-25) en la Argentina; *Amauta* (1926-

---

[2] Paz, Octavio, «André Breton», *Mundo Nuevo*, núm. 6, diciembre de 1966, pág. 60.

[3] Torre, Guillermo de, *Historia de las literaturas de vanguardia*, Madrid: Ediciones Guadarrama, 1965, pág. 243.

[4] Anderson-Imbert, Enrique, *Spanish American Literature*, Detroit: Wayne State University Press, 1969, II, págs. 457-58. (La traducción es mía).

30) en el Perú; *Contemporáneos* (1928-31) en México, y la *Revista de Avance* (1927-30) en Cuba [5].

Sin embargo, antes de que estas sensibilidades artísticas de Francia hubieran recibido gran divulgación, había individuos, como Vicente Huidobro y César Vallejo, que ya experimentaban las técnicas vanguardistas. Dada la posición social y económica de Huidobro, podemos decir que estaba al día en cuanto a las corrientes literarias de Europa. El caso de Vallejo es menos claro.

Vicente Huidobro, que empezó como admirador de Apollinaire, pronto desarrolló su propio código de estética, llamado «creacionismo». Tenía diez y nueve años cuando fue a París en 1916. Al poco tiempo comenzó a publicar en la revista de Apollinaire, *Nord-Sud*, en la que colaboraban también Tristan Tzara, Paul Dermée, Max Jacob y Pierre Reverdy [6].

La poesía de Huidobro durante esta época se caracteriza por una nueva asociación de imágenes y metáforas, por una falta de coherencia sintáctica y por recursos tipográficos que lo vinculan estrechamente a la poesía dadaísta y surrealista. Algunos críticos de literatura hispanoamericana no admiten ia influencia surrealista en las obras de Huidobro; pero los críticos franceses lo consideran como un escritor influido por el surrealismo. Su obra teatral *Gilles de Raiz*, escrita en 1925-26, se ha estudiado en una antología dadaísta y surrealista editada por Henri Béhar [7].

Trilce (1922), de César Vallejo, refleja muchos recursos empleados por los vanguardistas. No obstante, sería inapropiado calificar su poesía solamente como dadaísta o surrealista. Vallejo estaba en París cuando André Breton publicó el *Primer*

---

[5] Gómez-Gil, Orlando, *Historia Crítica de la Literatura Hispanoamericana*, New York: Holt Rinehart and Winston, 1968, pág. 511. (Se puede hallar un buen estudio de las revistas hispanoamericanas en: Carter, Boyd G., *Historia de la literatura hispanoamericana a través de sus revistas*, México: Ediciones de Andrea, 1968).

[6] Gómez-Gil, *Op. cit.*, pág. 517.

[7] Béhar, Henri, *Étude sur le théâtre dada et surréaliste*, París: Gallimard, 1967, págs. 275-80.

Manifiesto, pero hay que recordar que la obra más difícil de
Vallejo ya se había escrito. Los críticos de *Trilce*, aunque ad-
miten la presencia de influencias surrealistas, no creen que
Vallejo sea un gran admirador del movimiento. Augusto Tamayo
Vargas mantiene que Vallejo utilizó todos los recursos vanguar-
distas para sus propios fines:

> Pero sería demasiado ingenio considerar a Vallejo sólo como
> surrealista, aunque utilice algunos de sus métodos. Vallejo arrastra
> un romanticismo, cargado de sentimentalismo y libertad, que uti-
> liza todos los medios a su alcance para manifestarse. Entre otros,
> el surrealismo y demás formas de la llamada vanguardia [8].

Los compatriotas de Vallejo: Xavier Abril, César Moro y
Emilio Adolfo Westphalen promovieron con entusiasmo las tendencias surrealistas. Parece que los poetas peruanos de los años
veinte estaban divididos en su lealtad. Algunos querían seguir
la versión hispanizada del surrealismo, tal como se halla en la
poesía de Lorca, Alberti, Salinas, Aleixandre, etc.; pero otros
preferían imitar las normas de la escuela francesa. Además, no
debemos infravalorar la influencia de Vallejo sobre esta generación de poetas peruanos. Se sabe que los surrealistas franceses
que ejercían gran influencia en el Perú durante este período
eran André Breton y Paul Éluard [9]. Los surrealistas peruanos
imitaban a sus modelos franceses con escándalos e insultos
públicos, haciendo exposiciones de arte y practicando la misma
iconoclasis que habían visto en Francia [10].

La poesía de Xavier Abril *Difícil trabajo* (1935) se caracteriza
por sus imágenes atrevidas, la retórica vanguardista y la her-
meticidad surrealista [11]. César Moro, cuyo verdadero nombre era
César Quispes Asín, nacido en Lima en 1903, fue uno de los
pocos escritores hispanoamericanos de este período que publicó

---

[8] Tamayo Vargas, Augusto, *Literatura peruana*, Lima: Universidad
Nacional Mayor de San Marcos, 1965, tomo II, págs. 762-63.
[9] Núñez, Estuardo, *La literatura peruana en el siglo XX*, México:
Editorial Pormaca, S. A. de C. V., 1965, pág. 41.
[10] *Op. cit.*, pág. 43.
[11] Anderson-Imbert, *Op. cit.*, pág. 600.

poemas surrealistas en francés y en español. Moro fue a París en 1925, se unió al movimiento surrealista y colaboró en la revista *Le surréalisme au Service de la Révolution*. Fundó, con Emilio Adolfo Westphalen y Moreno Jimeno, la revista surrealista *El uso de la palabra* (1933). Moro se trasladó a México en 1928 y residió allí diez años. Durante este tiempo ayudó a organizar, con André Breton y Wolfgang Paalen, una exposición internacional de arte surrealista que se abrió en México en 1940. Volvió al Perú en 1948, y en 1950 murió de leucemia. Algunas de sus obras en francés son: *Le Château de Grisou* (1943), *Lettre d'Amour* (1944), *Trafalgar Square* (1954), *Amour à mort* (1957). Escribió en español: *La tortuga ecuestre* (1958)[12] y *Los antiojos de azufre* (1958), colección en prosa. Emilio Adolfo Westphalen fue también uno de los poetas que siguieron las normas rigurosas de André Breton. Los poemas de su primer volumen, *Ínsulas extrañas* (1933), se caracterizan por los postulados del automatismo psíquico. Carecen de estructura sintáctica, y están desprovistos de puntuación e imágenes. *Abolición de la muerte* (1935) es algo más legible, y contiene temas como el tiempo, la existencia y el más allá[13].

Buenos Aires fue otro centro para las nuevas sensibilidades. La poesía argentina, antes cultivadora de temas gauchescos y modernistas, sufrió una transformación completa cuando Jorge Luis Borges volvió de Madrid en 1921. Borges introdujo el ultraísmo, que se puede considerar como la versión hispánica del surrealismo. Los rasgos generales del ultraísmo son muy parecidos a los esfuerzos de la vanguardia. Muchos poetas argentinos llegaron al surrealismo por influjo de los poetas españoles de la ya famosa Generación de 1927. Aunque los ultraístas constituían, como los surrealistas franceses, un grupo selecto que tenía sus propios salones literarios y revistas, no fueron influidos por el marxismo. Se interesaban más por la poesía pura que por causas políticas. Pero el ultraísmo no fue más que un movimiento pre-

---

[12] Bedouin, Jean-Louis, *La Poésie Surréaliste*, París: Editions Seghers, 1964, pág. 234.
[13] Anderson-Imbert, *Op. cit.*, pág. 601.

cursor, que ayudó a introducir las ideas de la vanguardia en la comunidad literaria argentina. Juan José Ceselli nos dice que había otros poetas que estaban influidos por el surrealismo francés desde el principio [14]. El surrealismo argentino como esfuerzo formal apareció en 1928, cuando Aldo Pellegrini fundó la revista *Que* (1928-30) [15]. Ceselli resume las intenciones de este grupo:

> Se trataba, por lo tanto, de hacer tabla rasa con todas las normas en uso para imponer una nueva manera de pensar, de vivir y expresarse; el punto de partida sería la 'libertad absoluta' del yo. Pudiendo por este medio manifestarse el individuo sin traba alguna, aflorarían de su interior las fuerzas instintivas más puras, portadoras de las verdades esenciales del hombre, confinadas durante larguísimo tiempo en la subsconciencia de su recóndita personalidad. Esta posición, que los emparentaba más con lo existencial y lo metafísico que con el arte, se inspiraba en el nihilismo dadaísta, que con su destrucción purificadora había preparado, aun sin proponérselo, los cimientos para la reconstrucción realizada luego sobre esos mismos actos por los surrealistas, y estos jóvenes rebeldes argentinos no querían hacer menos, como notoriamente lo demuestran los trabajos publicados en su revista [16].

El grupo concentrado alrededor de *Que* no atrajo mucha atención porque el ruido de sus actividades fue sofocado por el clamoreo de la rivalidad entre el grupo llamado «Boedo» y los «Martinfierristas». Veinte años más tarde, en 1948, los surrealistas argentinos se organizaron de nuevo en torno a la revista *Ciclo* (1948-49). En esta época, algunos de los antiguos surrealistas habían abandonado este movimiento, y nuevos miembros habían entrado en sus filas. Éstos, más tarde, formaron otro grupo surrealista, cuyo órgano fue la revista *A partir de 0*

---

[14] Ceselli, Juan José, *Poesía argentina de vanguardia: surrealismo e invencionismo*, Buenos Aires: Ministerio de Relaciones Exteriores, 1964, pág. 13.

[15] Sola, Graciela de, *Proyecciones del surrealismo en la literatura argentina*, Buenos Aires: Ediciones Culturales Argentinas, 1967, págs. 110-111.

[16] Ceselli, *Op. cit.*, pág. 13.

(1952-56), dirigida por Enrique Molina. Los surrealistas también colaboraron en la fundación de *Letra y Línea* (1953-55). Hoy, muchos surrealistas colaboran en *Boa* (1958...). El número de surrealistas argentinos es muy elevado. Graciela de Sola menciona a los siguientes como los más notables [17]:

Aldo Pellegrini: *El muro secreto,* 1949; *La valija de fuego,* 1952; *Construcción de la destrucción,* 1957.

Carlos Latorre: *La puerta de arena,* 1950; *La ley de gravedad,* 1952; *El lugar común,* 1954; *Los alcances de la realidad,* 1955; *La línea de flotación,* 1959.

Enrique Molina: *Las cosas y el delirio,* 1941; *Pasiones terrestres,* 1942; *Costumbres errantes o La redondez de la tierra,* 1951.

Francisco Madariaga: *El pequeño patíbulo,* 1954; *Las jaulas del sol,* 1959; *El delito natal,* 1963.

Juan José Ceselli: *La otra cara de la luna; Los poderes melancólicos; De los mitos celestes y de fuego,* 1955; *La sirena violada; Violín María* [18].

Julio Llinás: *Panta Rhei,* 1950; *La Ciencia Natural,* 1959.

Juan Antonio Vasco: *Cambio de Horario,* 1954; *Destino Commún* (sic), 1959 [19].

Alejo Carpentier cree que el surrealismo empezó a tener impacto en Hispanoamérica cuando la escuela francesa ya había entrado en su segunda fase, es decir, después de la publicación del *Segundo Manifiesto* por Breton en 1930 [20]. En cambio, Cedomil Goiç mantiene que la sensibilidad de muchos escritores chilenos entre 1920-1935 fue surrealista [21]. Parece que Chile era un centro importante de actividad surrealista en el Nuevo Mundo, y como tal lo mencionan los críticos del surrealismo francés.

---

[17] Sola, *Op. cit.,* págs. 126-167.

[18] De Sola no da las fechas para los otros volúmenes.

[19] De Sola no presenta estos volúmenes en su estudio. Se hallan en: Matthews, J. H., «Forty Years of Surrealism (1924-1964): A Preliminary Bibliography», *Comparative Literature Studies,* III, 3 (1966), pág. 311.

[20] Carpentier, Alejo, *Tientos y diferencias,* México: Universidad Nacional Autónoma de México, 1964, pág. 29.

[21] Goiç, Cedomil, «La novela chilena actual», *Anales de la Universidad de Chile,* núm. 119, 1960, pág. 252.

J. H. Matthews destaca las publicaciones de *Mandrágora* (1938-43)[22], y Herbert Gershman dice que la revista surrealista *Leitmotiv* (1942-43) se fundó un poco antes de la desaparición de *Mandrágora*[23]. El surrealismo chileno, como organización formal, empezó en julio de 1938. Su nombre oficial era «El Grupo Mandrágora». Braulio Arenas, en una carta a André Breton, expuso las intenciones del grupo:

> Este grupo se proponía incitar al estudio de los grandes ciclos de la poesía, novela de caballerías, teatro elisabetiano, novela inglesa del terror, romanticismo alemán, simbolismo francés, etc.; y proponer una actitud frente a los problemas que el surrealismo suscitaba[24].

Los miembros originales de este grupo fueron: Braulio Arenas, Jorge Cáceres, Teófilo Cid, Enrique Gómez-Correa, Armando Gaete, Mariano Medina, Fernando Onfray, Gustavo Ossorio, Gonzalo Rojas-Pizarro, Mario Urzúa y Eugenio Vidaurrazaga[25]. Los surrealistas chilenos, además de sus actividades literarias, también daban escándalos públicos como el que ocurrió en la Universidad de Chile en julio de 1940, cuando interrumpieron un discurso de Pablo Neruda. Querían que Neruda diera cuenta de los fondos que recogía para los niños españoles víctimas de la Guerra Civil. A Neruda se le acababa de nombrar cónsul en México, y se le tributaban honores en la Universidad. Como resultado de las interrupciones, se suspendió la ceremonia[26]. Los surrealistas chilenos celebraron su primera exposición de arte en 1941 y organizaron una exposición internacional en 1948. A pesar de la existencia del grupo surrealista en Chile, se debe recordar que *La tentativa del hombre infinito* (1926) de Pablo

---

[22] Matthews, J. H., *Surrealism and the Novel*, Ann Arbor: The University of Michigan Press, 1966, pág. 183.

[23] Gershman, Herbert, *The Surrealist Revolution in France*, Ann Arbor: The University of Michigan Press, 1969, pág. 156.

[24] Arenas, Braulio, «Letter from Chile», *VVV*, núm. 2-3, marzo de 1948, págs. 124-25.

[25] *Op. cit.*, pág. 124.

[26] *Op. cit.*, pág. 124.

Neruda había causado gran impacto en toda Iberoamérica. Juan Larrea cree que Neruda ocupa un lugar eminente en la poesía surrealista del Nuevo Mundo:

> El caudal imaginativo es ciertamente americano y propio de la personalidad de Neruda. Mas la desarticulación tanto verbal como conceptual fueron tomadas —directa o indirectamente— por éste, a partir de su *Tentativa del hombre infinito*, de las vanguardias francesas, aunque sin el afán de integrar palabras y nociones en una coherencia distinta. Puede llegar a decirse que la personalidad del poeta chileno es el dominio establecido por el surrealismo en América, así como la contraprueba de la efectiva correlación que existe entre este continente y aquel movimiento artístico [27].

El contenido de la poesía en este volumen contiene todos los ingredientes claves de la poesía surrealista: la exploración del inconsciente, metáforas abstractas, simbolismo y elementos oníricos.

Contra lo que mantienen ciertos críticos, la influencia surrealista arraigó en Venezuela mucho antes de que el Techo de la Ballena hubiera hecho impacto en los años sesenta. Los literatos venezolanos se daban cuenta de las tendencias vanguardistas en Europa, especialmente las de los surrealistas franceses. Sin embargo, faltó en Venezuela una fuerza cohesiva hasta 1936, cuando se fundó el «Grupo Viernes». La motivación de este grupo fue: «...incorporar la poesía venezolana a la del Continente en un afán estéticamente universal» [28]. Muchos de los principios bosquejados en su propio manifiesto fueron tomados directamente de las enseñanzas de André Breton. Al principio, el «Grupo Viernes» constaba de nueve poetas: Luis Fernando Álvarez, José Ramón Heredia, Ángel Miguel Queremel, Pablo Rojas Guardia, Vicente Gerbasi, Otto D'Sola, Oscar Rojas Jiménez, Pascual Venegas Filardo, Rafael Olivares Figueroa y un crítico literario: Fernando Cabrices. El mentor y portavoz del

---

[27] Larrea, Juan, «El surrealismo entre viejo y nuevo mundo», *Cuadernos Americanos* (enero-marzo 1944), pág. 243.

[28] Díaz Seijas, Pedro, *Historia y antología de la literatura venezolana*, 4.ª edición, Madrid-Caracas: Ediciones Jaime Villegas, 1962, pág. 515.

grupo fue Ángel Miguel Queremel. Los socios del «Grupo Vier-nes» cambiaban con frecuencia. No obstante, Pedro Díaz Seijas considera a Luis Fernando Álvarez (1902-1952) como el poeta surrealista más sobresaliente de este grupo [29].

Hubo dos grupos importantes de actividad vanguardista en México durante los años veinte. Uno, fundado en 1923, fue «El movimiento estridentista». Pertenecieron a él Manuel Maples Arce, German List Argubide, Salvador Gallardo, Luis Quintanilla y Arqueles Vela. Publicaron manifiestos y revistas que revela-ban su fascinación por la irracionalidad del dadaísmo, su desdén por la burguesía y la literatura [30]. El segundo grupo se congregó en torno a la revista *Contemporáneos* (1928-31), dirigida por Bernardo Ortiz de Montellano. Esta revista fue la que introdujo en México las doctrinas surrealistas [31]. Algunos escritores que colaboraron en ella y que llegaron a ser propagandistas del su-rrealismo en México fueron: Carlos Pellicer, Xavier Villaurrutia, Jaime Torres Bodet, José Gorostiza y Salvador Novo. Sus poesías incorporaron todas las técnicas de la literatura surrealista que se expresan en temas de soledad, amargura, pesimismo y muer-te [32].

Un indicio de la popularidad del surrealismo en México se ve en el hecho de que André Breton mismo fue a México en 1938 patrocinado por el Gobierno para dar una serie de conferen-cias [33]. En febrero de 1940, Wolfgang Paalen organizó una ex-posición de arte surrealista en México. Paalen se quedó en el país y más tarde fundó la revista surrealista *Dyn* (1942-44) [34]. Otro surrealista francés, Benjamin Péret, pasó los años 1941-47 en México. Así es el ambiente literario y artístico en que creció Octavio Paz. Las teorías estéticas de Paz son muy parecidas al surrealismo que practicaban los franceses, y muchas obras suyas

---

[29] *Op. cit.*, págs. 511-517.
[30] Anderson-Imbert, *Op. cit.*, págs. 462-63.
[31] Mullen, E. J., «Critical Reactions to the Review *Contemporáneos*», *Hispania*, 54, marzo de 1971, pág. 148.
[32] Gómez-Gil, *Op. cit.*, pág. 533.
[33] Gershman, *Op. cit.*, pág. 154.
[34] *Op. cit.*, págs. 155-156.

son valiosos aportes al surrealismo hispanoamericano [35]. Se ha traducido la poesía de Paz al francés, y está incluida en antologías francesas de literatura surrealista [36]. En marzo de 1950, Breton y Péret publicaron *Almanach surréaliste du demi-siècle*, en que incluyeron el nombre de Octavio Paz como uno de los selectos [37].

Max Henríquez Ureña dice que Cuba no tuvo futuristas, cubistas, dadaístas, o surrealistas [38]. Otros críticos como Jorge Mañach y Roberto Fernández Retamar han escrito estudios que no comparten esta opinión [39]. Se conocían las ideas de la vanguardia en Cuba y estas ideas fueron divulgadas principalmente por las publicaciones de escritores franceses en la *Revista de Avance* (1927-30). Según Jorge Mañach, la actividad vanguardista en Cuba tuvo un doble propósito. Por un lado, fue una reacción contra el régimen represivo del general Gerardo Machado (1925-33) y, por otro lado, fue un intento de salvar la vida cultural de Cuba:

> Lo que queríamos aquellos críticos, ensayistas, poetas que todavía éramos jóvenes en los años del 26 al 30, era reaccionar —estridentemente, con herejía y hasta con insolencia— contra la inercia tradicional, contra actividades y morales, y correspondientes modos de expresión, que, a nuestro juicio, traducían la inanidad, la falta de sustancia y el contentamiento con meras apariencias en que había venido a parar la ilusión fundadora. Las minúsculas, las imágenes desaforadas, las 'jitanjáforas', el encabritamiento tipográfico, la deformación plástica, no eran sino la expresión concreta de aquel estado de ánimo [40].

Es verdad que Cuba no ha producido un poeta surrealista igual a Vallejo, Neruda o Paz. Pero es de notar que las obras

---

[35] Torre, *Op. cit.*, pág. 384.

[36] Bedouin, *Op. cit.*, págs. 242-50.

[37] Gershman, *Op. cit.*, pág. 161.

[38] Henríquez Ureña, Max, *Panorama histórico de la literatura cubana*, Puerto Rico: Ediciones Mirador, 1963, II, pág. 408.

[39] Mañach, Jorge, *Historia y estilo*, La Habana: Editorial Minerva, 1944. Fernández Retamar, Roberto, *La poesía contemporánea en Cuba* (1927-1953), La Habana: Orígenes, 1954.

[40] Mañach, *Op. cit.*, págs. 200-201.

de algunos poetas como Mariano Brull poseen rasgos definitivamente surrealistas. El uso frecuente de «jitanjáforas» y otros recursos onomatopéyicos son semejantes a los que fueron empleados por los dadaístas y surrealistas en los juegos de palabras que se hallan en su poesía.

Los críticos han vacilado en clasificar a los poetas cubanos de los veinte y de los treinta según escuelas literarias. Conceden en general que algunos demuestran influencias vanguardistas en sus obras. Puesto que el número de poetas de este período es tan grande, mencionaremos sólo a los que Roberto Fernández Retamar designa como poetas de tendencias surrealistas: Félix Pita Rodríguez, Ramón Guirao, y Lorenzo García Vega [41].

Este esquema se ha enfocado solamente en esos países hispanoamericanos donde la moda surrealista estaba más vigente. Hemos tratado de exponer e identificar cuándo y dónde esta moda había empezado a aparecer. Desgraciadamente, hemos tenido que omitir los nombres de muchos poetas contemporáneos, quienes, a su manera, han llevado adelante la tradición de los precursores.

La poesía, pues, fue el medio principal por el cual el surrealismo francés recibió su aceptación entre los literatos hispanoamericanos. André Breton, al principio, creía que sólo la poesía podía ser el vehículo para transmitir las nuevas sensibilidades. Desdeñó la novela como género literario. Sin embargo, con el correr de los años, los surrealistas franceses empezaron a demostrar más inclinación hacia la prosa.

La década de los treinta es un período importante porque las técnicas vanguardistas aparecen con alguna regularidad en la prosa. No obstante, hay excepciones como México, donde ciertas obras de ficción revelan una aceptación más temprana. El estudio del profesor John S. Brushwood sobre la novela mexicana mantiene que no hubo novelas vanguardistas en México antes de 1925 [42]. Pero después de esta fecha señala autores que utilizan

---

[41] Fernández Retamar, *Op. cit.* (autores citados respectivamente en las páginas 27, 43-44, 116).

[42] Brushwood, John S., *Mexico in its Novel*, Austin: University of Texas Press, 1966), pág. 189.

el uso de la asociación libre, imágenes oníricas, y los usos descomunales del tiempo. Por eso, propone a los siguientes autores y obras como representativos de la vanguardia: Gilberto Owen, *La llama fría*, 1925; *Novela como nube*, 1928; Jaime Torres Bodet, *Margarita de niebla*, 1927; *La educación sentimental*, 1930; Salvador Novo, *El joven*, 1928; Xavier Icaza, *Panchito Chapopote*, 1928; Arqueles Vela, *El café de nadie*, 1926; José Martínez Sotomayor, *La rueca de aire*, 1930 [43]. Podemos incluir aquí *La Malhora* (1923) de Mariano Azuela, porque esta novela se caracteriza por escenas fragmentarias y retrospectivas, y los usos descomunales del tiempo [44]. De esta lista, observamos que la mayoría de estos escritores eran miembros de «El movimiento estridentista» o asociados con la revista *Contemporáneos*.

Antes de continuar nuestro desarrollo de la moda surrealista en la prosa, nos enfrentamos con un problema que debemos exponer para que nuestra discusión tenga más sentido. Es el problema que toca a la literatura que ciertos críticos prefieren clasificar como «realismo mágico» en Hispanoamérica.

El profesor Luis Leal sostiene con énfasis que el «realismo mágico» no puede identificarse con el surrealismo, y ofrece los siguientes principios como características de este fenómeno:

1. La existencia de lo real maravilloso es lo que ha dado origen a la literatura de realismo mágico...

2. El realismo mágico es, más que nada, una actitud ante la realidad, la cual puede ser expresada en formas populares o cultas, en estilos reelaborados o vulgares, en estructuras cerradas o abiertas.

3. En el realismo mágico el escritor se enfrenta a la realidad y trata de desentrañarla, de descubrir lo que hay de misterio en las cosas, en la vida, en las acciones humanas.

4. En el realismo mágico los acontecimientos claves no tienen una explicación lógica o sicológica.

5. El mágico realista no trata de copiar (como lo hacen los realistas) o de vulnerar (como lo hacen los surrealistas) la realidad

---

[43] *Op. cit.*, págs. 192-204.
[44] Leal, Luis, *Breve historia de la literatura hispanoamericana*, New York: Alfred A. Knopf, Inc., 1971, págs. 200-201.

circundante, sino de captar el misterio que palpita en las cosas.
6. ...en estas obras de realismo mágico el autor no tiene necesidad de justificar lo misterioso de los acontecimientos...
7. Para captar los misterios de la realidad el escritor magico-
rrealista exalta sus sentidos hasta un estado límite que le permite
adivinar los inadvertidos matices del mundo externo, ese multi-
forme mundo en que vivimos [45].

Habría pocos críticos del surrealismo que rechazaran el
criterio de Leal como aplicable al criterio de la escuela francesa.
Cuando Franz Roh formuló el concepto del «realismo mágico»,
era una época en que el dadaísmo y el surrealismo tenían un
tremendo impacto en toda Europa. No queremos igualar el
«realismo mágico» con éstos, sino decir que su relación, por lo
menos con el surrealismo, es muy estrecha. Además, muchos
autores considerados como magicorrealistas por Leal, son, en
muchos casos, los mismos autores a quienes otros críticos consideran como surrealistas. La incertidumbre de las teorías de
Leal yace no sólo en las aparentes semejanzas entre el surrealismo y el «realismo mágico», sino también en el hecho de que
ciertos autores como Asturias, Carpentier, Sábato y Cortázar,
han admitido que fueron influidos por el surrealismo francés.
Por eso, creo que el surrealismo ha sido un movimiento penetrante; que es posible hallar sus características aun bajo otros
nombres en la ficción hispanoamericana, y que su influencia e
importancia no han sido completamente reconocidas. Sea como
fuere, estas diferencias académicas evocan cuestiones importantes en cualquier estudio del surrealismo hispanoamericano.
Alberto Zum Felde fue uno de los primeros críticos que re-
conocieron la moda surrealista en la narrativa hispanoamericana [46]. El criterio que aplica no tiene mucho que ver con vínculos
históricos con la escuela francesa. Considera la moda surrealis-

---

[45] Leal, Luis, «El realismo mágico en la literatura hispanoamericana»,
Cuadernos Americanos, núm. 153, 1967, págs. 232-235.
[46] Zum Felde, Alberto, *Índice crítico de la literatura hispanoamericana*, tomo II, capítulo VI: «Las Modalidades Superrealistas de Mediados
del Siglo», México: Editorial Guaranía, 1959.

ta como una evolución natural de los escritores hispanoamericanos cuando pasaban de los temas de una naturaleza telúrica a los que pertenecían a la condición humana. Cree que las técnicas surrealistas se aplican a los temas de alucinación y soledad tal como se hallan en la literatura que trata de tipos urbanos.

Según Zum Felde, el representante principal del surrealismo en la región del Río de la Plata es Jorge Luis Borges. Borges volvió a escribir obras de ficción en los treinta, y el empleo de este género, como se manifiesta en *Ficciones* (1941) y *El Aleph* (1950), indica un mayor desarrollo en la moda surrealista: «Por sus características de técnica y de estilo, marcan uno de los puntos más altos, tal vez el más, en la narrativa de índole suprarrealista, en su medio» [47]. Zum Felde presenta una lista muy larga de autores cuyas obras reflejan rasgos surrealistas. La siguiente es una lista parcial: Jorge Luis Borges, Jaime Torres Bodet, Miguel Ángel Asturias, María Luisa Bombal, Luz de Viana, José Revueltas, Roberto Arlt, Leopoldo Marechal, Felisberto Hernández, Juan Carlos Onetti, Ernesto Sábato, Mario Benedetti, Eduardo Mallea, Alejo Carpentier, y Agustín Yáñez. Con la excepción de Benedetti y Sábato, todos los demás pueden considerarse como iniciadores de la moda surrealista en la literatura hispanoamericana.

Me gustaría proponer que la ficción que demuestra conceptos y técnica surrealistas, desde 1935 a 1946, sea considerada como un período de introducción y experimentación. De acuerdo con la opinión de Zum Felde en cuanto a la importancia de las obras tempranas de Borges, empezaría este período con su *Historia general de la infamia* (1935) y cerraría con *El Señor Presidente* (1946) de Miguel Ángel Asturias. La exposición razonada de esta división cronológica se basa en las siguientes conclusiones:

1. Los escritores de esta generación conocían el impacto del surrealismo no sólo en Europa, sino también sobre la poesía de sus contemporáneos en Hispanoamérica.

2. Muchos de estos escritores habían vivido en Francia durante la época en que el surrealismo estaba en su apogeo.

---

[47] *Op. cit.*, pág. 433.

3. Una comparación de la producción literaria de esta generación y la de sus antecesores revela un cambio muy marcado en el empleo de conceptos y de técnicas propuestos por el surrealismo.
4. La literatura de esta generación llegó a ser una importante contribución a la narrativa hispanoamericana y tenía un efecto demostrable, en términos de estilo y técnica, sobre la próxima generación de escritores hispanoamericanos.

Además, propondría que semejante ficción, desde 1946 hasta el presente, fuera considerada como un período en que la moda surrealista ya es parte integrante de las características generales de la prosa hispanoamericana. Es verdad que muchos autores de la primera generación todavía escriben hoy, pero los escritores que adquieren fama después de 1946 (con la excepción de Sábato y Cortázar) han producido obras que demuestran la influencia del surrealismo, aunque estos autores no tienen vínculos históricos o afinidades espirituales con la escuela francesa. Esta generación está influida también por los escritores europeos y norteamericanos cuyas obras tienen influencias surrealistas. En resumidas cuentas, es obvio que el surrealismo francés es más importante para los escritores de 1935-1946 debido a las modas literarias y vínculos de la época. En el caso de la segunda generación, es difícil precisar las influencias, porque el uso de verbalismo polisemántico, palabras de *portmanteau*, imágenes y metáforas chocantes, monólogo interior, escenas retrospectivas, montaje y la narración no cronológica forman parte de la ficción contemporánea en todas partes.

Tratando de establecer un número representativo de autores que pudieran caber en esta generación, he tenido que limitarme a escritores bastante conocidos, puesto que se puede destacar *ad infinitum* la influencia surrealista en la literatura contemporánea.

Comenzaría la lista de la segunda generación con las obras de Alejo Carpentier. Su primera novela, *Ecué-Yamba-O* (1933), muestra rasgos que se hallan también en la literatura surrealista. Sin embargo, es discutible si esta novela merece el apoyo tan entusiástico que le da Salvador Bueno:

> Por eso, en esta obra contrasta, por una parte, la mucha habilidad literaria, la aproximación a las últimas técnicas cubistas y surrealistas de moda —soplo cosmopolita—, con el aporte de elementos espontáneos y populares que recogen cierto aliento áspero y recio de tipicismo indudable... [48].

Considerando que esta novela dista mucho cronológicamente del resto de su narrativa, prefiero colocar a Carpentier en la segunda generación. En *El reino de este mundo* (1949) notamos un empleo más sofisticado de la moda surrealista. Su obra maestra, *Los pasos perdidos* (1953) es una exploración del concepto surrealista de *le merveilleux* con el Continente Sudamericano como escenario.

El aporte de Chile a la segunda generación puede ser *Hijo de ladrón* (1951) de Manuel Rojas. Esta obra escrita mayormente como una novela realista contiene numerosos ejemplos de monólogo interior, recursos de contrapunto, y el uso del tiempo no cronológico. Por estas razones, estoy de acuerdo con Cedomil Goiç, que considera esta novela como un buen ejemplo de la ficción surrealista [49].

Aunque muchos críticos consideran que *El túnel* (1948) de Ernesto Sábato es una novela existencialista o freudiana, Alberto Zum Felde la incluye en la moda surrealista. No creo que su opinión sea correcta si se juzga la novela desde el punto de vista de técnicas y uso del lenguaje. La segunda novela de Sábato, *Sobre héroes y tumbas* (1962), sí es un buen ejemplo de literatura surrealista. Sumerge al lector en el mundo de lo inconsciente y está escrita en un estilo rico en metáforas, símbolos y elementos oníricos.

El estilo de Juan Rulfo en *Pedro Páramo* (1955) [50] denota uno de los experimentos más atrevidos en la novela moderna.

---

[48] Bueno, Salvador, *La letra como testigo*, Santa Clara, Cuba: Universidad de las Villas, 1957, pág. 165. (Citado de un artículo por Frances Donahue, «Alejo Carpentier: La preocupación del tiempo», *Cuadernos Hispanoamericanos*, LXVIII, octubre de 1966, pág. 139.

[49] Goiç, *Op. cit.*, pág. 253.

[50] Pedro Díaz Seijas también cree que Rulfo es un escritor que demuestra tendencias surrealistas: «Es tal vez más surrealista que Yáñez

Deseando expresar su propio concepto de la mexicanidad, Rulfo crea un ambiente infernal donde el homicidio, el incesto, el despotismo y la lujuria se revelan en una forma sumamente poética. Rulfo reta al lector con el empleo de escenas que a primera vista no parecen estar relacionadas, con el tiempo no cronológico y el simbolismo. Sin embargo, una cuidadosa lectura de la novela indica que ha sido planeada muy meticulosamente y da como resultado lo que podemos llamar un automatismo preconcebido.

Juan José Arreola, compatriota de Rulfo, es uno de los mejores representantes de la literatura simbólica. Casi desafían la definición los cuentos de *Varia Invención* (1949) y *Confabulario* (1952). Podremos llamarlos fábulas modernas, pero de una naturaleza muy abstracta. Las obras de Arreola son como pinturas surrealistas. Hay que tratar de entender los símbolos, y mirarlos bien desde distintos ángulos antes de sacar conclusiones.

Muchas veces los críticos se refieren a Julio Cortázar como «el hijo espiritual» de Borges, puesto que hay muchas semejanzas entre sus obras. Sea como fuere, Cortázar ha admitido la influencia del surrealismo francés en sus obras. *Opium*, de Jean Cocteau, ha tenido en él gran efecto, y su admiración por este autor lo condujo a las obras de André Breton, Paul Éluard y René Crével [51]. Lo que atrajo a Cortázar al surrealismo, entre otras cosas fue su actitud hacia la vida, es decir, el deseo de explorar el otro lado del espejo para llegar a un mejor entendimiento del hombre y de su lugar en el cosmos. La aproximación de Cortázar a la metafísica se basa muchas veces en el Zen y Vedanta, filosofías también exploradas por los surrealistas franceses. En general, el humor de Cortázar puede compararse con el humor negro de los surrealistas. Su uso de este recurso in-

---

y utiliza la palabra con un desenfado y artificio verdaderamente impresionantes». Díaz Seijas, Pedro, «Una ojeada a la novelística hispanoamericana en cinco dimensiones», pág. 62. (Este artículo forma parte de las *Memorias* del Congreso Internacional de Literatura Iberoamericana, Caracas: Universidad Central de Venezuela, 1968).

[51] Harss, Luis, *Los nuestros*, Buenos Aires: Editorial Sudamericana, 1969, pág. 282.

dica bien su propia filosofía sobre lo absurdo de la existencia humana. Su obra maestra, *Rayuela* (1963), contiene casi todos los conceptos y técnicas popularizados por los surrealistas. Cronológicamente, Cortázar debe pertenecer a la primera generación. Sin embargo, considerando que sus obras narrativas aparecen después de 1946, prefiero colocarlo en la segunda.

Carlos Fuentes es otro escritor cuyo estilo posee todas las cualidades surrealistas. Su primera novela, *La región más transparente* (1958), se adhiere a una estructura muy parecida a la de *Al filo del agua*, de Agustín Yáñez, y *Pedro Páramo*, de Rulfo. En esta novela, Fuentes examina el desarrollo de las clases sociales después de la Revolución por medio de escenas retrospectivas, la multiplicidad de personajes, la libre asociación de ideas y el tiempo no cronológico.

Las novelas de Mario Vargas Llosa, particularmente *La ciudad de los perros* (1963) y *La Casa Verde* (1968), son excelentes ejemplos de literatura surrealista. Su patria, el Perú, fue uno de los centros de actividad surrealista cuando el movimiento estaba en su apogeo. Los aportes de Vargas Llosa a la prosa surrealista son comparables a los de compatriotas suyos como Xavier Abril, César Moro, y Emilio Westphalen en el campo de la poesía surrealista.

Esta lista puede ser mucho más larga, porque las obras narrativas de hoy contienen en alguna forma, los rasgos y conceptos propuestos por el surrealismo. Esta selección limitada destaca sólo los nombres de autores que gozan de gran prestigio y que han seguido decididamente la moda surrealista. Algunos críticos continuarán usando términos como «la novela moderna» y «la novela de constante fluir», sin saber ni reconocer el legado que hemos heredado de los surrealistas. Este legado se ha modificado para adaptarse a necesidades peculiares, pero está presente y ha contribuido a elevar la literatura hispanoamericana a un nivel de prestigio universal.

CAPÍTULO III

LA PENETRACIÓN DEL MUNDO ONÍRICO

(MARÍA LUISA BOMBAL, *La última niebla*, 1935)

María Luisa Bombal ha alcanzado un lugar importante en la literatura hispanoamericana, a pesar de su escasa producción. Además de sus méritos literarios, se la reconoce como el primer prosista chileno que rompió con las tendencias realistas que dominaban la novela y el cuento en su país[1]. Al mismo tiempo, es uno de los autores de su generación que experimentaron la modalidad surrealista.

En el capítulo anterior observamos que la práctica de técnicas surrealistas, como actividad formal en Chile, empezó en 1938 con la fundación del «Grupo Mandrágora». Además, vimos que existen casos aislados de influencia surrealista en las obras de poetas chilenos como Pablo Neruda. Sin embargo, la prosa chilena, hasta mediados de los treinta, se caracterizaba casi totalmente por las tendencias realistas del siglo diecinueve. La publicación de *La última niebla* marca una ruptura significativa con las antiguas prácticas. Antes de definir la naturaleza de este cambio, es importante examinar unos datos de la vida de Bombal para determinar la base de su preparación literaria.

Los estudios críticos de sus obras son escasos, y, por consiguiente, no hay informes precisos disponibles de lo que ella

---

[1] Goiç, Cedomil, «La última niebla», *Anales de la Universidad de Chile*, CXXI, núm. 128 (septiembre-diciembre de 1963), pág. 59.

sabía del surrealismo y su relación con este movimiento. Pero hay ciertos indicios que demuestran que estaba enterada del impacto del surrealismo en Europa y en ciertas regiones de Hispanoamérica. Se sabe, por ejemplo, que su primera preparación literaria tenía una orientación casi exclusivamente francesa. Recibió su educación secundaria y universitaria en Francia cuando el surrealismo estaba en su apogeo. Se graduó en filosofía y letras en la Sorbona, donde manifestó una definida predilección por la pintura, música y literatura vanguardista[2]. Es inconcebible que, después de su regreso a Chile en 1931, no conociera las actividades de los que organizaron formalmente el «Grupo Mandrágora» en los últimos años de la década. Bombal vivió también unos años en Buenos Aires y tenía contacto frecuente con los escritores vanguardistas concentrados alrededor de la revista *Sur*.

Suele incluirse a Bombal entre los escritores hispanoamericanos cuyas obras reflejan influencias surrealistas[3]. Estoy de acuerdo con esta afirmación; pero, en realidad, solamente Cedomil Goiç ofrece razones específicas para haber juzgado así sus obras. Goiç mantiene que hasta 1935 la novela chilena no era más que una extensión de la novela naturalista, y designa el período 1890-1935 como los límites de este género. Considera la publicación de *La última niebla* como rumbo nuevo en la literatura chilena: «*La última niebla*, de María Luisa Bombal, fue publicada por primera vez en 1935. Esta fecha es significativa por más de una razón. Por una parte es la fecha hacia la cual entra en vigencia la generación superrealista con la que se inicia propiamente la literatura contemporánea en Chile»[4]. Goiç

---

[2] «María Luisa Bombal», *The Inter-American*, Washington, vol. II, núm. 1, enero de 1943, pág. 33.

[3] Véase Alberto Zum Felde, *Índice crítico de la literatura hispanoamericana*, México: Guaranía, 1959. Capítulo VI: «Las Modalidades Suprarrealistas». Enrique Anderson-Imbert, *Spanish American Literature: A History*, Detroit: Wayne State University Press, 1969, vol. II. Capítulo XIII: 1925-1940. Orlando Gómez-Gil, *Historia crítica de la literatura hispanoamericana*, New York: Holt, Rinehart and Winston, 1968, capítulo 32: «La novela suprarrealista».

[4] Goiç, *Op. cit.*, pág. 59.

no identifica la literatura chilena contemporánea con el surrealismo, pero cree, como muchos críticos, que los conceptos y técnicas surrealistas son más adecuados al gusto del escritor contemporáneo que las técnicas realistas del siglo pasado. Los problemas del hombre del siglo veinte, causados en su mayor parte por los adelantos científicos y tecnológicos, el aparente fracaso de las instituciones democráticas y una creciente duda en la existencia de Dios, trajeron como consecuencia el nacimiento de una nueva sensibilidad, que se caracterizaba por una debilitada confianza en los poderes racionales del ser humano. Tal creencia encontró su expresión en el surrealismo [5].

Según Goiç, María Luisa Bombal empezó a escribir cuando el surrealismo comenzaba a influir en su generación. Además, cree que *La última niebla* es una novela surrealista por las siguientes razones:

> 1) Modo narrativo...
> 2) Los niveles de realidad...
> 3) La hermeticidad del mundo y el acento puesto en la función estética de la obra... [6].

El aspecto surrealista más distintivo de *La última niebla* (que en muchos casos incorpora el criterio de Goiç) es el uso de «la poética del sueño». Los primeros años del surrealismo francés se caracterizaban por «una época de sueños o *époque des sommeils*. Wallace Fowlie nos dice: «Esto fue un experimento con sueños, una nueva manera de pensar, en que el soñador experimentara imágenes sin precedente en su extrañeza y riqueza» [7]. En el *Primer Manifiesto*, Breton exhortaba al hombre a romper con la matriz de su existencia lógica, dando más fe a lo que ocurre en sus sueños y a que no se atuviera a racionalizar enteramente sus acciones durante las horas de estar despierto. Breton creía que los sueños no debían ser un mero

---

[5] *Op. cit.*, pág. 60.
[6] *Op. cit.*, pág. 61.
[7] Fowlie, Wallace, *Age of Surrealism*, The Swallow Press and William Morrow and Company, Inc., 1950, pág. 109. (La traducción es mía).

paréntesis en nuestra existencia, sino un instrumento que ade-
lantara el conocimiento de nosotros mismos. En efecto, proponía que los sueños contuvieran las claves para resolver las
cuestiones básicas de nuestra existencia [8].
Los sueños se manifiestan en lo inconsciente. Por tanto, los
estudios de Freud abrieron innumerables caminos de expresión
para los surrealistas. Sus experimentos influyeron tanto en ellos
que, de todas las características surrealistas, la exploración de
lo inconsciente es el principio fundamental del movimiento.

Freud ideó un método para interpretar lo inconsciente «mi-
diendo las peculiaridades y disfraces que distinguen sus esfuerzos para abrirse paso a la realidad» [9]. Los surrealistas adoptaron
su método y lo acomodaron para satisfacer sus propios intentos;
es decir, querían subordinar la realidad al sueño, lo cual no
había sido el intento de Freud. Bombal sigue un enfoque semejante en *La última niebla*, donde los sueños de la protagonista
son tan creíbles que al fin llegan a constituir la verdadera realidad.

Bombal crea un mundo de ilusión, donde hay poca diferencia
entre lo racional y lo irracional. Domina tanto esta técnica que
a veces el mundo irreal prevalece sobre el mundo de la percepción sensual:

> La falta de una conciencia teórica, al modo tradicional, entre
> sueño, ensueño y realidad o vigilia, acrecienta la incertidumbre
> que el personaje padece, en tanto falta un criterio para la deter-
> minación o reconocimiento de la realidad de la verdad [10].

Así, Bombal no emplea el sueño como los románticos del
siglo diecinueve, que creaban de ordinario un mundo de sueños
escapándose a tierras lejanas. Ella crea un escape sin duda,
pero es un escape a lo inconsciente. En el prólogo que escribió
para la traducción inglesa de *La última niebla* (*House of Mist*),

---

[8] Breton, André, *Manifestoes of Surrealism*, Ann Arbor: The University of Michigan Press, 1969, págs. 9-12.
[9] Hoffman, Frederich J., *Freudianism and the Literary Mind*, (Louisiana State University Press, 1967, pág. 107. (La traducción es mía).
[10] C. Goiç, *Op. cit.*, pág. 62.

la autora dice: «...cada uno de nosotros tiene dentro de sí un pozo al que puede descender durante el sueño y por medio del cual puede escapar a la infinitud»[11]. El mundo irreal descrito por Bombal, aunque contiene elementos fantásticos, no carece de verosimilitud. Llega al mundo irreal mientras cree atestiguar los acontecimientos del mundo real.

La yuxtaposición del mundo real y el mundo de los sueños no es una innovación de los surrealistas. En la literatura española hay muchos ejemplos en las obras de Don Juan Manuel, Cervantes y Calderón. Sin embargo, la motivación de Bombal es diferente. Quiere pintar todas las aspiraciones de la mente. Desde este punto de vista, es decir, en el sentido freudiano, la exposición de todas las facetas de lo inconsciente puede considerarse un aporte original de los surrealistas. Por lo menos, el uso constante de este recurso parece ser el principio fundamental de la estética surrealista.

La descripción de lo inconsciente requiere una técnica especial. El uso de la metáfora es la preferible, y Bombal acertadamente escoge este medio, que le permite demostrar su habilidad como escritora. La región de lo inconsciente se concibe como desconocida o misteriosa, y así, Bombal prefiere describirla en un ámbito de «niebla». En tal ámbito, las acciones mentales prevalecen sobre la acción física, de modo que el interés del lector se sostiene por la anticipación de lo que experimentara la protagonista en su psique.

El argumento de *La última niebla* se nos revela enteramente por los ojos del personaje central, una mujer, cuyo nombre nunca se menciona. El tema que penetra tan densamente la vaporosa atmósfera de la novela es el amor no correspondido, que anhela desesperadamente su cumplimiento[12]. Este anhelo se expresa en términos más implícitos que explícitos.

Cualquier análisis de *La última niebla* requiere una disposición por parte del lector a seguir los acontecimientos como si

---

[11] Bombal, María Luisa, *House of Mist*, New York: Strauss and Company, 1948, pág. 28. (La traducción es mía).

[12] Véase Margaret V. Campbell, «The Vaporous World of Maria Luisa Bombal», *Hispania*, XLIV (1961), págs. 415-420.

estuviera experimentando un sueño. La técnica de contrapunto que cambia de la realidad a la irrealidad exige que el lector haga ciertos juicios en cuanto a lo que ocurre de veras. Es mi intención analizar esta técnica onírica para mostrar la influencia surrealista en la novela.

El argumento de *La última niebla* es bastante sencillo. Una mujer joven y bella se casa con Daniel, también joven y recientemente enviudado. Se describe a Daniel como una persona que no puede olvidar el amor que sentía por su primera esposa. Esta situación peculiar presenta un problema. Por ejemplo, no puede consumar su segundo matrimonio ni mostrar un afecto mínimo hacia su nueva esposa. En cambio, se pinta a ésta como mujer extremadamente deseosa de placer sexual, que llega a un estado de perturbación excesiva por falta de atención. Al fin, inventa un amorío ilícito, que ella llega a creer hecho real. Pasa su vida en constante anticipación de la vuelta de su amante. Con el correr de los años, se da cuenta de que todo ha sido una ilusión, y trata de suicidarse echándose delante de un automóvil. Daniel le salva la vida creyendo que ella se había distraído momentáneamente. La novela termina con la implicación de que la mujer tendrá que enfrentarse con la realidad sin la ayuda de su antigua existencia ilusoria.

La novela es mucho más compleja de lo que sugieren los elementos superficiales. El entretejimiento de recursos oníricos pone de relieve la creencia en el principio surrealista según el cual el sentido de nuestra existencia no puede explicarse sólo por la realidad exterior, porque el hombre no es el total de sus horas despiertas. La aceptación de tal creencia borra la línea entre la realidad y la irrealidad. Se exploran los sueños en la literatura surrealista con la intención de encontrar los eslabones perdidos a fin de llegar a un entendimiento total de nosotros mismos.

Los recursos oníricos en *La última niebla* demuestran afinidades muy estrechas con el surrealismo francés. Bombal crea una narrativa que oscila entre lo real y lo irreal, incluyendo sueños casi imperceptibles para el lector. Además, incorpora símbolos y otros elementos como la bruma, la niebla y la lluvia, que añaden un aspecto fantástico a la obra.

Los sueños, que el lector no comprende hasta el fin de la novela, son los que la psicología freudiana llama *Wunscherfüllung*, porque todos ellos sirven como sucedáneo de la satisfacción sexual de nuestra protagonista. Sin embargo, antes de introducir los sueños, Bombal crea un estado preparatorio, que engaña al lector porque no sabe exactamente lo que está pasando.

Uno de los recursos empleados por la autora es la creación del ambiente lúgubre de la quinta o casa de campo donde la protagonista y su esposo pasan su noche de bodas. Los elementos de la naturaleza, como el vendaval, la lluvia y el frío de la casa, sirven para reforzar la tristeza experimentada por la mujer a lo largo de la novela. La introducción de la bruma y la niebla tiene una significación importante en el desarrollo del argumento. Hasta el encuentro con el amante desconocido, la niebla tiene una connotación ominosa. Su presencia intimida a la mujer, empujándola hacia su destino. Después del encuentro, la niebla llega a ser una señal auspiciosa, que advierte al lector sobre el cambio del mundo real al mundo irreal. Amado Alonso lo ha explicado bien:

> Pero la función poética de la niebla es la de ser el elemento formal del ensueño en que vive zambullida la protagonista. La niebla, siempre cortina de humo que incita a ensimismarse, diluye el paisaje; esfuma los ángulos, tamiza los ruidos; en el campo se estrecha contra la casa; a la ciudad le da la tibia intimidad de un cuarto cerrado. De la bruma emerge y en la bruma se pierde el coche misterioso. Toda la felicidad soñada no es más que un palacio de niebla, y, al fin todo se desvanece en la niebla [13].

Poco a poco, la niebla se convierte en metáfora del inconsciente de la mujer, donde tienen lugar sus ensueños o estados de verdadero sueño.

---

[13] Bombal, María Luisa, *La última niebla*, Santiago: Nascimento, 1962, «Introducción», pág. 39. (Todas las citas siguientes son de esta edición).

Bombal expresa con gran maestría poética el anhelo de satisfacción sexual que siente la protagonista. Utiliza los objetos del mundo real, como el agua, los árboles y la niebla, más para sugerir la realidad interior que el ambiente exterior. La descripción de la casa evoca el cuadro de una tumba entre los cipreses. Los árboles parecen tan borrosos, que la mujer tiene que tocarlos para comprobar su existencia. Toda la atmósfera es pura descomposición paralela a sus sentimientos sobre la deterioración de las relaciones entre su esposo y ella. Revela su frustración así:

—¡Yo existo, yo existo— digo en voz alta y soy bella y feliz!
Sí; ¡feliz! La felicidad no es más que tener un cuerpo joven, esbelto y ágil [14].

Obviamente no es feliz, porque su esposo la rechaza. Su hermosura se vincula a su anhelo de cumplimiento sexual. Está viva y vibrante, y se siente desanimada porque su marido no responde a sus deseos.

Para poner de relieve la frustración de la protagonista, Bombal crea una situación antitética con la llegada de su cuñada, Regina, y el amante de ésta a la quinta. La relación de Regina con su amante da a esta mujer la apariencia de una persona que es amada con pasión y ostenta su satisfacción. Estamos ante una polarización de emociones, la pasión satisfecha y la frustración sexual.

Una noche, la protagonista no puede tolerar la envidia que siente hacia Regina. Sale de repente de la casa y echa sus abrazos alrededor de un árbol. El árbol llega a ser un símbolo de la masculinidad, y es evidente que el amor que ella busca es el amor carnal. Esta acción es importante, porque señala la primera ocasión en que la mujer trata de escaparse de la realidad y de crear la otra realidad donde las deficiencias de su matrimonio desaparezcan. Es durante este episodio cuando ocurre el primer sueño surrealista:

---

[14] Bombal, *Op. cit.*, pág. 45.

La niebla se estrecha, cada día más contra la casa. Ya hizo desaparecer las araricarias cuyas ramas golpeaban la balaustrada de la terraza. Anoche soñé que, por entre las rendijas de las puertas y ventanas, se infiltraba lentamente en la casa, en mi cuarto, y esfumaba el color de las paredes, los contornos de los muebles, y se entrelazaba a mis cabellos, y se me adhería al cuerpo y lo deshacía todo, todo... Sólo, en medio del desastre, quedaba intacto el rostro de Regina, con su mirada de fuego y sus labios llenos de secretos [15].

El ámbito inquietante, el simbolismo de la niebla y la incongruencia de imágenes son de índole surrealista si se comparan con las obras pictóricas de Marcel Jean, Salvador Dalí o Max Ernst. La penetración de la niebla simboliza la intensa pasión experimentada por la mujer. Su envidia de Regina indica que su concepto del amor nunca va más allá de la idea de la comunicación sexual, actitud común del pensamiento surrealista, puesto que los surrealistas creían que la irracionalidad del hombre le hace incapaz de otras formas de verdadera comunicación.

En otra ocasión, la mujer contempla su cuerpo de manera narcisista después de haberse desnudado y sumergido en un estanque. El placer derivado de esta inmersión es una simulación del acto sexual:

—Me voy entrando hasta la rodilla en una espesa arena de terciopelo. Tibias corrientes me acarician y penetran. Como en brazos de seda, las plantas acuáticas me enlazan el torso con sus largas raíces. Me besa la nuca y sube hasta mi frente el aliento fresco del agua [16].

Es digno de notar que el agua desempeña un papel importante en *La última niebla*, sea en su estado natural líquido o en forma de niebla. El agua se acepta de ordinario como símbolo de la fuerza vital. Sin embargo, hay otras interpretaciones sim-

---

[15] *Op. cit.*, pág. 53.
[16] *Op. cit.*, págs. 49-50.

bólicas. En la psicología moderna, el agua viene a ser símbolo de lo inconsciente:

> La proyección de la madre-*imago* en las aguas las dota con varias propiedades espirituales características de la madre... La inmersión en agua significa una vuelta al estado prenatal, con un sentido de muerte y aniquilación por una parte, pero con un sentido de renacimiento y regeneración por otra, puesto que la inmersión intensifica la fuerza vital... Si entendemos el agua como símbolo de lo inconsciente colectivo o personal, o como elemento de meditación y disolución, es obvio que este simbolismo es una expresión de la potencialidad vital de la psique, de las luchas de la psique para encontrar una manera de formular un claro mensaje comprensible a la conciencia [17].

La preocupación de la mujer por la satisfacción sexual la empuja paulatinamente hacia un estado de paranoia. Su frustración la ha hecho buscar refugio en sus sueños y ensueños. Por consiguiente, el lector está expuesto a un ambiente donde no se pueden diferenciar la realidad y la irrealidad, donde el tiempo parece detenerse, convertirse en un eterno presente. Este cambio en la mujer ocurre durante el primer viaje de la pareja a la ciudad. La niebla sirve de catalizador para facilitar el ambiente surrealista. La mujer no puede dormir y pide a su esposo permiso para dar un paseo. Por lo menos, esto es lo que cree el lector. Bombal ya ha subordinado la realidad al sueño. La niebla de la noche precipita nuestro descenso a lo inconsciente. Todo se enfoca sobre los deseos de la mujer a medida que acaricia de nuevo un árbol robusto en la plaza. De repente, en el misterio y silencio de la noche aparece un hombre desconocido. Los dos se abrazan y se besan sin decir una palabra. Parten para la casa del desconocido, que se describe como completamente oscura y tan desprovista de mobiliario que resuenan sus pasos. Las cortinas descoloridas exudan un encantamiento, un sentido de melancolía, y todo el calor de la casa se concentra en la alcoba del desconocido. La descripción de las

---

[17] Cirlot, J. E., *A Dictionary of Symbols*, New York: Philosophical Library, 1962, págs. 346-347. (La traducción es mía).

propiedades físicas de la casa y la descripción sinestésica del
estado psíquico de la mujer se encuentran frecuentemente en
la literatura surrealista. El tono y el ambiente de este episodio
son importantes para entender el desenlace de la novela. Entonces Bombal empieza a describir, en un extenso pasaje, la
actividad sexual que tiene lugar. Escogiendo palabras adecuadas
a la ocasión, capta la belleza del acto sexual. La siguiente descripción ejemplifica la importancia dada al erotismo en la literatura surrealista, donde el conocimiento sexual es la única y verdadera forma de comunicación:

> —Se acerca; mi cabeza queda a la altura de su pecho, me lo
> tiende sonriente, oprimo a él mis labios y apoyo en seguida la
> frente, la cara. Su carne huele a fruta, a vegetal. En un nuevo
> arranque echo mis brazos alrededor de su torso y atraigo, otra
> vez, su pecho contra mi mejilla.
>
> Lo abrazo fuertemente y con todos mis sentidos escucho. Es-
> cucho nacer, volar y recaer su soplo; escucho el estallido que el
> corazón repite incansable en el centro del pecho y hace repercutir
> en las entrañas y extiende en ondas por todo el cuerpo, transfor-
> mando cada célula en un eco sonoro. Lo estrecho, lo estrecho
> siempre con más afán; siento correr la sangre dentro de sus venas
> y siento trepidar la fuerza que agazapa inactiva dentro de sus
> músculos; siento agitarse la burbuja de un suspiro. Entre mis
> brazos, toda una vida física, con su fragilidad y su misterio, bulle
> y se precipita. Me pongo a temblar.
>
> Entonces él se inclina sobre mí y rodamos enlazados al hueco
> del lecho. Su cuerpo me cubre como una grande ola hirviente, me
> acaricia, me quema, me penetra, me envuelve, me arrastra des-
> fallecida... [18].

El contenido manifiesto del sueño revela su contenido latente,
la necesidad de alivio sexual. Esta vívida escena destaca lo
que Rimbaud llamó «el desarreglo de los sentidos». El erotismo,
el amor carnal, o cualquier término que se quiera emplear, es
un medio de revelación en la concepción surrealista de la vida.

---

[18]   Bombal, *Op. cit.*, págs. 60-61.

Después del supuesto encuentro con el desconocido, el número de sueños e ilusiones se acelera. Serán la realidad absoluta para la mujer. El deseo de guardar la memoria de aquella noche es tan intenso que la mujer cree poder sentir en todas partes el aroma de su amante. Por eso Bombal ha intentado describir gráficamente la misma actitud que André Breton consideraba una de las metas más importantes del surrealismo, es decir, la integración de la actividad onírica del hombre con sus momentos de realidad. Pone de relieve este concepto en el *Primer Manifiesto*:

> Creo en la futura resolución de estos dos estados, el sueño y la realidad, que son aparentemente tan contradictorios, en una realidad absoluta, en una superrealidad, si se quiere. Me dirijo en busca de esta superrealidad, seguro de que no voy a encontrarla, pero tan atento a mi muerte para no calcular hasta cierto punto la alegría de su posesión [19].

Desde aquella noche de rapto y encantamiento, lo irreal o el mundo surrealista es el que prevalece para la mujer. El correr de días, semanas, meses y años tiene poca importancia. Estamos sumergidos en lo inconsciente. La memoria de aquella noche sustituye ya al deseo sexual como la *raison d'être* de la protagonista.

Sin embargo, el engaño de sí misma se desintegra muy pronto. Algunos episodios confirman finalmente que Bombal ha creado una realidad doble. El punto decisivo es el largo ensueño a la orilla del estanque, donde la mujer cree ver a su amante que la mira bañándose por la ventanita del carruaje. De nuevo el lector retorna al mundo irreal. Se sorprende totalmente cuando Andrés, el hijo del jardinero, atestigua la escena y confirma para ella lo que acaba de pasar. La escena, a primera vista, parece poner en peligro cualquier teoría de una doble realidad en la novela. No obstante, el desenlace demuestra que esta escena ha sido simplemente otra ilusión. La aparente realidad de la escena confirmada por Andrés se explica por el asombro

---

[19] A. Breton, *Op. cit.*, pág. 14. (La traducción es mía).

del muchacho, que se encontró en presencia de una mujer desnuda que estaba saludando a una persona que no estaba allí.
Aquí tenemos una situación donde un muchacho curioso, bajo
el poder de la sugestión, se ve forzado momentáneamente a
creer en una realidad impuesta por ciertas circunstancias ver-
gonzosas.

Pero en cuanto a la narrativa, este episodio sirve para reforzar en la mujer la creencia de todo lo que había pasado la primera noche con el desconocido. Hay veces en que le grita palabras de amor al amante y cree recibir respuestas. En realidad,
oye voces, pero son las de los leñadores que se burlan de ella.

Por lo general, el contenido manifiesto de las situaciones
oníricas en *La última niebla* es comparable a los acontecimientos
y al ambiente de la realidad consciente. La obra en su totalidad
no se caracteriza por la escritura automática y el verbalismo
polisemántico que en este estudio veremos en las obras de los
demás autores. A pesar del sentido perturbador creado por la
presencia de la niebla, no hay imágenes chocantes y repugnantes. Sin embargo, hay dos secuencias oníricas que contienen
elementos suficientemente surrealistas, si las juzgamos con el
criterio de J. H. Matthews y Paul Ilie. El siguiente sueño evoca
las imágenes oníricas que muchas veces aparecen en las pinturas de Georgio de Chirico:

> —Imaginaba hombres avanzando penosamente por las carreteras
> polvorientas, soldados desplegando estrategias en llanuras cuya
> tierra hirviente debía requebrarles la suela de las botas. Veía ciu-
> dades duramente castigadas por el implacable estío, ciudades de
> calles vacías y establecimientos cerrados, como si el alma se les
> hubiera escapado y no quedara de ellas sino el esqueleto, todo
> alquitrán derritiéndose al sol [20].

La escena conjura una imagen de destrucción causada por
un calor excesivo, y así simboliza la existencia de la mujer con-
sumida por la pasión. Los elementos destructivos también pre-
figuran el fin de sus ilusiones.

---

[20] Bombal, *Op. cit.*, págs. 79-80.

La desintegración de su mundo irreal se logra de la manera siguiente. Primero, la mujer aprende de su marido que ella no había salido de casa la noche en que conoció al desconocido. Entonces la inoportuna muerte de Andrés rompe la tenue vinculación que tenía con el mundo irreal, puesto que elimina al único testigo de sus fantasías. Por consiguiente, una visita a la casa donde creía haber pasado aquella famosa noche con el amante revela que el señor de la casa había muerto hacía unos quince años. Siendo ciego, resbaló en la escalera, se cayó y se mató accidentalmente. Estos informes destruyen la veracidad de la escena del carruaje a la orilla del estanque. La culminación de sus ilusiones ocurre a la conclusión de la novela, cuando, después de haberse salvado de su intento de suicidio, se da cuenta de que su marido ha envejecido y que ella también está envejeciendo. El tiempo ya está al compás de la realidad, y así termina la excursión de María Luisa Bombal en lo inconsciente.

Se puede especular solamente sobre los elementos autobiográficos de la novela. *La última niebla* puede ser una catarsis si se considera el intento de Bombal de suicidarse después de un amorío infeliz. La extrema frustración expresada en la novela es algo también que Bombal misma debió haber experimentado, si se recuerda que no se casó hasta que tenía treinta y cuatro años, una edad antes de la cual las muchachas de su generación, y seguramente de su posición social, se casaban. La satisfacción hallada en su propio matrimonio quizás explicará por qué casi cesó de escribir después de casarse con Fal de Saint Phalle [21].

---

[21] En realidad se sabe poco de la vida de María Luisa Bombal. Nació en Viña del Mar el 8 de mayo de 1910. Cuando tenía nueve años, su padre murió, y su madre y la familia fueron a vivir en Francia. Estudió en Notre Dame de l'Assomption y en la Sorbona. Como estudiante, tenía mucho interés por el teatro. Estudió y trabajó con el gran director francés Charles Duland. Después de volver a Chile en 1931, participó en el teatro experimental de Pizarro Espoz con Marta Brunet y Vera Zouroff. Durante los años 1933-1940, Bombal publicó *La última niebla*, 1935, *La amortajada*, 1938, y a la vez redactaba guiones para Sonofilm de Argentina. Volvió a Santiago en 1940 y tomó parte en la reorganización del P. E. N. Club. Estos fueron años de aclamación crítica, pero parece que su vida

Resulta coincidente que, en el desarrollo de la ficción hispanoamericana, *La última niebla* es paralela a «la época de sueños» en la literatura surrealista francesa. Mientras se destacan los elementos oníricos, hay, como hemos visto, otros rasgos surrealistas. Todos estos rasgos y más aparecerán en los capítulos siguientes. Sus técnicas serán más extremas y más logradas. Sin embargo, *La última niebla* es una de las primeras novelas que iniciaron la modalidad surrealista en Hispanoamérica.

---

personal no era feliz. Se ha llegado ha pensar que intentó suicidarse tras el fracaso de un amorío. En vez de terminar con su vida, dio salida a sus emociones pegando cuatro tiros a su *fiancé*, Eulogio Sánchez Errázuriz, un antiguo jefe de policía en Santiago. Él se restableció y ella fue absuelta. Después de su matrimonio con Fal de Saint Phalle, fue a vivir en Nueva York. Se hizo una película de la traducción de *La última niebla* (*House of Mist*) y se dice que el productor, Hal Wallis, le pagó 125.000 dólares por los derechos de la novela. Obtuve la dirección de Bombal de la guía de Nueva York, y le escribí preguntándole sobre los años que había pasado en Francia. Me devolvieron la carta marcada con «Dirección desconocida».

CAPÍTULO IV

UNA PESADILLA SURREALISTA DE LA REALIDAD

(MIGUEL ÁNGEL ASTURIAS, *El Señor Presidente*, 1946)

En 1967 se le confirió el Premio Nobel de Literatura a Miguel Ángel Asturias. El comité se lo otorgó primariamente por su sentido de compromiso social y por la interpretación de la realidad mítica de su Guatemala. *El Señor Presidente*, su primera novela, representa su esfuerzo más importante en el campo de protesta social. Describe la vida de una nación gobernada por una dictadura. Lo que salva a esta obra de ser un mero documento sociológico es su mérito artístico, que brota de los elementos surrealistas de la novela. Por eso, espero demostrar en este capítulo algunas influencias del surrealismo en *El Señor Presidente* [1], y así confirmar que es una de las novelas surrealistas más completas que se han escrito en Hispanoamérica.

No sabemos con certeza la influencia del surrealismo sobre Asturias antes de su llegada a Francia en 1924 [2]. Las circunstancias en que Asturias fue a Francia son completamente distintas de las de Bombal. Originalmente, sus padres lo mandaron a Inglaterra para evitar su detención y castigo por haber escrito algunos artículos anti-militaristas. Una vez en Francia, obtuvo

---

[1] Para una idea del desarrollo histórico de la novela véase: Jack Himelblau, «*El Señor Presidente*: Antecedents, Sources, and Reality», *Hispanic Review*, Winter, 1973, págs. 43-78.

[2] Hay que recordar que el movimiento surrealista empezó oficialmente en 1924, pero sus principios ya aparecen hacia 1917.

empleo como corresponsal de prensa en *El Imparcial*. Su afán
tanto de encontrarse a sí mismo como de entender su propia
nación lo empujó a seguir cursos en el Collège de France sobre
las civilizaciones antiguas de la América Central. Más tarde se
matriculó en la famosa École des Hautes Études, donde el profesor Georges Raynaud, experto en las religiones precolombinas,
ofrecía un seminario sobre la mitología maya-quiché. Asturias
y Raynaud trabaron estrecha amistad y trabajaron juntos en
una traducción francesa del libro sagrado de los maya-quiché,
el *Popul Vuh*.

Asturias frecuentaba los cafés y círculos literarios de los
escritores internacionales que visitaban o vivían en París en
aquella época. *El Primer Manifiesto* de André Breton sobre el
movimiento surrealista armó una gran polémica en París en
1924, y es inconcebible que Asturias no estuviera informado de
aquel acontecimiento. Jorge Atilo Castelpoggi dice que Asturias
participaba activamente en el movimiento surrealista con personajes tan eminentes como Robert Desnos, André Breton,
Louis Aragon, Paul Éluard, Eugene Jolas y Gertrude Stein [3].
El nombre de Asturias nunca aparece en los documentos surrealistas como el de Alejo Carpentier. No hay indicios precisos
que señalen la naturaleza de su participación en el movimiento,
aparte de los comentarios hechos por él:

> —Allí [Montparnasse] conocí a los dadaístas, como Tristan Tzara,
> y después a los surrealistas: Breton, Aragon y, al que fuera más
> amigo mío, Robert Desnos... Para nosotros el surrealismo repre-
> sentó (y esta es la primera vez que lo digo, pero creo que tengo
> que decirlo) el encontrar en nosotros mismos no lo europeo, sino
> lo indígena y lo americano, por ser una escuela freudiana en la que
> lo que actuaba no era la conciencia, sino el inconsciente. Nosotros
> el inconsciente lo teníamos bien guardadito bajo toda la conciencia
> occidental. Pero cuando cada uno empezó a registrarse por dentro
> se encontró con su inconsciente indígena, lo que nos proporcionó
> la posibilidad de escribir, por ejemplo, en el caso mío, no digamos
> las *Leyendas de Guatemala*, que son muy talladas a lo occidental,

---

[3] Castelpoggi, Atilo Jorge, *Miguel Ángel Asturias*, Buenos Aires: Editorial La Mandrágora, 1961, pág. 17.

pero sí el *Cuculcán*, que va en las leyendas y que ya es un tema absolutamente indígena, en el que hay fuerzas solares, y otras del bien y del mal, pero extraídas de un interior que el surrealismo me había permitido conocer... Es decir, que la escuela surrealista, que ejerce gran influencia en toda la literatura, que es una escuela revolucionaria de grandes poetas, nos ayuda a describirnos. Siguiendo la teoría de la escritura mecánica, hacemos ensayos de escritura sin vigilancia de la inteligencia. El surrealismo, para los escritores latinoamericanos y especialmente para mí, fue una gran posibilidad de independencia respecto a los moldes occidentales. El surrealismo despertó en nosotros el sentir. Favoreció nuestra tendencia a *sentir* las cosas en lugar de *pensarlas*. Precisamente la diferencia entre la literatura europea y la latinoamericana reside en que los latinoamericanos sentimos las cosas y después las pensamos, y los europeos piensan las cosas y después las sienten[4].

Asturias fue influido políticamente también por los surrealistas, quienes, preocupados por todos los aspectos de la condición humana, miraban al marxismo como el sistema político, social y económico que con el tiempo le quitaría la férula al hombre.

A medida que Asturias absorbía los conceptos surrealistas, se reunía con los escritores hispanoamericanos que vivían en París durante los veinte, tales como César Vallejo, Alejo Carpentier y Arturo Uslar Pietri. Tenían mucho en común, especialmente el hecho de que los dictadores gobernaban bajo distintas formas en sus patrias[5]. Estos escritores muchas veces intercambiaban anécdotas sobre estas dictaduras, y esta práctica llegó a ser muy importante en la carrera literaria de Asturias. A instancias de estos compañeros, Asturias decidió rehacer y ampliar un cuento suyo llamado «Los mendigos políticos», que

---

[4] López Álvarez, Luis, *Conversaciones con Miguel Ángel Asturias*, Madrid: Editorial Magisterio Español, S. A., 1974, págs. 80-81.

[5] César Vallejo vio a Augusto Leguía (1919-1930) paulatinamente asumir poderes dictatoriales en el Perú. Alejo Carpentier tuvo que salir de Cuba durante el régimen opresivo del General Gerardo Machado (1925-1933). En Venezuela, Arturo Uslar Pietri fue testigo de una de las más largas y crueles dictaduras, la de Juan Vicente Gómez (1908-1935).

había escrito durante sus días estudiantiles en Guatemala bajo el régimen de Estrada Cabrera [6].

Este cuento llegaría a ser la novela *El Señor Presidente*. El libro no se publicó hasta 1946, después de diecinueve revisiones [7]. T. B. Irving nos dice que, cuando Asturias terminó finalmente la novela, la llamó *Malebolgue*, que es el nombre del octavo abismo de los infiernos en el libro de Dante, donde se castiga a los engañadores. Más tarde Asturias cambió aquel título por *Tohil*, el nombre del dios maya-quiché de la guerra, pero finalmente escogió *El Señor Presidente* [8].

La novela captaría, como en una película surrealista, el infierno personal de sus compatriotas en la Guatemala gobernada por Estrada Cabrera. *El Señor Presidente* no era su primera tentativa siguiendo la moda surrealista. Asturias había experimentado poéticamente con las nuevas sensibilidades. Sus primeros poemas surrealistas se publicaron en 1925, en un tomo llamado *Rayito de Estrella*. Lo que quería decir en *El Señor Presidente* requería la forma novelística. Y los elementos poéticos surrealistas se adaptaron en la novela para hacerla una obra literaria de primera clase. Solamente por tales medios

---

[6] Manuel Estrada Cabrera gobernó dictatorialmente en Guatemala desde 1898 hasta 1920. Fue un hijo ilegítimo que superó su mala fortuna y se graduó en la universidad como doctor en leyes. Su carrera como abogado en Quetzaltenango no prometía mucho, pero su interés por la política atrajo la atención de José María Reyna Barrios, que más tarde le ofreció el puesto de Secretario de Gobernación y Primer Designado. Cuando Reyna Barrios fue asesinado en 1898, Estrada Cabrera, con el apoyo del ejército, se apoderó del gobierno. Más tarde fue elegido presidente constitucionalmente, el dos de octubre de 1898. Como presidente, llegó a ser un megalómano que no toleraba la crítica pública. Es verdad que hizo muchas obras públicas y desarrolló extensivamente el país, pero a costa de la libertad personal de los guatemaltecos. La oposición a su régimen aumentó tanto que la legislatura finalmente le pidió la renuncia en 1920. Después de un último intento de retener el poder, fue capturado y llevado ante la justicia.

[7] Harss, Luis, *Los nuestros*, Buenos Aires: Editorial Sudamericana, 1969, págs. 98-99.

[8] Irving, T. B., «Stifled Protest in the City», *Revista Interamericana de Bibliografía*, XV: 2 (México, abr.-jun., 1965), pág. 128.

podía Asturias haber capturado y formado los mitos, realidades y sueños en el gran mosaico que quería construir. La audaz imaginación que se despliega en el surrealismo fue empleada por Asturias para crear una novela provocativa y rica en metáforas e imágenes.

En resumen, el éxito de *El Señor Presidente* radica en el estilo de Asturias. La mayor parte de la novela está escrita con una técnica realista, es decir, en un lenguaje racional y discursivo. Pero cuando Asturias tuerce a propósito la realidad para describir pesadillas, sueños, escenas crueles y repugnantes, su empleo del lenguaje es aún más arcano. Surgen de su mente ejemplos de verbalismo polisemántico, escritura automática, palabras de *portmanteau*, metáforas abstractas y símbolos. Cuando se emplean tales ejemplos, son a menudo enigmáticos porque el lenguaje ilógico impide una comprensión total. No obstante, Asturias no permanece mucho tiempo en estas oscuras regiones del pensamiento. Puede efectuar un balance entre lo real y lo irreal. El profesor Richard Franklin resume bien esta habilidad:

> Asturias evita diestramente este uso degenerado del surrealismo sintetizando dos universos formales: el lenguaje racional y discursivo y un mundo de formas e imágenes que revelan una realidad más profunda, que está más arraigada en el mundo de la psique humana. El equilibrio de estas dos separadas y distintas esferas de comunicación es el que impide una prolongada permanencia en regiones de gran oscuridad. Donde ha sido necesario pintar una angustia abismal e insondable, se sobreponen las limitadas apariencias naturales de la realidad. Donde ha sido necesario volver a estas apariencias, emplea solamente un mínimo de transformación a través del lenguaje. En el balance e integración de ambos procedimientos radica el éxito de su estilo[9].

Asturias tardó más de veinticinco años en terminar *El Señor Presidente*. Las numerosas revisiones de la novela indican que el autor trabajó arduamente para crear la estructura y forma

---

[9] Franklin, Richard L., «Observations on *El Señor Presidente*», *Hispania*, XLIV: 4, December, 1961, pág. 684. (La traducción es mía).

apropiadas, que transmitirían los sentimientos y recuerdos de su juventud. Asturias sabía que sería necesario dominar la fuerza del lenguaje sugestivo si había de capturar el aura y la magia de un país como ·Guatemala y la realidad de una dictadura cruel. El surrealismo, tal vez el más ecléctico de los movimientos literarios, le dio la libertad de expresión que buscaba.

Mi análisis de esta obra intenta demostrar cómo Asturias quiso pintar una situación política empleando ciertos recursos literarios de una manera no comúnmente aceptada en la ficción hispanoamericana de aquel entonces. Para mostrar la degradación humana, la miseria y el sentido de terror que sufría su pueblo, Asturias se sirvió de recursos tales como la onomatopeya, los símiles, la repetición, el verbalismo polisemántico, las palabras de *portmanteau*, la escritura automática y las metáforas, y les dio una calidad innegablemente surrealista. Es obvio que, a excepción tal vez de la escritura automática, estos recursos no fueron inventados por los surrealistas. Sin embargo, en tanto que representan el fluir de lo inconsciente y así comunican imágenes discordantes, libres modos de pensar, irracionalidad, un ambiente donde la diferencia entre la realidad y la irrealidad es apenas perceptible, donde las reglas de la lógica y la sintaxis no son importantes, podemos decir que tales técnicas son surrealistas.

LA ONOMATOPEYA

El primer párrafo de la novela establece el ambiente de toda la narrativa a medida que crea un tono surrealista al conjurar la presencia de un mundo irreal, un mundo de asociaciones extrañas y contrastes vívidos y arcanos. El siguiente párrafo es un buen ejemplo de juegos de palabras surrealistas en que Asturias combina ciertos vocablos y frases para alcanzar los matices deseados de esta atmósfera perturbadora:

> ...¡Alumbra, lumbre de alumbre, Luzbel de piedralumbre! Como zumbido de oídos, persistía el rumor de las campanas a la oración, maldoblestar de la luz en la sombra, de la sombra en la luz. ¡Alumbra, lumbre de alumbre, Luzbel de piedralumbre, sobre la pobre-

dumbre! ¡Alumbra, lumbre de alumbre, sobre la podredumbre,
Luzbel de piedralumbre! ¡Alumbra, alumbra, lumbre de alumbre...,
alumbre..., alumbra..., alumbra, lumbre de alumbre..., alumbra,
alumbre... [10].

En este párrafo sumamente metafórico, las palabras «Luzbel»
y «alumbre» sugieren una atmósfera infernal. La repetición de
«¡Alumbra, lumbre de alumbre!» indica el repiqueteo de las
campanas que llaman a la plebe a la oración, pero no a una
petición beneficiosa, sino para presentir un doble malestar
(maldoblestar). Una vaga sensación de malestar mental o moral
de «la luz en la sombra» y «la sombra en la luz» sugiere que
la Iglesia, que debe ser «la luz en la sombra», en realidad representa «la oscuridad» o «la ignorancia» porque crea también
supersticiones. La escena es como una llamada a una misa
negra [11].

La repetición de la sílaba «um» en palabras como «alumbra»,
«lumbre», «piedralumbre» y «podredumbre» reproduce no sólo
el sonido monótono del repiqueteo, sino el toque de tamtáms.
Asturias emplea el juego de palabras, combinando los sonidos
que sugieren la cultura sincrética de Guatemala con su mezcla
de creencias maya-quichés y cristianas. Extiende más este juego,
dando a entender que los que son afectados por estas creencias
son las masas, la «pobredumbre», que debe vivir en la «podredumbre». Así vemos que este párrafo contiene un múltiple uso
de la onomatopeya, que produce simbolismo, color y efectos
musicales.

Los otros empleos de este recurso son menos diversos. En
general, Asturias usa la onomatopeya para describir los estados
psíquicos de sus personajes. En el Capítulo III se introduce la
pesadilla del idiota, Pelele, que mató al Coronel José Parrales
Sonriente después que éste lo provocara gritando «¡Madre!»,
palabra que lo incitaba cada vez que la oía. Los sonidos que

---

[10] Asturias, Miguel Ángel, *El Señor Presidente*, Buenos Aires: Editorial
Losada, S. A., decimocuarta edición, 1970, pág. 7. (Todas las referencias
a la obra son de esta edición).

[11] Irving, *Op. cit.*, pág. 136.

emite mientras huye del escenario del asesinato corresponden
a su angustia mental y física y se parecen a los de un perro
herido que aúlla:

> ...Erre, erre, ere... ...Erre, erre, ere... ...Erre-e-erre-e-erre-erre-
> ...e-erre..., e-erre... [12].

Los surrealistas empleaban este recurso para mostrar la flui-
dez de la vida. Uno de los mejores trozos de la novela que combina los ordinarios sonidos mecánicos con un fluir psíquico de
pensamientos aparece en el Capítulo XXXVIII, donde se describe el viaje de Cara de Ángel a la costa. Asturias empieza a dis-
poner las palabras y frases para simular los sonidos de las
ruedas del tren, las imágenes que pasan rápidamente por las
ventanillas del vagón donde está sentado Cara de Ángel, y el
entretejimiento del proceso mental de Cara de Ángel. El ritmo
que crea Asturias es magistralmente efectivo:

> ...Uno tras uno, uno tras otro, uno tras otro... ...La casa perse-
> guía el árbol, el árbol a la cerca, la cerca al puente, el puente al
> camino, el camino al río, el río a la montaña, la montaña a la nube,
> la nube a la siembra, la siembra al labriego, el labriego al animal...
> ...Rodeado de atenciones, sin cola con orejas...
> ...El animal a la casa, la casa al árbol, el árbol a la cerca, la
> cerca al puente, el puente al camino, el camino al río, el río a la
> montaña, la montaña a la nube...
> Una aldea de reflejos corría en un arroyo de pellejito transpa-
> rente y oscuro fondo de mochuelo...
> ...La nube a la siembra, la siembra al labriego, el labriego al
> animal, el animal...
> ...Sin cola con orejas, con cheques en la bolsa...
> ...El animal a la casa, la casa al árbol, el árbol a la cerca...
> ...Con muchos cheques en la bolsa...
> ...Un puente pasaba como violineta por las bocas de las venta-
> nillas... ...Luz y sombra, escalas, fleco de hierro, alas de golon-
> drinas...
> ...La cerca al puente, el puente al camino, el camino al río, el
> río a la montaña, la montaña... [13].

---

12 Asturias, *Op. cit.*, pág. 20.
13 *Op. cit.*, pág. 265.

Asturias ha creado dos niveles de ritmo en este trozo: el ritmo externo, que simula el movimiento del tren, y el ritmo interno, que está en perfecta armonía con el estado de ánimo de Cara de Ángel. Las imágenes relampaguean ante nuestros ojos de manera semejante al montaje cinematográfico que caracteriza la literatura surrealista, un recurso empleado en los años treinta, antes de que llegara a ser parte integral del cine moderno. Hacia el final del trozo, se incluyen ciertos elementos que no parecen tener relación con lo que se ha descrito antes. Las frases «...con cheques en la bolsa...» y «...luz y sombra, escalas, fleco de hierro, alas de golondrinas...» son más simbólicas que descriptivas. Los cheques simbolizan la detención inmanente de Cara de Ángel, puesto que forman parte de sus bienes personales cuando se le detiene en el puerto. La segunda frase describe imágenes que se ven desde el tren, y son objetos que anticipan su encarcelamiento y pérdida de libertad.

Asturias acelera ahora el tiempo del trozo con palabras de sílabas más cortas, que producen un efecto más dramático porque auguran la muerte de Cara de Ángel al emplearse el juego de palabras «cada ver», que se convierte en «cadáver»:

—Cara de Ángel abandonó la cabeza en el respaldo del asiento de junco. Seguía la tierra baja, plana, caliente, inalterable de la costa con los ojos perdidos de sueño y la sensación confusa de ir en el tren, de no ir en el tren, de irse quedando atrás del tren, cada vez más atrás del tren, más atrás del tren, más atrás del tren, más atrás del tren, cada vez más atrás, cada vez más atrás, cada vez más atrás, más y más cada vez, cada ver cada vez, cada ver cada vez, cada ver cada vez, cada ver cada vez, cada ver cada ver cada ver cada ver... [14].

Los pasajes que hemos visto demuestran que Asturias sabe armonizar el sentido con el tono. Los sonidos son congruentes con la atmósfera, y con los pensamientos del personaje. La onomatopeya efectiva no se alcanza fácilmente porque requiere mucha destreza por parte del autor. Asturias, que es ante todo

---

[14] *Op. cit.*, págs. 265-266.

poeta, sabe aprovechar su talento poético para realzar tales
pasajes.

Un símil, por supuesto, crea una imagen que realza o refuerza
el objeto que el autor quiere destacar. En la literatura surrealista este recurso resulta a veces bastante grotesco y misterioso.
Los surrealistas buscaban imágenes que destruían las leyes de
la lógica como un modo de alcanzar lo suprarreal. La profesora
Mary Ann Caws explica la exposición razonada de los surrealistas:

> Junto con el juego de palabras va el juego de imágenes; la meta
> de ambos es 'multiplicar los cortocircuitos', como dice Breton en
> el *Segundo Manifiesto* (1930), es decir, cometer sabotaje tan fre-
> cuentemente y tan definitivamente como fuera posible contra las
> ordinarias 'locuras realistas', para mostrar lo que está al otro lado
> de la realidad aceptada. La imagen surrealista es necesariamente
> chocante, destruye las leyes convencionales de asociación y lógi-
> ca, para que los objetos de los cuales está compuesta, en vez de
> caber lado a lado natural y normalmente, 'chillen al encontrarse
> juntos'. Pero la misma fuerza eléctrica que quiebra las relaciones
> habituales del mundo ordinario tiene el poder de fundir todo lo
> que ha sido separado previamente [15].

Los surrealistas buscaban un sentido de belleza en objetos
no aceptados anteriormente como parte de un código estético,
y el uso de tales objetos dio a su poesía un aire de despreocupa-
ción por las normas estéticas vigentes. Para describir a los
policías masoquistas, Asturias acumula los siguientes símiles,
que caracterizan a estos individuos. En el proceso, deforma la
realidad:

> —Las caras de los antrófagos, iluminados como faroles, avanza-
> ban por las tinieblas, los cachetes como nalgas, los bigotes como
> babas de chocolate... [16].

---

[15] Caws, Mary Ann, *The Poetry of Dada and Surrealism*, Princeton:
Princeton University Press, 1970, pág. 70. (La traducción es mía).

[16] Asturias, *Op. cit.*, pág. 13.

A medida que se desarrolla la escena, la policía empieza a torturar a un individuo que le ha dicho muchas veces al Auditor que fue el idiota, Pelele, el que cometió el crimen. El Auditor se niega a creerlo y prosiguen la tortura y el interrogatorio. Asturias crea la imagen siguiente, al describir el acontecimiento:

—La voz del Auditor se perdía como sangre chorreada en el oído del infeliz, que sin poder asentar los pies, colgado de los pulgares, no cesaba de gritar [17].

Cuando Don Benjamín tropieza con el cadáver de Pelele, su choque se expresa así:

—La carcajada se le endureció en la boca como el yeso que emplean los dentistas para tomar el molde de la dentadura [18].

La carcajada que se endurece en la boca como el yeso es apenas poética. Sea lo que fuere, la imagen posee el grado de espontaneidad y ridiculez muchas veces deseada en la literatura surrealista.

Asturias interpola también frases poéticas que tienen poco o nada que ver con la narrativa. Tales trozos parecerían parte de la naturaleza obscura del arte surrealista, que no tiene sentido muchas veces. Cuando Cara de Ángel es devuelto a la capital después de su captura, Asturias inyecta esta imagen:

—En el mar entraban los ríos como bigotes de gato en taza de leche [19].

La significación y relación de esta frase no es clara. Sin embargo, sugiere cierta finalidad, porque los ríos terminan en el mar y a los gatos les gusta beber leche. Si se interpreta así, la frase puede ser otro presentimiento de la muerte inmanente de Cara de Ángel.

---

[17] *Op. cit.*, págs. 15-16.
[18] *Op. cit.*, pág. 50.
[19] *Op. cit.*, pág. 270.

La función de la repetición es dar ritmo y variedad a la obra. Así se realiza la unidad deseada. Los surrealistas emplean la repetición para transmitir un estado psíquico, o, a veces, su presencia se asocia con la teoría de la vinculación, es decir, el juntar imágenes que parecen desasociadas, por medio de *les fils conducteurs* o hilos conductores, como los llama Breton. Acumulando las series de repeticiones, los surrealistas esperaban alcanzar *le point sublime* donde se reconcilian las contradicciones. El trozo siguiente de un poema de Robert Desnos es indicativo de la repetición empleada por los surrealistas:

> J'appelle à moi les amours et les amoureux
> J'appelle à moi les vivants et les morts
> J'appelle les fossoyeurs j'appelle les assassins
> J'appelle les bourreaux j'appelle les pilots
> les maçons et les architects [20].

La profesora Caws dice:

> ...la vinculación de imágenes por un tema, los estribillos y la forma de letanía pueden considerarse aproximaciones recurrentes o pasos hacia un lenguaje perfecto, los esfuerzos acumulados del poeta surrealista hacia una poesía perfecta en un viaje formal paralelo al viaje metafísico [21].

Cuando se aplica a la prosa, la repetición da un fluir rítmico o sonoro al trozo. Su uso crea muchas posibilidades, como en la descripción de estados emocionales. En el Capítulo II Asturias emplea la repetición para inmiscuir al lector en la experiencia de temor y dolor producidos por la tortura. Han encarcelado a todos los mendigos después del asesinato del Coronel José Parrales Sonriente. Se les interroga y se les tortura con la esperanza de averiguar el nombre del asesino. El Auditor se

---

20 Caws, *Op. cit.*, pág. 32.
21 *Op. cit.*, pág. 116. (La traducción es mía).

niega a creer que haya sido el idiota Pelele. El primer mendigo torturado repite el nombre del idiota, pero no encuentra alivio. Este trozo describe bien la angustia física y mental de la víctima:

> ¡Fue el idiota! —gritaba el primer atormentado en su afán de escapar a la tortura con la verdad— ¡Señor, fue el idiota! ¡Fue el idiota! ¡Por Dios que fue el idiota! ¡El idiota! ¡El idiota! ¡El idiota! ¡Ese Pelele! ¡El Pelele! ¡Ese! ¡Ese! ¡Ese! [22].

Las frases cortas armonizan el temor y sufrimiento del prisionero. Las frases, que empiezan con seis sílabas, disminuyen hasta dos sílabas, a medida que aumenta la intensidad del dolor.

En otra ocasión Asturias emplea eficazmente la repetición para describir el abuso físico y el sentido de miseria experimentado por una prostituta:

> ¡Ay, mis o...vaaaAAArios! ¡Ay, mis ovAArios!
> ¡Ay, mis o...vaaAAAAAArios! ¡Mis ovarios!
> ¡Ay...mis ovarios! ¡Ay...! [23].

El alargamiento y la letra mayúscula de las vocales se relacionan más dramáticamente con su sufrimiento por el trabajo excesivo.

Asturias también emplea la repetición en la descripción de personajes cuando quiere describir a alguien de una manera poco convencional. Al mostrar la antipatía que siente por los partidarios de El Señor Presidente, describe a uno de ellos así:

> Un grupo de hombres silenciosos entró en la cantina de sopapo; eran muchos y la puerta no alcanzaba para todos al mismo tiempo. Los más quedaron en pie a un lado de la puerta, entre las mesas, junto al mostrador. Iban de pasada, no valía la pena de sentarse. «¡Silencio!», dijo uno medio bajito, medio viejo, medio calvo, medio sano, medio loco, medio ronco, medio sucio, extendiendo un cartelón impreso que otros dos le ayudaron a pegar con cera negra en uno de los espejos de la cantina [24].

---

[22] Asturias, *Op. cit.*, pág. 15.
[23] *Op. cit.*, pág. 162.
[24] *Op. cit.*, pág. 254.

La repetición de la palabra «medio» siete veces hace hincapié en los atributos físicos de un hombre que es obviamente mediocre sin referirse a él como tal.

Los surrealistas incluían en su poesía palabras complejas que connotaban múltiples significados. Son, pues, responsables de haber reintroducido el uso del verbalismo polisemántico en el siglo veinte. Algo semejante a este recurso, el retruécano, ya se encuentra en las obras de Góngora y Quevedo, quienes, a propósito, eran muy admirados por los surrealistas franceses. Pero el verbalismo polisemántico es mucho más complejo que un retruécano, porque su significado depende muchas veces del sonido más que del mero sentido de la palabra misma. La profesora Margaret Schlauch, que ha estudiado el uso del lenguaje por James Joyce, nos da la siguiente definición del verbalismo polisemántico:

...se deforman las palabras en un pasaje de modo que sugieran al mismo tiempo no solamente los significados normales sino también una serie de verbalismos a los que ahora se parecen. Para transmitir estas múltiples frases simultáneamente, es importante respetar la entonación del conjunto tanto como las palabras individuales cuyas unidades de sonido se deforman. El procedimiento es, por eso, más complejo que una serie de retruécanos o palabras individuales. Además, las palabras oídas en armonía deben estar semánticamente relacionadas y deben contribuir a un efecto planeado [25].

Uno de los mejores ejemplos del verbalismo polisemántico en la poesía surrealista es el poema de Robert Desnos «Rrose Selavy, etc.», que revela la inclinación de los surrealistas hacia los juegos de palabras:

---

[25] Schlauch, Margaret, «The Language of James Joyce», *Science and Society*, vol. 3, 1939, págs. 483-484. (La traducción es mía).

Rose aiselle a vit.
Rr'ose essaie là vit.
Rots et sel a vie.
Rose S, L, have I.
Rosée, c'est la vie.
Rrose scella vît.
Rrose sella vit.
Rrose sait la vie.
Rose, est-ce hélas, vie?
Rrose aise héla vît.
Rrose est-ce aile, est-ce elle?
est celle
AVIS [26].

Miguel Ángel Asturias es uno de los escritores hispanoamericanos que usan frecuentemente verbalismos polisemánticos. Como poeta, sabe emplear sonidos para realzar y reforzar un pasaje descriptivo o un concepto. Por ejemplo, en la recreación de la pesadilla experimentada por Pelele después de haber matado al Coronel Parrales Sonriente, Asturias emplea la onomatopeya para dar al lector una sensación de vértigo y huida frenética a medida que el mendigo corre por las oscuras calles de la ciudad. Entreteje los sonidos simulados de un perro: «...erre, erre, ere... etc.» [27], intentando capturar la asquerosa condición de este ser humano. Para aumentar la sensación vertiginosa de la pesadilla, el autor crea el siguiente verbalismo polisemántico:

> Curvadecurvaencurvadecurvacurvadecurvaencurvala mujer de Lot.
> (¿La que inventó la Lotería?) [28].

Por supuesto, la analogía se refiere a la huida de Pelele y de la mujer de Lot, que huyó de la destrucción de Sodoma. Asturias refuerza la sensación vertiginosa con «¿La que inventó la Lotería?», que se refiere al movimiento del bombo con que se sor-

---

[26] Gershman, Herbert S., *The Surrealist Revolution in France*, Ann Arbor: The University of Michigan Press, 1969, pág. 64.
[27] Asturias, *Op. cit.*, pág. 20.
[28] *Op. cit.*, pág. 20.

tean los billetes de la lotería. Podemos notar aquí una referencia a la vida como juego de azar.

Al proseguir su descripción de la huida, Asturias escoge una de las frases interpoladas «...Erre, erre, ere...» y cambia los sonidos en «¡I-N-R-Idiota! ¡I-N-R-Idiota!»[29]. Vemos que las palabras oídas en armonía son fonéticamente semejantes. Su significado proviene de las iniciales latinas INRI, del rótulo puesto sobre la cruz de Jesucristo: «Iesus Nazarenus Rex Iudaeorum». Esta transición de sonidos evoca la analogía entre el sufrimiento del Cristo inocente y el sufrimiento del mendigo inocente. Pelele, por supuesto, es inocente porque es el producto de su ambiente. Es un demente, y por eso no es responsable de sus actos.

Asturias emplea el verbalismo polisemántico para transmitir el sarcasmo, como en el pasaje donde el cura viene a oír las confesiones de Camila y Cara de Ángel en la taberna de la Masacuata. El sarcasmo proyectado aquí denigra no solamente el papel del cura, sino también el misterio de la Trinidad:

> —El cura vino a rajasotanas. Por menos corren otros. «¿Qué puede valer en el mundo más que un alma?», preguntó... Por menos se levantan otros de la mesa con ruido de tripas... ¡Tri paz!... ¡Tres personas distintas y un solo Dios verdadero-de-verdad!... El ruido de las tripas allá no, aquí, aquí, conmigo, migo, migo, migo, en mi barriga, en mi barriga, barriga... De tu vientre, Jesús...[30].

Los distintos significados son bastante aparentes. Asturias examina la importancia de preocuparse por el alma cuando la persona aquí en la tierra muere de hambre. Así el primer juego de palabras: «con ruido de tripas», está en relación paralela con el saludo «¡Tri paz!». Asturias insinúa que no hay hambre en los cielos, sino aquí en la tierra, y esto es una consideración más importante. La repetición de «migo, migo, en mi barriga, en mi barriga...» simula el sonido de un estómago vacío. Se refuerza esta imagen por el hecho de que fonéticamente la pa-

---

[29] *Op. cit.*, pág. 20.
[30] *Op. cit.*, pág. 170.

labra «migo» es semejante a «miga». Se extiende más el concepto del hambre con la palabra «barriga» y la frase del Ave
María «De tu vientre, Jesús...» La palabra «vientre» lleva la
doble connotación de «madre» y «estómago».

LAS PALABRAS DE «PORTMANTEAU»

La función de las palabras de *portmanteau* es parecida a la
del verbalismo polisemántico. No obstante, este recurso es
menos complejo y más conciso. Una palabra de *portmanteau*
es una combinación arbitraria de dos palabras. Se observa mucho
este recurso en *Trilce*, de César Vallejo. El término «trilce» es
una combinación de «triste» y «dulce» y expresa bien el tono
de la obra. Una palabra de *portmanteau* no proviene necesariamente de una sola lengua. James Joyce, por ejemplo, tomó
palabras del latín y del gaélico y las convirtió en una referencia
sexual poco disfrazada:

> mea culpa mea culpa
> May he colp, may he colp her,
> mea maxima culpa
> may he mixandmass colp her! [31].

Asturias se vale mucho de este recurso en *El Señor Presidente*. La palabra «Jesupisto» [32] es una combinación de Jesu y
pisto (del latín *pistum*) y significa el Cristo Golpeado. Así, Asturias relaciona el maltratamiento de El Mosco con el de Cristo.
Asimismo, La Masacuata, que desprecia a la policía secreta,
llama a Lucio Vázquez «Sucio Bascas» [33]. Hay también personajes en la novela cuyos nombres reflejan el uso de palabras de
portmanteau. Por ejemplo, la esposa del titiritero, Benjamín,
se llama Benjamón no a causa de la similaridad fonémica, sino
por su obesidad. Se la describe como «una dama de puerta

---

[31] Hoffman, Frederick J., *Freudianism and the Literary Mind*, Louisiana State University Press, 1957, págs. 141-144.
[32] Asturias, *Op. cit.*, pág. 13.
[33] *Op. cit.*, pág. 40.

mayor, dos asientos en el tranvía, uno para cada nalga y ocho varas y tercia por vestido»[34].

El término «Amor Urdemales», que sirve de título al Capítulo XVII, tiene un significado muy sutil. Es una combinación arbitraria de tres palabras: «Amor-urde-males». El significado de esta expresión no se aclara hasta el fin del capítulo. En esta etapa de la narrativa, Cara de Ángel, uno de los tenientes predilectos del Señor Presidente, se enamora de Camila, la hija del fugitivo, el General Eusebio Canales. El amor de Cara de Ángel por Camila produce en él un efecto redentor, y por eso se siente extraño en la compañía de los delatores y maquinadores. Empieza a portarse como hombre de conciencia. El término «Amor Urdemales», entendido así, adquiere un significado que se podría traducir como «El amor vence al mal» o, en términos más populares, «El amor lo vence todo».

Hay otros ejemplos de este recurso que podrían ser clasificados como el aporte hispanoamericano a la corriente surrealista: son los regionalismos, los epítetos, el vocabulario indio y cosas semejantes. Asturias se dio cuenta de que la poesía maya-quiché se servía de paralelismos o de la multiplicación de sílabas en una palabra. Asturias también emplea este recurso para lograr ciertos efectos o sensaciones:

> *Para mostrar acción*: luego, lueguito, relueguito[35].
> *Para mostrar el absurdo*: ¡Ilógico...! ¡Relógico! ¡Relógico! ¡Recontralógico! ¡Requetecontrarrelógico![36].
> *Para mostrar desdén*: -super-hiper-ferro-casi-carri-leró[37].

Esta libertad de expresión llega a ser aún más intensa y enigmática con el uso de la escritura automática o la asociación libre.

---

[34] *Op. cit.*, pág. 54.
[35] *Op. cit.*, pág. 89.
[36] *Op. cit.*, pág. 55.
[37] *Op. cit.*, pág. 256.

La escritura automática ha llegado a ser el rasgo más notable del surrealismo. El término «escritura automática» fue inventado por los surrealistas, pero no el método. La única originalidad por parte de los surrealistas es que perfeccionaron las antiguas formas del monólogo interior directo e indirecto (también llamado «el fluir de conciencia»). La escritura automática es la técnica narrativa más importante del siglo veinte para describir la operación de la psique humana. El profesor Robert Humphrey dice: «El recurso central descubierto por los escritores para describir y controlar el movimiento y secreto de la conciencia fue la utilización de los principios de la asociación mental libre. Éstos proporcionaban una base practicable para imponer una lógica especial sobre las divagaciones erráticas de la conciencia, y de este modo dio a los escritores un sistema para seguir y al lector un sistema a que poder atenerse. El proceso de la asociación libre fue aplicado también a los niveles prelingüísticos de la conciencia»[38].

Fue Freud el que popularizó el método psicoanalítico de la asociación libre. Esencialmente es esto: el paciente se tendía en un sofá y hablaba de sí mismo. Se le pedía que revelase cualquier cosa que recordara. Además, debía resistir el impulso de relatar cosas en orden lógico o reprimir ideas y pensamientos que parecieran disparatados. Freud esperaba desarrollar así un método de interpretación que le daría una mejor percepción de la naturaleza del comportamiento y de los problemas del paciente.

Este método, cuando se aplica a la literatura, ayuda al escritor a liberarse de las restricciones lógicas con que tropieza al escribir coherentemente. Le permite describir las aberraciones y traumas de sus personajes por medio de monólogos interiores

---

[38] Humphrey, Robert, *Stream of Consciousness in the Modern Novel*, Berkeley: University of California Press, 1959, págs. 120-121. (La traducción es mía).

y secuencias oníricas. Estos dos recursos facilitan el desarrollo
de los personajes. Así, en vez de hablar del personaje, deja que
hable éste y se revele al lector.

André Breton consideraba este método de escribir la única
verdadera avenida de expresión por la cual el surrealista podía
obtener una total liberación del pensamiento. En el *Primer
Manifiesto*, Breton, intentando fundar la doctrina de su movimiento, describe y define el surrealismo de esta manera:

> Surrealismo s. m., automatismo psíquico puro por medio del
> cual se desea expresar, sea verbalmente, sea por escrito, sea de
> cualquier otra manera, el funcionamiento real del pensamiento.
> Dictado del pensamiento en ausencia de cualquier control ejercido
> por la razón, fuera de cualquier estética o moral [39].

La escritura automática, que debemos llamar automatismo
controlado, puede ser expresada de varias maneras. Las formas
más comunes son: el monólogo interior directo, el monólogo
interior indirecto, el soliloquio, las escenas retrospectivas y el
montaje. Una de las formas inventadas por los surrealistas consistía en el diálogo ordinario, del cual creaban un disparatado
«jeu des questions et des réponses» [40]. John Dos Passos, cuyas
obras revelan con frecuencia influencias surrealistas, combina-
ba anuncios del periódico, frases de carteleras y trozos del diario con recursos narrativos más comúnmente aceptados. Asturias emplea una técnica semejante en el Capítulo XXIII, donde
presenta como el contenido del capítulo los nombres de dieciséis
individuos y lo que han hecho en la narrativa. El propósito de
este recurso es demostrar la función de espías y delatores en
un régimen despótico.

El grado de escritura automática en las obras de Asturias
nos propone un problema que radica en sus comentarios públicos sobre su arte. Hablando del acto creativo de escribir
dice:

---

[39] Baciu, Stefan, *Antología de la poesía surrealista latinoamericana*,
México: Joaquín Mortiz, 1974, pág. 11.

[40] Nadeau, Maurice, *Histoire du Surréalisme*, Paris: Editions du Seuil,
1945, págs. 279-283.

La primera versión es completamente automática. Me voy de cabeza, sin volverme nunca a ver lo que he dejado atrás. Cuando la termino la aparto por un mes; entonces la saco y lo reviso. Empiezo a corregir, a cortar, y cambiar. Con lo que me queda hago la segunda versión. Lo que obtengo con la escritura automática es el apareamiento o yuxtaposición de palabras que, como dicen los indios, nunca se han encontrado antes [41].

Surge una ambigüedad de este comentario porque no se sabe con certeza qué pasajes de la primera versión de la obra se han retocado o quedan intactos. Sea lo que sea, parece un falso problema porque, a pesar del control o falta de control, el resultado es igual; es decir, un pasaje compuesto de imágenes perturbadoras y complejas, que a la vez pueden estar libres de reglas sintácticas. *El Señor Presidente* contiene numerosos pasajes que incluyen todas las características ya mencionadas. Por ejemplo, la peligrosa huida del General Canales por la selva tropical se describe con rápidos destellos imaginistas que revelan el ambiente tanto como la angustia y sufrimiento experimentados por el hombre:

—Salieron de la cabaña sin apagar el fuego. Camino abierto a machetazos en la selva. Adelante se perdían las huellas de un tigre. Sombra. Luz. Sombra. Luz. Costura de hojas. Atrás vieron arder la cabaña como un meteoro. Mediodía. Nubes inmóviles. Desesperación. Ceguera blanca. Piedras y más piedras. Insectos. Osamentas limpias, calientes, como ropa interior recién planchada. Fermentos. Revuelo de pájaros aturdidos. Agua con sed. Trópico. Variación sin horas, igual el calor, igual siempre, siempre... [42].

Asturias ha comprimido muchos elementos en un párrafo empleando el montaje. Los varios elementos de la selva asaltan al lector como las distintas fotos de la película aparecen en la pantalla para darnos una fusión o un cuadro surrealista de la realidad interna y externa. La rapidez de las escenas también produce la sensación de la velocidad de la huida por la selva.

---

[41] Harss, *Op. cit.*, pág. 105.
[42] Asturias, *Op. cit.*, pág. 189.

La escritura automática desempeña un papel importante en la descripción de secuencias oníricas, especialmente si son pesadillas. *El Señor Presidente* contiene siete secuencias oníricas, y dos son pesadillas. El método empleado por Asturias para describir estos sueños es distinto del procedimiento usado por María Luisa Bombal en *La última niebla*, donde la técnica es bastante convencional. Los sueños descritos en este libro contienen muy pocos elementos simbólicos, metáforas o automatismo. Las imágenes realistas describen la pasión de la protagonista o la sublimación de la misma. Sin embargo, para pintar el temor que reinaba en su pueblo, Asturias tenía que emplear métodos de narración inusitados. Tenía que armonizar la realidad horripilante con los pensamientos íntimos de los personajes.

Si algunos consideran los sueños como representaciones de nuestros deseos conscientes, las pesadillas pudieran ser las representaciones de nuestros temores. Se puede revelar el contenido de las pesadillas de varias maneras. No obstante, cuando se caracterizan por ambientes deshumanizados, la incongruencia, el absurdo, una sensación de disociación o de caos, adquieren las dimensiones de lo que se podría llamar una pesadilla surrealista, un sueño desprovisto de toda lógica.

En *El Señor Presidente*, Asturias describe prolijamente el contenido y la forma de las pesadillas experimentadas por sus personajes. Esta técnica es un recurso efectivo para mostrar la operación del inconsciente, donde se ajustan y sopesan las reverberaciones del temor.

La pesadilla de Pelele, al principio de la novela, es un excelente ejemplo de prosa surrealista porque las imágenes que surgen crean una atmósfera irreal y describen la psique de un individuo torturado por el temor y por el dolor intenso provocado por la rotura de una pierna:

—Las uñas aceradas de la fiebre aserraban la frente. Disociación de ideas. Elasticidad del mundo en los espejos. Desproporción fantástica. Huracán delirante. Fuga vertiginosa, horizontal, vertical, oblicua, recién nacida y muerte en espiral... [43].

---

[43] *Op. cit.*, pág. 20.

En esta atmósfera agitada, las imágenes ilógicas asumen formas absurdas. Vemos cómo unas mulas que tiran de un carruaje se transforman en la esposa de Lot y de nuevo en mulas a medida que los conductores las azotan. Las mulas invitan a los conductores a matarlas con sus pistolas. La escena describe simbólicamente una sociedad oprimida. Vemos estatuas de santos que se trasladan de las iglesias al cementerio porque es un lugar más alegre y limpio que la ciudad. Paulatinamente las imágenes se vuelven más complejas a medida que encontramos a Pelele vagabundeando libre de los confines del espacio:

> —Y atropellando por todo, seguía a grandes saltos de un volcán a otro, de astro en astro, de cielo en cielo, medio despierto, medio dormido, entre bocas grandes y pequeñas, con dientes y sin dientes, con labios y sin labios, con labios dobles, con pelos, con lenguas dobles, con triples lenguas, que le gritaban: «¡Madre! ¡Madre! ¡Madre!» [44].

Se interrumpe la pesadilla de vez en cuando con pasajes realistas y, cuando se resume, se le hace pensar a Pelele en su juventud donde se nos revela la causa de su temor. La madre de Pelele entra en escena, y nos enteramos de que su padre era gallero, que tenía muchos vicios. Se sabe que Pelele no es resultado de un amor, sino de una pasión ilegítima. Como parte del mundo irreal, Asturias interpola un trozo del folklore guatemalteco a medida que Pelele recuerda una historia contada por su madre:

> —Soy la Manzana-Rosa del Ave del Paraíso, soy la vida, la mitad de mi cuerpo es mentira y la mitad es verdad; soy rosa y soy manzana, doy a todos un ojo de vidrio y un ojo de verdad: los que ven con mi ojo de vidrio ven porque sueñan, los que ven con mi ojo de verdad ven porque miran. ¡Soy la vida, la Manzana-Rosa del Ave del Paraíso; soy la mentira de todas las cosas reales, la realidad de todas las ficciones! [45].

---

[44] *Op. cit.*, pág. 21.
[45] *Op. cit.*, pág. 24.

Pelele abandona el regazo de su madre y ve pasar un desfile militar en que se celebra al Presidente de la República. Los acróbatas llevan al presidente y lo ponen en una iglesia que está suspendida sobre un abismo. Las imágenes que Asturias evoca son totalmente surrealistas porque conjuran una situación irreal e incongruente:

—Los escaños pendían de los cortinajes como puentes colgantes. Los confesionarios subían y bajaban de la tierra al cielo, elevadores de almas manejados por el Ángel de la Bola de Oro y el Diablo de los Oncemil Cuernos [46].

La Virgen aparece y Pelele le dice que le gusta masticar la cera y ella le da una de las velas del altar. Lo toma por la mano y lo conduce a un estanque de peces colorados. Esta demostración de afecto hace feliz a Pelele. El sueño termina cuando Cara de Ángel y el Madero encuentran a Pelele y lo ayudan a ponerse de pie.

Este episodio nos permite obtener una percepción del trauma de Pelele. Después de la muerte de su madre, la Virgen llega a sustituirla en el afecto que sentía por ella. De aquí la relación del simbolismo religioso. Después de haber matado al Coronel Parrales Sonriente, vagabundeaba por las calles y retornaba a la iglesia cuando lo mató el policía secreto Lucio Vázquez en los peldaños de la Catedral. La pesadilla entera destaca el absurdo de la vida en una sociedad oprimida.

En el Capítulo XXVI, «Torbellino», Asturias complica aún más las pesadillas, entretejiendo simultáneamente los sueños de Camila y Cara de Ángel. El capítulo marca un atrevido experimento con la escritura automática. El sueño de Camila es el más importante desde el punto de vista surrealista a causa de las imágenes, el simbolismo abstracto, y lo ilógico de los pasajes. Casi desafía a la interpretación.

Camila, perturbada porque su padre tuvo que escapar del país, y no muy segura de su propia supervivencia, se ha puesto

---

[46] *Op. cit.*, pág. 25.

muy enferma. Permanece escondida en la taberna de la Masacuata. Sufre delirio, y su sueño revela las siguientes imágenes:

> ...Juego de sueños..., charcas de aceite alcanforado..., astros de
> diálogo lento..., invisible, salobre y desnudo contacto del vacío...,
> doble bisagra de las manos..., en el jabón de reuter..., en el jardín
> del libro de lectura..., en el lugar del tigre..., el allá grande de los
> pericos..., en la jaula de Dios... [47].

Este párrafo es un mosaico verbal de distintas entidades, cada
una de las cuales tiene sentido en sí; pero, en conjunto, el
párrafo no transmite ninguna lógica comprensible. Responde,
en cambio, a los principios expuestos por André Breton, es
decir, expresión escrita sin ningún control lógico, estético y
moral, que exterioriza lo que sentimos o pensamos [48]. Breton
creía que nuestro empleo consciente del lenguaje impedía nuestra libertad para el discurso que define en lo esencial al hombre
mismo.

A medida que el sueño continúa, Asturias crea imágenes
más enigmáticas. Le complace pintar imágenes irreverentes de
naturaleza religiosa. Tal actitud es paralela a la de los surrealistas franceses, que eran ateos y anticlericales. La blasfemia religiosa fue la regla, como se ve en algunas de las normas relata-
das por Salvador Dalí:

> La sangre fue aceptable. Hasta un poco de excremento. Pero no
> excremento solo. Yo podía pintar órganos sexuales, pero no ilusio-
> nes ópticas analmente orientadas. ¡Se miraba de mal ojo el culo!
> Las lesbianas fueron bienvenidas, pero no los homosexuales. El
> sadismo, paraguas, máquinas de coser se podían encontrar en
> forma de imágenes oníricas, pero toda referencia a la religión o al
> misticismo, menos las sacrílegas, fueron tabú. Si se soñaba inocen-
> temente con la Madona de Rafael, sin intenciones manifiestamente
> blasfemas, no se podía mencionarlo [49].

---

[47] *Op. cit.*, pág. 178.
[48] Alquie, Ferdinand, *The Philosophy of Surrealism*, Ann Arbor: The
University of Michigan Press, 1969, pág. 26.
[49] Gershman, *Op. cit.*, nota de pie 17, págs. 24-25. (La traducción es
mía).

El siguiente pasaje muestra las imágenes blasfemas creadas por Asturias:

> ...En la jaula de Dios, la misa del gallo de un gallo con una gota de luna en la cresta de gallo..., se enciende y se apaga, se enciende y se apaga, se enciende y se apaga..., Es misa cantada... No es un gallo; es un relámpago de celuloide en la boca de un botellón rodeado de soldaditos... Relámpagos de la pastelería de la «Rosa Blanca», por Santa Rosa... Espuma de cerveza del gallo por el gallito... Por el gallito... [50].

No se pueden considerar las imágenes expresadas en este párrafo como simple ejemplo de libertad poética. Hay demasiadas referencias difamatorias a la Iglesia en esta novela. El anticlericalismo de Asturias se manifiesta atacando las formas externas de la religión organizada, a la que ve como perpetradora de supersticiones. Satiriza también la alianza eclesiástica con el estado. A su modo de ver, la Iglesia y las supersticiones de la tradición pagana constituyen una jaula con una diferencia esencial: en ésta, Asturias halla inspiración poética; aquélla le produce desdén. En general, Asturias aparece más vitriólico cuando habla de la religión heredada de los españoles.

LAS METÁFORAS

Las metáforas en *El Señor Presidente* pueden ser difíciles y despreocupadas. Crean muchas veces un ambiente más que sugerir una significación. Se acusa a Asturias de crear metáforas sin contenido poético:

> Güiraldes emplea metáforas desbordantes de contenido poético; Asturias casi prescinde de éste; crea metáforas e imágenes de poco o ningún contenido poético. Las que usa Asturias, son, podríamos decir, metáforas secas, un poco matemáticas, frías, descomunales, de poesía [51].

---

[50] Asturias, *Op. cit.*, pág. 178.
[51] Loveluck, Juan, «Sobre una novela de nuestro tiempo», *Atenea*, XVII: 310 (Concepción, Chile, abr., 1951), págs. 56-57.

Esta crítica de Asturias puede ser algo injusta. La interpretación de lo que constituye una buena metáfora es subjetiva y depende del criterio al que se atiene el crítico. Las metáforas de Asturias son atrevidas y diferentes, pero se conforman con la estructura y forma de la novela. La literatura surrealista puede contener metáforas «secas, un poco matemáticas, frías y descomunales», si uno está acostumbrado a medir la eficacia de la imagen según normas clásicas. Debemos recordar que, en el experimento surrealista, lo inusitado es la norma aceptada. En este caso, la crítica dirigida contra Asturias se puede aplicar a la literatura surrealista en general, donde las imágenes poseen muchas veces una cualidad deshumanizante. Y, puesto que muchos surrealistas se atienen a una actitud nihilista en cuanto a la condición humana, no es de extrañar que esta actitud se exprese en términos absurdos.

Las cualidades deshumanizantes de las metáforas pueden producir resultados inesperados. Asturias es capaz de tomar cosas inanimadas e imbuirlas de cualidades humanas para expresar la sensación de temor, como en el siguiente pasaje, que ilustra lo absurdo de la muerte de Pelele:

> —Las detonaciones y alaridos del Pelele, a la fuga de Vázquez y su amigo, mal vestidas de la luna corrían las calles por las calles, sin saber bien lo que había sucedido y los árboles de la plaza se tronaban los dedos en la pena de no poder decir con el viento, por los hilos telefónicos, lo que acababa de pasar. Las calles asomaban a las esquinas preguntándose por el lugar del crimen y, como desorientadas, unas corrían hacia los barrios céntricos y otras hacia los arrabales [52].

La agitación y la confusión de esta metáfora refuerzan mucho el sentido del párrafo. No obstante, hay ocasiones en las que Asturias emplea metáforas más complejas, al montar una identificación sobre otra. En el Capítulo XXXVIII se expone el tema dialéctico de nacimiento-muerte-renacimiento. La exposición de este tema resulta surrealista a medida que el autor yuxtapone

---

[52] Asturias, *Op. cit.*, pág. 52.

dos acciones aparentemente no relacionadas para producir resultados chocantes. En esta escena, Asturias contrapone la santidad del acto conyugal entre Camila y Cara de Ángel, del cual resulta la concepción de su hijo, y la matanza de una gallina en el patio. Asturias crea un paralelismo entre la pasión sentida por la pareja y la agitación de la gallina, perseguida por dos criadas:

—Amor... —le dijo ella recogiéndose contra él. Sus piernas dibujaron en la sábana el movimiento de los remos que se apoyan en el agua arrebujada de un río sin fondo [53].

—El pollo se les iba de las manos palpitante, acoquinado, con los ojos fuera, el pico abierto, medio en cruz las alas y la respiración en largo hilván [54].

A medida que se acerca el momento del coito, que simboliza el renacimiento de Cara de Ángel en la forma del hijo futuro, la muerte de la gallina también se acerca y simboliza la inminente muerte de Cara de Ángel:

—¡Amor! —le dijo ella—... —¡Cielo! —le dijo él—... ¡Mi cielo! —le dijo ella...
El pollo dio contra el muro o el muro se le vino encima... Las dos cosas se le sentían en el corazón... Le retorcieron el pescuezo... Como si volara muerte sacudía las alas... «¡Hasta se ensució, el desgraciado!»...
Camila cerró los ojos... ...El peso de su marido... El aleteo... La queda mancha... [55].

La acción es una polarización de agonía y éxtasis que depende de los movimientos paralelos de la gallina que huye y la actividad sexual de la pareja. El autor extiende la agonía hasta el final del capítulo, donde Cara de Ángel es capturado por el Mayor Farfán. Con lágrimas en los ojos, el primer impulso de Cara de Ángel es «huir, correr, volar, pasar el mar...» [56], y así

---

[53] *Op. cit.*, pág. 264.
[54] *Op. cit.*, pág. 264.
[55] *Op. cit.*, pág. 264.
[56] *Op. cit.*, pág. 268.

se cumple el presentimiento de su muerte descrito en la larga
metáfora expuesta al comienzo del capítulo.

Asturias emplea también el folklore para crear metáforas
inusitadas. En el Capítulo XXXVII, «El Baile de Tohil», vemos
que Cara de Ángel ha recibido instrucciones del Señor Presidente para ir en misión especial a Washington. Cara de Ángel
no quiere dejar sola a Camila y, además, siente algo misterioso
acerca de la petición del presidente. Durante las instrucciones,
Cara de Ángel empieza a soñar mientras mira por la ventana.
De repente, la escena pasa de la oficina del presidente al mundo
mítico del folklore indio. Mientras los cuatro sacerdotes nefas-
tos hacen preparativos para la guerra cuyo objeto es la captura
de víctimas para el sacrificio humano, surgen las siguientes
imágenes:

> —De pronto, se oyó el sonar de un tún, un tún, un tún, y muchos
> hombres untados de animales entraron saltando en filas de maíz.
> Por las ramas del tún, ensangrentadas y vibrátiles, bajaban los
> cangrejos de los tumbos del fuego. Los hombres bailaban para no
> quedar pegados al viento con el sonido del tún, alimentando la
> hoguera con la trementina de sus frentes. De una penumbra color
> de estiércol vino un hombrecillo con cara de güisquil viejo, lengua
> entre los carillos, espinas en la frente, sin orejas, que llevaba al
> ombligo un cordón veludo adornado de cabezas de guerreros y
> hojas de ayote; se acercó a soplar las macollas de llamas y entre
> la alegría ciega de los tucuazines se robó el fuego con la boca
> masticándolo para no quemarse como copal. Un grito se untó a la
> oscuridad que trepaba a los árboles y se oyeron cerca y lejos las
> voces plañideras de las tribus que abandonadas en la selva, ciega
> de nacimiento, luchaban con sus tripas —animales del hombre—,
> con sus gargantas —pájaros de la sed— y su miedo, y sus bascas,
> y sus necesidades corporales, reclamando a Tohil, Dador del fuego,
> que les devolviera el ocote encendido de la luz. Tohil llegó cabal-
> gando un río hecho de pechos de paloma que se deslizaba como
> leche... [57].

Este trozo, basado en la mitología maya-quiché, es una expresión metafórica de las condiciones que existen durante el

---

[57] *Op. cit.*, pág. 260.

régimen del Señor Presidente. Igual a Tohil, el dios de la guerra, el Señor Presidente requiere el sacrificio de seres humanos.

Es posible que algunos no consideren este trozo como ejemplo de una metáfora surrealista que integra acontecimientos concretos con los de una naturaleza irreal (en este caso la realidad mítica). En cambio, persistirán en interpretar el trozo como un buen ejemplo de «realismo mágico». He tratado de comparar las similaridades entre las características del surrealismo y el «realismo mágico». El profesor David Lagmanovich, que ha estudiado el fenómeno del «realismo mágico» en las obras de Asturias, cree que el «realismo mágico» no es realmente una escuela distinta, sino una mera proyección del surrealismo en la literatura contemporánea hispanoamericana [58]. Mi propia conclusión es que Asturias ha aplicado las técnicas surrealistas en su interpretación del folklore guatemalteco y ha añadido una nueva dimensión a la modalidad surrealista. Las posibilidades de tal dimensión eran las mismas que interesaban a André Breton y a Benjamín Péret, que consideraban el folklore de las civilizaciones indias de México como una nueva fuente de inspiración para el movimiento surrealista.

Éstos son solamente unos pocos ejemplos de técnicas surrealistas que usa Asturias para destacar el tema del temor en *El Señor Presidente*. Algunos revelan una espontaneidad y osadía notables, que representan aportaciones considerables a la literatura hispanoamericana. Los experimentos de Asturias prepararon el camino para la generación que le siguió; pero, en cuanto al uso surrealista del lenguaje, debe considerársele el escritor más importante en la prosa hispanoamericana hasta ahora.

---

[58] Lagmanovich, David, «Sobre la función del surrealismo en *Hombres de maíz*» (Ponencia leída a la Reunión de MLA en diciembre de 1971).

CAPÍTULO V

CONCEPTO SURREALISTA DE *LE MERVEILLEUX*

(ALEJO CARPENTIER, *Los pasos perdidos*, 1953)

Uno de los principios básicos del surrealismo francés fue la búsqueda de lo maravilloso (*le merveilleux*). La desilusión frente a los valores burgueses, que llegó a su culminación durante la catástrofe de la Primera Guerra Mundial, fue el impulso que provocó la búsqueda de un cielo en la tierra. André Breton concibió *le merveilleux* como una manera de entender la condición humana, y, en *El Segundo Manifiesto* (1930), trató de aclarar la naturaleza de la actividad surrealista: «Todo hace creer que existe un cierto punto del espíritu donde la vida y la muerte, lo real y lo imaginario, el pasado y el futuro, lo comunicable y lo incomunicable, lo alto y lo bajo, dejan de ser percibidos contradictoriamente. Será inútil buscar otra razón a la actividad surrealista que la esperanza de determinación de este punto»[1]. Así, el intento de reconciliar opuestos es el recantón del movimiento surrealista.

En los dos capítulos anteriores se ha demostrado que Bombal y Asturias fueron influidos por los surrealistas primariamente desde el punto de vista de la técnica. Ninguno posee

---

[1] Breton, André, *Manifestoes of Surrealism*, Ann Arbor: The University of Michigan Press, 1969, págs. 123-124. (La traducción procede de: Baciu, Stefan, *Antología de la poesía surrealista latinoamericana*, México: Joaquín Mortiz, 1974, pág. 11.

tantas afinidades espirituales con la ideología surrealista como
Alejo Carpentier.

Su obra maestra, *Los pasos perdidos*, expresa un doble propósito. Por una parte, es un esfuerzo para hallar *le merveilleux*
en el continente sudamericano, recobrando la inocencia primitiva del hombre y restituyéndole así la fuerza psíquica que
poseía antes de que la sociedad lo corrompiera. Por otra parte,
es un intento de pintar la belleza casi mágica del continente y
así hacer de ella una fuente estética de inspiración literaria más
bien que un ámbito hostil como el antes descrito por muchos
escritores hispanoamericanos. Carlos Santander, que ha hecho
un estudio de lo maravilloso en las obras de Carpentier, cree
que *Los pasos perdidos* lo vincula definitivamente al movimiento
surrealista:

> Por otra parte, *Los pasos perdidos*, siendo a la vez su novela
> más conocida, resulta quizá la que más aproxima a su autor a la
> generación «superrealista» a que pertenece por sus contactos con
> el surrealismo y el existencialismo [2].

El conocimiento del surrealismo por Carpentier empieza en
su Cuba natal, donde fue uno de los fundadores y colaboradores
de la vanguardista *Revista de Avance* (1927-30) junto con Jorge
Mañach, Francisco Ichaso, Juan Marinello y Martí Casanovas.
Esta revista, de poca duración, fue el órgano que introdujo y
diseminó en Cuba los numerosos «ismos» de la vanguardia literaria y artística de Europa. *Revista de Avance* incluía, por supuesto, artículos sobre el arte y la poesía surrealista [3].

El clima político de Cuba era muy tenso durante aquellos
años, debido a la dictadura represiva de Gerardo Machado y
Morales. Cuando Carpentier firmó un manifiesto que condenaba
los males del régimen, se le encarceló por siete meses, en 1927.
Durante su permanencia en la prisión, comenzó a escribir su

---

[2] Santander, Carlos, «Lo maravilloso en la obra de A. Carpentier»,
Atenea, CLIX, núm. 409 (1965), pág. 100.

[3] Ripoll, Carlos, «La *Revista de Avance* (1927-1930): Vocero de Vanguardismo y Pórtico de Revolución», *Revista Iberoamericana*, vol. XXX,
núm. 58, julio-diciembre de 1964, págs. 261-284.

primera novela, *Ecué-Yamba-O*, que no se publicó hasta 1933. Fue su primer experimento con las técnicas vanguardistas [4].

Al mismo tiempo que Carpentier recobraba su libertad, visitaba Cuba Robert Desnos, el poeta surrealista francés. Los dos trabaron estrecha amistad, y como a Carpentier se le consideraba un agitador, Desnos le proporcionó sus papeles de identidad con los que salió para Francia. París sería un exilio placentero hasta que la situación política se normalizara. Además, sería una oportunidad de probar sus ambiciones literarias en una atmósfera cargada de la presencia de los escritores más importantes de entonces.

Carpentier conoció inmediatamente a los surrealistas, y pronto fue presentado a André Breton, que invitó a Carpentier a colaborar en *Révolution Surréaliste*. La vinculación de Carpentier a esta revista le puso en contacto con los miembros más celebrados del movimiento surrealista: Aragon, Tzara, Éluard, Sadoul, Péret, De Chirico, Tanguy y Picasso.

Carpentier conocía el francés desde niño (su padre fue un arquitecto francés que diseñó muchos edificios bien conocidos en La Habana). Ello le permitió escribir en aquella lengua cuentos surrealistas como «El estudiante» [5]. Estos cuentos fueron editados por su amigo Desnos. Poco a poco Carpentier se desanimó en sus esfuerzos literarios en francés, y abandonó tal actividad. Pero esto no quiere decir que el experimento surrealista no fuese importante para su formación literaria. Al contrario, le ayudó a formar su estética literaria y, hasta cierto punto, el estilo de sus obras futuras después de volver a Cuba. Carpentier ha reconocido su deuda con el surrealismo: «He dicho que me aparté del surrealismo porque me pareció que no iba a aportar nada a él. Pero el surrealismo sí significó mucho para mí. Me enseñó a ver contexturas, aspectos de la vida americana que no había advertido, envueltos como estábamos en la ola de nativismo traída por Güiraldes, Gallegos y José Eus-

---

[4] Véase el Capítulo II, nota 48.
[5] «Carpentier: autobiografía», *Bohemia*, 9 de julio de 1965, núm. 28. (Datos biográficos recogidos por César Leante. Tomado de las revistas *Cuba* y *Siempre*, México), pág. 23.

tasio Rivera»[6]. Este punto de vista sobre la vida hispanoamericana atribuido a los surrealistas es evidente no sólo en *Los pasos
perdidos*, sino en otras obras, como *El reino de este mundo*
(1949)[7].

Ahora bien, pocos saben que el alejamiento de Carpentier
del grupo oficial surrealista no se debió enteramente a una decisión voluntaria. En primer lugar, Carpentier habría ofendido
al yo monumental de Breton diciéndole que el surrealismo en
Sudamérica se conocía principalmente por las obras de Paul
Éluard[8]. En segundo lugar, a finales de la primera fase del surrealismo (1924-1930), Breton dirigió la primera purga inquisito-
rial de ciertos disidentes por haberse desviado de lo que él
había sancionado como doctrina oficial surrealista. A consecuencia de esto, doce miembros fueron expulsados del grupo
en enero de 1930, después de haber publicado un severísimo
ataque contra «el papa negro» del surrealismo en un documento
llamado *Un cadavre*. Alejo Carpentier fue uno de los doce miembros que contribuyeron a este ataque contra Breton[9].

Este incidente es significativo porque no sólo vincula a Carpentier al movimiento surrealista, sino que lo distingue como
el primer escritor hispanoamericano que pertenecía formalmente a lo que se consideraba como el grupo literario más
prestigioso de París. Parece que ninguno de los escritores hispanoamericanos que vivían en Francia por aquella época, como
Vallejo, Uslar Pietri, Asturias y César Moro, gozó jamás del
reconocimiento de los surrealistas como Alejo Carpentier.

Después de su ruptura formal con el grupo surrealista, Carpentier permaneció en Europa hasta 1939, con el paréntesis de
una breve visita a Cuba en 1936. Con la amenaza de la Segunda
Guerra Mundial, muchos surrealistas salieron de Europa. Carpentier decidió volver a Hispanoamérica y enfocar su interés,
como indica Luis Harss, sobre temas hispanoamericanos:

---

[6] *Op. cit.*, pág. 23.
[7] Santander, *Op. cit.*, págs. 113-114.
[8] Gershman, Herbert, *The Surrealist Revolution in France*, Ann Arbor:
The University of Michigan Press, 1969, nota 110, pág. 232.
[9] *Op. cit.*, pág. 147.

No tardó en advertir que el movimiento mismo le era ajeno, pero el precepto de Breton, según el cual «sólo lo maravilloso es bello» —palabras que en los surrealistas de pacotilla, atrincherados en lo que Carpentier llama «la burocracia de lo maravilloso», llegaron a justificar puros artificios de expresión y gestos mecánicos— le abrió los ojos, a pesar de todo, a los auténticos prodigios de su tierra, donde lo «maravilloso», como descubrió con el deslumbramiento algo ingenuo del civilizado, era un elemento cotidiano de la naturaleza y la realidad. Desde entonces se ha dedicado a cultivar ese «realismo mágico» que para él da la síntesis y la esencia del continente. Porque la incongruencia, la paradoja, dice, están en la raíz de la vida latinoamericana. En Latinoamérica todo es desmesurado: montañas y cascadas gigantescas, llanuras infinitas, selvas impenetrables. La anarquía urbana echa tentáculos tierra adentro, donde soplan los vendavales. Lo antiguo se codea con lo moderno, lo arcaico con lo futurístico, lo tecnológico con lo feudal, lo prehistórico con lo utópico. En nuestras ciudades se levantan rascacielos junto a mercados indígenas donde proliferan todavía los amuletos. ¿Cómo hallar sentido en esta profusión, en un mundo cuya devoradora presencia ofusca al hombre, descalabra su inteligencia y su imaginación? [10].

Tal comprensión de Hispanoamérica dio una nueva orientación a la carrera literaria de Carpentier después de su salida de Francia. Si, según confiesa él mismo, la experiencia surrealista le había hecho capaz de mirar a Hispanoamérica con una nueva perspectiva, parece lógico que esta nueva perspectiva apareciera en sus obras futuras. A la vez, parece que su ruptura con el surrealismo como miembro oficial o seguidor no implica necesariamente un rechazo de la modalidad surrealista. Las otras víctimas de aquella purga de 1930, como Robert Desnos, Raymond Queneau y Jacques Prévert, no dejaron de ser surrealistas; simplemente se apartaron del movimiento porque ya no podían tolerar el dominio de André Breton. Es posible que éste sea también el caso de Alejo Carpentier.

---

[10] Harss, Luis, *Los nuestros*, Buenos Aires: Editorial Sudamericana, 1969, págs. 53-54.

El surrealismo fue un movimiento evolutivo que buscaba constantemente experiencias de rejuvenecimiento. Una imagen, una vez usada, era *passé*, y los surrealistas estaban dispuestos a buscar nuevas fuentes, aunque el inconsciente servía de fuente ilimitada de metáforas atrevidas y sorprendentes. ¿Qué lugar mejor que Hispanoamérica, cuyo ambiente deslumbrador y cuyas creencias míticas fueron capaces de proporcionar la magia y lo maravilloso dentro del mismo corazón de la realidad? Estuardo Núñez explica el vigor del interés surrealista por Latinoamérica:

> Latinoamérica —y todo mundo extraño o poco conocido— adquiere singular prestigio ante los surrealistas animosos de confirmar sus tesis. Muchos de ellos encontraron elementos sugestivos en estas tierras, singularmente en México, en las Antillas (Haití, Martinica, Cuba y en América del Sur). Los guiaba esa «búsqueda de lo maravilloso en tanto que realidad», según el anunciado de Georges Lafourcade, que se complementa con la propia formulación teórica de André Breton en su *Primer Manifiesto* (1924): «En el dominio de la literatura, sólo lo maravilloso es capaz de fecundar la obra». De tal suerte, la aproximación de los surrealistas a América Latina no es obra del azar o del capricho. Respondía a la necesidad de hallar nuevos ingredientes y preciosos contenidos en la magia y el mito de estas regiones. Los impulsaba una angustia y el deseo de lograr una meta que consistía en describir la realidad del yo profundo, del inconsciente oculto en la profundidad de las almas y de los siglos [11].

Así Latinoamérica llegó a ser un laboratorio nuevo para sus experimentos literarios y artísticos. Los surrealistas no solamente dieron satisfacción a su propio concepto estético, sino que influyeron también en el descubrimiento de Latinoamérica para toda la civilización occidental [12]. En las páginas siguientes de este capítulo intentaré demostrar que hay notables semejanzas entre el concepto surrealista de *le merveilleux* y el viaje del descubrimiento del yo propuesto por Carpentier en *Los pasos*

---

[11] Núñez, Estuardo, «Realidad y Mitos Latinoamericanos en el Surrealismo Francés», *Revista Iberoamericana*, vol. XXXVII, núm. 75, página 313.

[12] Harss, *Op. cit.*, pág. 53.

perdidos. Esto es el tema central de la novela, aparte de la exaltación del ambiente natural que sirve de *leitmotiv* de la obra.

Durante el período 1933-1944 Carpentier se interesó por Sudamérica como una posible fuente para sus esfuerzos literarios. Leyó todo sobre el período colonial, especialmente sobre el siglo dieciséis. Su interés por esta época es importante porque era un tiempo de hazañas increíbles llevadas a cabo en un ambiente de proporciones fantásticas. Carpentier, a diferencia de Asturias, evita una interpretación de la conciencia latinoamericana a través de mitos indígenas y complejos de inferioridad tales como el «malinchismo» propuestos por muchos de sus contemporáneos. Le interesa más el estudio del hombre en busca de sí mismo que el de la realidad mítica o de los problemas sociales. *Los pasos perdidos* intenta examinar al hombre que busca su existencia auténtica. Carpentier explica por qué escogió América como el fondo de su novela:

> En 1945 un amigo mío, Carlos E. Fríos, me propuso ir a Venezuela a organizar una estación de radio. Conocer Venezuela completaba mi visión de América, ya que este país es como un compendio del Continente: allí están sus grandes ríos, sus llanos interminables, sus gigantescas montañas, la selva. La tierra venezolana fue para mí como una toma de contacto con el suelo de América, y meterme en sus selvas, conocer el cuarto día de la Creación. Realicé un viaje al Alto Orinoco, y allí conviví un mes con las tribus más elementales del Nuevo Mundo. Entonces surgió en mí la primera idea de *Los Pasos Perdidos* (sic). América es el único continente donde distintas edades coexisten, donde un hombre del siglo XX puede darse la mano con otro del cuaternario o con otro de poblados sin periódicos ni comunicaciones que se asemeja al de la Edad Media, o existir contemporáneamente con otro de provincia más cerca del romanticismo del 1850 que de esta época. Remontar el Orinoco es como remontar el tiempo. Mi personaje de *Los pasos perdidos* viaja por él hasta las raíces de la vida, pero cuando quiere reencontrarla ya no puede, pues ha perdido la puerta de su existencia auténtica. Esta es la tesis de la novela, que me costó no poco esfuerzo escribir [13].

---

[13] «Autobiografía», *Op. cit.*, pág. 26.

Si empleamos los términos «el redescubrimiento de la existencia auténtica del hombre» o «la restauración de los poderes psíquicos del hombre», propuestos por los surrealistas, nos preocupamos por el descubrimiento del yo. Este esfuerzo fue llamado por Breton:

> ...«lo maravilloso» (*le merveilleux*), y mandó a los hombres saltar con Alice por el espejo, una manera, dijo, de «poseer», de derrotar la muerte, de descubrir lo «verdadero» entre metáforas concretas... [14].

La tentativa de Carpentier de capturar *le merveilleux*, donde todas las contradicciones son reconciliables, se desarrolla en *Los pasos perdidos* por la creación de «una segunda realidad», la selva sudamericana, una realidad tan maravillosa que parece ser irreal. Los surrealistas han buscado *le merveilleux* de varias maneras: sueños, el inconsciente, hipnosis, drogas, el ocultismo, etc. Según Breton, no habría ninguna aproximación fija:

> Lo maravilloso no es el mismo en cada período de la historia: comparte de una manera oscura una revelación general, de la cual conocemos solamente los fragmentos: son las *ruinas* románticas, el *mannequin* moderno, o cualquier símbolo capaz de afectar a la sensibilidad humana por algún tiempo [15].

Así, el argumento de la novela está compuesto de dos realidades. Todo lo que precede a la entrada del protagonista en la selva presenta la motivación para el viaje y constituye *la primera realidad*, una realidad concreta. El ambiente selvático nos introduce en lo maravilloso, *la segunda realidad*, en la que el protagonista logra su rejuvenecimiento y autenticidad. El argumento de la novela revela la historia de un músico y compositor (nunca se menciona su nombre) que ha tenido que comercializar sus talentos artísticos para ganarse la vida. Su

---

[14] Brown, Frederick, «The Inhuman Condition: An Essay Around Surrealism», *The Texas Quarterly*, vol. 3 (Autumn 1962), pág. 172. (La traducción es mía).

[15] Breton, *Op. cit.*, pág. 16. (La traducción es mía).

esposa, Ruth, está ligada por un contrato teatral de larga duración que ha causado cierta acritud en el matrimonio. Sus relaciones como marido y mujer se han reducido a un rutinario acto sexual una vez por semana, el domingo por la mañana. Él, por su parte, busca comprensión y satisfacción echándose una amante, una inmigrante francesa llamada Mouche. El protagonista ha formulado una teoría sobre el origen de la música que él llama «mimetismo-mágico-rítmico», y una universidad le ofrece la oportunidad de emprender una expedición en busca de ciertos instrumentos musicales primitivos. Acepta la oferta y sale con Mouche para una capital sudamericana que no se nombra, pero que se halla envuelta en una revolución. Viajan desde este punto, a través de los Andes, hacia la selva. Durante el viaje se forma el núcleo de la fuerza expedicionaria: Rosario, mujer de sangre mezclada; Yannes, buscador de diamantes; el Adelantado que funda una ciudad en la región más remota de la selva; su hijo Marcos, y Fray Pedro. Cada uno de estos personajes tiene razones propias para hacer el viaje. Después de cumplir su misión, el protagonista ya no desea volver a la civilización. No obstante, se siente obligado a cumplir su contrato entregando los instrumentos musicales, pero piensa volver a esta existencia primitiva tan pronto como le sea posible. Después de arreglar sus asuntos en el mundo civilizado, emprende un viaje al paraíso, pero no puede encontrar la entrada secreta del valle escondido. Cuando sabe en la aldea que Rosario se ha convertido en la mujer de Marcos, se da cuenta de la imposibilidad de recobrar las experiencias de su pasado.

El argumento es una metáfora que encierra el tema de la novela. Estos dos niveles de realidad se expresan en términos de «el mundo de allá», civilización, símbolo de la fuerza corruptora de la existencia humana, y «el mundo de acá», la selva, símbolo del paraíso terrenal, donde el hombre puede desarrollar su autenticidad y así cumplir las promesas de *le merveilleux*. Los elementos estructurales más importantes que emplea Carpentier para describir esta búsqueda de *le merveilleux* son el simbolismo, el conjunto de imágenes, y el uso descomunal del tiempo.

El protagonista simboliza a cada hombre que ha perdido su libre albedrío en nuestra sociedad civilizada. Como compositor, piensa que existe una falta de aprecio por los que escriben música seria. Tiene que comprometer sus talentos y hacer otros trabajos para ganarse la vida: «Habíamos caído en la era del Hombre-Avispa, del Hombre-Ninguno en que las almas no se vendían al Diablo, sino al Contable o al Cómitre» [16]. Su conformidad le ha quitado su individualidad, y la libertad que tiene no depende de su voluntad, sino de la de otros. Se siente prisionero: «...en un ámbito sin salida, exasperado de no poder cambiar nada en mi existencia, regida siempre por voluntades ajenas, que apenas si me dejan la libertad, cada mañana, de elegir la carne o el cereal que prefiero para mi desayuno» [17]. Como Sísifo, que tenía que subir la gran piedra hasta la cima de la colina durante toda la eternidad, él tiene que aguantar el peso de la vida ordinaria. Su vida llega a ser un símbolo de la futilidad.

Para escaparse de esta existencia de compromiso, el viaje para conseguir los primitivos instrumentos musicales será un viaje de renacimiento espiritual, una tentativa de recobrar el estado de inocencia original. La excursión a la selva es símbolo de una vuelta al Génesis, a una vida más sencilla, cuando el hombre era más auténtico. El río que lleva a los viajeros a su destino sirve de cordón umbilical que une los dos niveles de realidad: el mundo materialista y el paraíso terrenal.

Carpentier mezcla también los símbolos de la literatura bíblica, la mitología antigua y la historia hispanoamericana. La fundación que se establece en el desierto, Santa Mónica de los Venados, representa una recreación de Henoc, la primera ciudad mencionada en la Biblia. Yannes, el buscador de diamantes,

---

[16] Carpentier, Alejo, *Los pasos perdidos*, México: Compañía General de Ediciones, S. A., 1966, pág. 15. (Todas las citas de la obra proceden de esta edición).

[17] *Op cit.*, pág. 21.

simboliza el aventurero materialista. Al principio del viaje se le compara a Ulises, y a Jasón, que, junto con los Argonautas, buscaba el vellocino de oro. Pedro, el Adelantado, simboliza el típico conquistador que vino al Nuevo Mundo. Fray Pedro lleva el espíritu eclesiástico al viaje. Se debe recordar que San Pedro, el Apóstol, fue el primer jefe de la iglesia cristiana.

Los elementos fantásticos están siempre presentes en la descripción de *le merveilleux*. El protagonista, como único narrador del argumento, es responsable de fantasear el ambiente de la selva:

> ...somos Conquistadores que vamos en busca del Reino de Manoa. Fray Pedro es nuestro capellán, al que pediremos confesión si quedamos malheridos en la entrada. El Adelantado bien puede ser Felipe de Utre. El griego es Micer Codro, el astrólogo. Gavilán pasa a ser Leoncio, el perro de Balboa. Y yo me otorgo, en la empresa, los cargos del trompeta Juan de San Pedro, con mujer tomada a brazos en el saqueo de un pueblo. Los indios son indios... [18].

La mezcla intencional de símbolos produce mucha ambigüedad. Se puede hacer comparaciones con varios personajes históricos, y esta ambigüedad produce interpretaciones igualmente válidas.

Las dos mujeres que hacen el viaje son Mouche y Rosario. Mouche, la amante del protagonista al principio del viaje, cree en la astrología, en el sortilegio, y se divierte con la conversación pseudo-intelectual. De vez en cuando se prostituye, y su lesbianismo latente se manifiesta en la selva cuando trata de acercarse a Rosario. Así Mouche simboliza todo lo falso en «el mundo de allá». Rosario, que llega a ser la amante del protagonista durante el viaje, encarna todo lo que es inocencia, bondad y pureza. Es la antítesis de la mujer moderna, cuyo papel se ha hecho confuso en la sociedad civilizada. Su disposición de complacer y comprender a su hombre no significa servidumbre. Ella se niega a casarse con el protagonista según el

---

[18] *Op. cit.*, pág. 165.

proceso legal de «el mundo de allá» porque cree que el matrimonio es una institución creada por los hombres, no por las
mujeres. En una relación libre y abierta —afirma— «...el varón
sabe que de su trato depende tener quien le dé gusto y cuidado» [19]. En el fondo, ella simboliza todo lo opuesto de los valores
burgueses de Mouche.

El símbolo más importante es el intento de crear *le merveilleux* reconstruyendo el paraíso terrenal. La selva con su
belleza, misterio y primitivismo sirve de fondo. Pero este paraíso terrenal es mucho más fantástico que el de la Biblia, porque
se ha realzado por la imaginación del hombre, por el concepto
surrealista de *le merveilleux*.

El tratamiento de la selva por Carpentier es ostensiblemente
diferente de la perspectiva de sus antecesores hispanoamericanos. Rivera y Gallegos pintan la selva como una prisión verde
o una fuerza abrumadora que debilita al hombre. Es la barbarie
a la que el hombre civilizado debe sobreponerse para romper
las cadenas del determinismo geográfico. Carpentier, en cambio,
ve la selva como un paraíso o maravilla que puede servir de una
fuerza saludable. Es el ámbito donde todas las contradicciones
son reconciliables, donde el hombre puede recobrar su poder
psíquico, un conocimiento primordial de las cosas, y así llegar
a ser más auténtico. En la selva, el hombre puede volver a la
tarea de vivir. Mouche, que simboliza el tipo urbano, hace unos
comentarios derogatorios sobre «el mundo de acá», y recibe
una respuesta del protagonista, quien ve esta vida de la selva
como más honrada y válida:

> Por llevarle la contraria, le dije que, precisamente, si algo me
> estaba maravillando en este viaje era el descubrimiento de que
> aún quedaban inmensos territorios en el mundo cuyos habitantes
> vivían ajenos a las fiebres del día, y que aquí, si bien muchísimos
> individuos se contentaban con un techo de fibra, una alcaraza, un
> budare, una hamaca y una guitarra, provivía en ellos un cierto
> animismo, una conciencia de muy viejas tradiciones, un recuerdo
> vivo de ciertos mitos que eran, en suma, presencia de una cultura

---

[19] *Op. cit.*, pág. 233.

más honrada y válida, probablemente, que la que se nos había quedado allá [20].

El ámbito edénico paulatinamente produce en el protagonista un sentido de renacimiento físico y espiritual. Comienza a dormir mejor; sus sentidos se aguzan a los olores y vistas que había olvidado. Se siente más honesto, y debe admitir a Rosario que ya está casado con otra. Cuando Marcos le manda fusilar a un leproso que ha intentado seducir a una india joven, se niega a hacerlo. El asesinato es uno de los pecados capitales, asociado con el comportamiento del hombre después de la Caída. El protagonista ha recobrado su inocencia original y no quiere repetir el ciclo. Para reforzar la idea de su nueva inocencia y autenticidad, el protagonista explica el sentido hilarante de bañarse desnudo y de exponer su desnudez al calor del sol. Poco a poco recupera estos modos de vivir que el hombre civilizado ha perdido para siempre:

> —Aquí es donde nos bañamos desnudos, los de la Pareja, en agua que bulle y corre, brotando de cimas ya encendidas por el sol, para caer el blanco verde, y derramarse, más abajo, en cauces que las raíces del tanino tiñen de ocre. No hay alarde, no hay fingimiento edénico, en esta limpia desnudez, muy distinta de la que jadea y se vence en las noches de nuestra choza, y que aquí liberamos con una suerte de travesura, asombrados de que sea tan grato sentir la brisa y la luz en partes del cuerpo que la gente *de allá* muere sin haber expuesto alguna vez al aire libre. El sol me ennegrece la franja de caderas a muslo que los nadadores de mi país conservan blancas, aunque se hayan bañado en mares de sol. Y el sol me entra por entre las piernas, me calienta los testículos, se trepa a mi columna vertebral, me revienta por los pectorales, oscurece mis axilas, cubre de sudor mi nuca, me posee, me invade, y siento que a su ardor se endurecen mis conductos seminales y vuelvo a ser la tensión y el latido que buscan las oscuras pulsaciones de entrañas caladas a lo más hondo, sin hallar límite a su deseo de entregarme que se hace añoranza de matriz... Más tarde vendrán los indios y se bañarán en cueros, sin más traje que el de las manos abiertas sobre el pene. Y a mediodía será fray

---

[20] *Op. cit.*, pág. 129.

Pedro, sin cubrir siquiera las canas de su sexo, huesudo y enjuto como un San Juan predicando en el desierto... Hoy he tomado la gran decisión de no regresar *allá* [21].

El protagonista ya ha recuperado su libertad y autenticidad. Su renacimiento le hace capaz de reasumir fácilmente la escritura de la composición musical que había abandonado:

Ahora lejos de las salas de conciertos, de los manifiestos, del inacabable aburrimiento de las polémicas de arte, invento música con una facilidad que me asombra, como si las ideas, bajadas del cerebro, me llenaran la mano, atropellándose por salir a través del plomo del lapiz [22].

Así, la selva no se ve como lugar de misterio o de peligro, sino como una fuerza revitalizadora, un lugar donde el hombre puede restaurar sus poderes psíquicos, y hacerse más auténtico.

LAS IMÁGENES

Hay en *Los pasos perdidos* un intento premeditado de deformar la realidad de la selva para crear el ambiente de *le merveilleux*. Parece que Carpentier sigue al pie de la letra la sentencia de Breton:

...lo maravilloso viene de la naturaleza, de los objetos que nos rodean, pero solamente cuando los despojemos de su aspecto habitual y utilitario para mirarlos en ellos mismos como cosas insólitas que despiertan nuestra imaginación, cristalizan las llamadas de nuestro inconsciente, lo que les da un poder de sugestión acorde con nuestra realidad profunda y con la de las cosas [23].

Cuando el viaje por río empieza, el lector se da cuenta de que los viajeros anticipan ansiosamente aventuras maravillosas y vistas fantásticas. El significado y el significante del nombre

---

[21] *Op. cit.*, págs. 205-206.
[22] *Op. cit.*, pág. 228.
[23] Santander, *Op. cit.*, nota 2, pág. 100.

para la ciudad colonial, «la rica villa de Santiago de los Aguinaldos», sugieren la atmósfera de una novela caballeresca. Como
los caballeros-errantes, los viajeros ven la realidad que desean
ver:

> ...la vista de aquella ciudad fantasmal aventajaba en misterio,
> en sugerencia de lo maravilloso, a lo mejor que hubieran podido
> imaginar los pintores que más estimaba entre los modernos. Aquí,
> los temas del arte fantástico eran cosas de tres dimensiones; se
> les palpaba, se les vivía [24].

Carpentier realza aún más el ambiente misterioso creando un
pasadizo secreto que se asoma a la próxima serie de maravillas.
Solamente el Adelantado conoce la entrada del paraíso terrenal.
La señal es un tronco de árbol sobre cuya corteza está estampa-
da tres veces la letra V, superimpuesta verticalmente. Sólo se
puede ver la señal cuando las aguas del río están bajas.

Después que los viajeros han entrado en el «Valle de Tiempo Detenido», su sentido de orientación y balance se desequi-
libra:

> ...se perdía la noción de la verticalidad, dentro de una suerte de
> desorientación, de mareo de ojos. No se sabía ya lo que era de
> árbol y lo que era del reflejo. No se sabía ya si la claridad venía
> de abajo o de arriba, si el techo era de agua, o el agua suelo; si
> las troneras abiertas en la hojarasca no eran pozos luminosos
> conseguidos en lo anegado. Como los maderos, los palos, las lianas,
> se reflejan en ángulos abiertos o cerrados, se acababa por creer en
> pasos ilusorios, en salidas, corredores, orillas, inexistentes. Con
> el trastorno de las apariencias, en esa sucesión de pequeños espe-
> jismos al alcance de la mano, crecía en mí una sensación de des-
> concierto, de extravío total, que resultaba indeciblemente angus-
> tiosa. Era como si me hicieran dar vueltas sobre mí mismo para
> atolondrarme, antes de situarme en los umbrales de una morada
> secreta [25].

Esto no es el extraño y fantástico mundo de lo inconsciente,
sino una realidad tan maravillosa que parece irreal.

---

[24] *Los pasos perdidos, Op. cit.*, pág. 124.
[25] *Op. cit.*, págs. 167-168.

El protagonista deforma constantemente las verdaderas imágenes de lo que se ve, y de este modo adquiere una superrealidad. Donde hay caimanes, los ve como maderos podridos que flotan en el agua; los bejucos parecen reptiles; las serpientes parecen lianas; las plantas acuáticas parecen alfombra tupida; las cortezas caídas tienen la consistencia de laurel en salmuera; los hongos son como coladas de cobre o espolvoreos de azufre. La selva posee las características de un camaleón; está en un estado de constante metamorfosis. La realidad llega a ser «lo real maravilloso» [26].

Las imágenes emiten una conciencia de la evolución del tiempo. El protagonista viaja hacia los comienzos del tiempo, que para el hombre occidental tienen su origen en el paraíso terrenal.

EL TIEMPO

Los pasos perdidos es una odisea a través del tiempo. El empleo de este recurso literario es el rasgo sobresaliente de la literatura surrealista. Tal recurso se describe muchas veces en escenas retrospectivas, con montaje, o en una total ausencia del tiempo. La literatura surrealista, como parte de un movimiento que intenta un ejercicio de libertad y entendimiento, prescinde a menudo de límites cronológicos. Por eso el lector debe estar dispuesto a ser arrojado de una época a otra como si fuera algo natural. La literatura surrealista examina la totalidad de la historia, la pre-historia, y hasta el inconsciente, para resolver los enigmas de la condición humana. *Los pasos perdidos*, como viaje de descubrimiento humano, también introduce un am-

---

[26] Ya he mencionado la influencia del concepto surrealista de *le merveilleux* en los Capítulos II y IV de este estudio. Parece que hay otros que comparten mis opiniones: «Bien: todo eso está anticipado por el surrealismo. Y no es casualidad que el mismo concepto en lo sustancial, el de 'lo real maravilloso', sea defendido y ejecutado por Alejo Carpentier, otro escritor que revistó, quizá inclusive más que Asturias, en las filas del surrealismo europeo». (Citado de David Lagmanovich, «Sobre la función del surrealismo en *Hombres de maíz*», pág. 6. Ponencia leída en la MLA en diciembre de 1971).

biente libre del tiempo cronológico. Esencialmente es una evasión o un escape del presente, una retrogresión hacia los principios del hombre, cuando vivía una existencia más auténtica.
Carpentier ha explicado la importancia del tiempo en su obra:

> En ese libro el argumento sólo tiene una función de elemento
> estructural, de factor de unidad. En *Los Pasos Perdidos* (sic) do-
> mina una idea: la de una evasión posible en el tiempo... Una crisis
> de conciencia padecida por el personaje central que habla en
> primera persona, le hace encontrar un modo de evasión que le
> conduce más allá de todo lo imaginable... Una vez hallada la su-
> prema independencia ante el Tiempo, ante la Época, el protagonista
> habrá de hallar, dentro de la misma lograda evasión, las razones
> que le harán desandar lo andado, regresar al punto de partida [27].

En los años incipientes del surrealismo francés, una vuelta
al tiempo pre-histórico se lograba indagando en el inconsciente
y haciendo experimentos con sueños, hipnosis, drogas y sesiones
de espiritistas [28]. Todo esto revela las influencias de Freud y
Jung. En su descubrimiento de Iberoamérica, los surrealistas
encontraron que la confluencia del tiempo existe en medio de
la realidad. En *Los pasos perdidos*, el descubrimiento de *le
merveilleux* está estructurado por una serie de períodos temporales que retroceden de esta forma: el siglo veinte-los siglos
dieciséis y diecisiete (Hispanoamérica)-La Edad Media-La Anti-
güedad-La Época Paleolítica-Génesis. Este esquema no intenta
un escape del tiempo cosmológico como se ve en *Lost Horizon*
de James Hilton, sino más bien un escape en el tiempo como
medio de purificación y descubrimiento.

La vuelta a los comienzos del tiempo empieza con la desilusión del protagonista ante su propia existencia. Se pregunta
si los hombres de otras épocas desearían un retorno a ciertos
modos de vivir que habían perdido para siempre. Su decisión

---

[27] Santander, *Op. cit.*, nota 5, pág. 102.
[28] El lector entenderá mejor esta técnica, que aparece en el capítulo
dedicado a *Sobre héroes y tumbas*.

de aceptar el empleo de buscar los primitivos instrumentos musicales señala las vacaciones de Sísifo del peso de la realidad. Se suspende paulatinamente la noción del tiempo a la vez que el protagonista se da cuenta de que ya no mide el tiempo por medios convencionales sino por medios primitivos como la altura del sol, su apetito o somnolencia. Cuando los viajeros llegan a Santiago de los Aguinaldos, han retrocedido cuatro siglos. Esta época es importante porque el siglo dieciséis marca el gran período de descubrimientos españoles, y el protagonista se compara con los hombres de entonces. Cuando los viajeros salen del período colonial, se confunden. Entran en un vertiginoso viaje por el tiempo, que parece estar congelado. Las distintas épocas de la historia yacen por todos lados. Han alcanzado *le point sublime* donde es posible el redescubrimiento de las cosas pasadas, donde las contradicciones aparentes son reconciliables. El siguiente pasaje demuestra la técnica empleada para comprimir el viaje por el tiempo:

> Que vislumbro ahora la estupefaciente posibilidad de viajar en el tiempo, como otros viajan en el espacio... *Ite missa est, Benedicamus Domino, Deo Gratias.* Había concluido la misa, y con ella el Medioevo. Pero las fechas seguían perdiendo guarismos. En fuga desaforada, los años se vaciaban, destranscurrían, se borraban, rellenando calendarios, devolviendo lunas, pasando de los siglos de tres cifras al siglo de los números. Perdió el Graal su relumbre, cayeron los clavos de la cruz, los mercaderes volvieron al tiempo, borróse la estrella de la Natividad, y fue el Año Cero, en que regresó al cielo el Ángel de la Anunciación. Y tornaron a crecer las fechas del otro lado de Año Cero —fechas de dos, de tres, de cinco cifras—, hasta que alcanzamos el Tiempo en que el hombre, cansado de errar sobre la tierra, inventó la agricultura al fijar sus primeras aldeas en las orillas de los ríos, y, necesitado de mayor música, pasó del bastón de ritmo al tambor que era un cilindro de madera ornamentado al fuego, inventó el órgano al soplar en una caña hueca, y lloró a sus muertos haciendo bramar un ánfora de barro. Estamos en la Era Paleolítica [29].

---

[29] *Los pasos perdidos, Op. cit.,* pág. 135.

De repente, se encuentran en el paraíso terrenal:

> Estamos en el mundo del Génesis, al fin del Cuarto Día de la Creación. Si retrocediéramos un poco más, llegaríamos donde comenzara la terrible soledad del Creador —la tristeza sideral de los tiempos sin incienso y sin alabanzas, cuando la tierra era desordenada y vacía, las tinieblas estaban sobre la haz del abismo [30].

Así termina el viaje de nuestro héroe, cuando se halla «en plena intersección de tiempo y eternidad» [31]. Está en esta confluencia del tiempo en que puede volver a su música, que para él es vivir de nuevo. Sin embargo, el protagonista, como Prometeo que volvió con el fuego, también debe volver al mundo de donde vino. Su fracaso en recobrar el «Valle de Tiempo Detenido» se atribuye al hecho de que es artista:

> ...la única raza que está impedida de desligarse de las fechas es la raza de quienes hacen arte, y no sólo tienen que adelantarse a un ayer inmediato, representado en testimonios tangibles, sino que se anticipan al canto y forma de otros que vendrán después, creando nuevos testimonios tangibles en plena conciencia de lo hecho hasta hoy [32].

Las vacaciones de Sísifo se han acabado. Ahora debe volver al mundo real. Con todo, esta vez ha sido fortalecido por el entendimiento recibido de su viaje a *le merveilleux*.

---

[30] *Op. cit.*, pág. 193.
[31] Santander, *Op. cit.*, pág. 124.
[32] *Los pasos perdidos, Op. cit.*, pág. 286.

Capítulo VI

LA EXCURSIÓN A LO INCONSCIENTE

(Ernesto Sábato, *Sobre héroes y tumbas*, 1961)

La importancia de Ernesto Sábato como escritor de ficción ha crecido considerablemente. Su novela *Sobre héroes y tumbas* le ha ganado la fama de ser uno de los exponentes más destacados de este género literario en Hispanoamérica. No obstante, la importancia de esta obra parece radicar sobre todo en su interpretación personal de la psique argentina y del problema del hombre en la sociedad contemporánea.

Poco se ha escrito sobre las aportaciones de Sábato como estilista. Sábato, como Asturias, posee un estilo que incluye numerosas técnicas. Pero no es el propósito de este capítulo analizar a fondo todas las facetas de su estilo, sino examinar un aspecto que no se ha explorado suficientemente en la crítica reciente: las fuertes influencias surrealistas que se manifiestan en *Sobre héroes y tumbas*.

Ernesto Sábato, aunque pertenece cronológicamente a la misma generación de escritores que Bombal, Asturias y Carpentier, es un recién llegado si se considera que publicó su primera novela, *El túnel*, en 1948. Alberto Zum Felde incluye esta obra como parte de la modalidad surrealista en la literatura hispanoamericana, pero cualquier justificación de esta inclusión se debe más a la relación del tema de la novela con el movimiento surrealista que a la técnica empleada por el autor. No es éste el caso de *Sobre héroes y tumbas*, que, como *El Señor*

Presidente, puede considerarse una importante obra surrealista.

Se ha preguntado por qué Sábato escogió el surrealismo como modo de expresión literaria cuando empezó a escribir ficción. La mayoría de sus contemporáneos practicaban las técnicas narrativas del siglo diecinueve. Ya hemos mencionado la fuerte atracción del escritor hispanoamericano hacia el surrealismo. Además, vemos que las causas de desilusión para el escritor después de la Segunda Guerra Mundial son semejantes a las de 1914. El inminente peligro de un holocausto atómico sólo servía para realzar el dictum original del surrealismo. La atracción de Sábato hacia el surrealismo es un caso peculiar entre sus contemporáneos [1].

La asociación de Sábato con los surrealistas radica más en una búsqueda del yo que en un intento de aprender el oficio de escritor. Siempre ha admitido que el surrealismo llenó una necesidad y le causó profunda impresión. En 1968, cuando le pidieron que reeditara su primer libro de ensayos, *Uno y el universo* (1945), lo hizo sin ganas, y el prólogo que preparó para esta edición resultó una valiosa prueba que muestra la influencia del surrealismo en sus obras de ficción:

> Al fin pensé que esta negativa a reeditar el libro podría tomarse como una cobardía intelectual, y así cedí a la reimpresión. Con todo, querría pedir al lector que perdone las arbitrariedades y violencias que encuentre, las más de las veces motivadas por la pasión que siempre he puesto en mis ideas, en tantas ocasiones

---

[1] En el «Interrogatorio preliminar» de *El escritor y sus fantasmas*, Sábato explica cómo sus problemas personales lo condujeron a escoger la ciencia como profesión y cómo esta misma profesión lo condujo a unirse a los surrealistas. En 1937, después de haberse doctorado en Física, fue a París para hacer investigaciones en el Laboratorio Curie. Esta experiencia marcó un punto decisivo en su vida: «Pero cuando comencé mis tareas con Irene Joliot, comprendí de pronto que todo eso no era más que una complicadísima evasión, y en el fondo una cobarde salida a mis auténticos problemas interiores. Empecé a vincularme con los surrealistas, particularmente con Oscar Domínguez, y de ese modo creo que se inició la etapa final (y más auténtica) de mi existencia. Supe entonces que mi paso por la ciencia había terminado para siempre» (2.ª ed., Buenos Aires: Aguilar, 1964, pág. 11).

defraudadas por los hechos. Así me sucedió con el surrealismo, al
que con fervor me acerqué en 1938, cuando trabajaba en el laboratorio Curie de París, y cuando el creciente odio que experimentaba
por el fetichismo científico me condujo a esa característica revuelta
contra la Razón y lo Objetivo, los dos ídolos de esa religión. Viviendo como vivía sus limitaciones, ansioso por encontrar una
salida que me permitiera acceder al hombre concreto enajenado
por una civilización tecnolátrica, era inevitable que me volcara
hacia el surrealismo. Ya en decadencia, aquel movimiento no podía
satisfacerme del todo, y aunque me salvaguardaba (y me sigue
salvaguardando) una figura trágica como la de Artaud, era también
lógico que me repeliera la mistificación de artistas como Dalí, así
como la carencia de rigor filosófico y el dogmatismo de André
Breton, por admirable que fuese su obra poética. En tales condiciones, no porque hubiese dejado de amar al surrealismo sino precisamente por amarlo demasiado, reaccioné irónica o ásperamente
en algunos fragmentos de este libro; mientras permanecería en
mí lo mejor de aquel movimiento, para manifestarse años más
tarde en el «Informe sobre ciegos» [2].

El «Informe sobre Ciegos» es la sección más surrealista y,
por consiguiente, la más difícil de *Sobre héroes y tumbas*. En
parte, es autobiográfica en que la visita del protagonista Fernando a París, y las experiencias que siguen, fueron en verdad
memorias revividas por Sábato. El mejor amigo de Fernando
fue el pintor surrealista Oscar Domínguez, también amigo de
Sábato. Los otros surrealistas mencionados en el «Informe»,
como Victor Brauner, André Breton, Benjamín Péret, Esteban
Francés, Marcelle Ferry y Matta Echaurren, todos fueron conocidos de Sábato. Así vemos que, según él mismo admite, el
surrealismo desempeñó un papel importante en su vida, pro-
porcionándole una explicación para su espíritu caótico y dán-
dole los temas y las técnicas que ha aplicado en su ficción.

Sobre héroes y tumbas representa las más altas aspiraciones
de Ernesto Sábato. La obra tiene importancia nacional debido
a que los problemas y las características de la Argentina se

[2] Sábato, Ernesto, *Uno y el universo*, Buenos Aires: Editorial Sudamericana, 1969, págs. 11-12.

presentan singularmente. A la vez, estos problemas y características adquieren una importancia universal a medida que el autor
los asocia con las crisis que arrostra el hombre moderno. Esta
novela es también la catarsis personal de Ernesto Sábato, que
revela sus pensamientos sobre la naturaleza problemática de
su Argentina natal, sobre el hombre y su lugar en el cosmos.
En *El escritor y sus fantasmas*, Sábato resume brevemente lo
que trató de decir en más de 2.909.000 palabras:

> Cuánto más, podría decir que en la búsqueda de Martín, en la
> tenebrosa pasión de Alejandra, en la melancólica visión de Bruno
> y en el horrible «Informe sobre Ciegos» he intentado describir el
> drama de seres que han nacido y sufrido en este país angustiado.
> Y a través de él, un fragmento del drama que desgarra al hombre
> en cualquier parte: su anhelo de absoluto y eternidad, condenado
> como está a la frustración y a la muerte. Y a pesar de esta frus-
> tración y de esa condena, algo así como una absurda metafísica
> de la esperanza. También como en la vida[3].

Para llevar a cabo la difícil tarea de exponer tantos temas,
Sábato emplea las técnicas promovidas por los surrealistas.

Antes de examinar estas características surrealistas de *Sobre
héroes y tumbas*, conviene hacer algunos comentarios sobre la
estructura de la novela. La obra se divide de la siguiente manera: una «Noticia Preliminar», que sirve de prólogo, y es un
cuento periodístico acerca del crimen cometido por Alejandra;
y cuatro divisiones mayores: I. «El dragón y la princesa» (20
capítulos), II. «Los rostros invisibles» (28 capítulos), III. «Informe sobre Ciegos» (38 capítulos), IV. «Un Dios desconocido»
(7 capítulos). La obra abarca tantos temas que algunos capítulos
consisten solamente en dos líneas. Este es un recurso semejante
al que se ve en los libros de ensayos escritos por Sábato. Los
temas se expresan a través de varias técnicas narrativas: diálogo, soliloquio, narración en primera persona, autor omnisciente y monólogo interior. Una de las técnicas más innovadoras,
que se halla en las Partes I y IV, es el entretejimiento de aconte-

---

[3] Sábato, *El escritor*, etc., *Op. cit.*, pág. 17.

cimientos históricos de la Argentina del siglo diecinueve (primariamente la retirada de Lavalle) con la parte central de la narración. Esto produce un efecto de contrapunto entre el pasado y el presente de la Argentina. Los temas están acompañados por puntos de vista alternantes a medida que el autor cambia constantemente de la acción interior a la acción exterior, pero no necesariamente en este orden. A través de la narración hay una constante repetición de ciertas palabras clave, frases, y hasta temas, para los cuales el lector debe estar alerta. Parece faltar unidad a tal estructura. Sin embargo, la estructura abraza una unidad surrealista, es decir, una estructura que no sigue una lógica.

Algunas de las experiencias en la novela se ven por medio de una «segunda realidad» tan aptamente percibida por Arnold Hauser:

> La experiencia básica del surrealista consta del descubrimiento de una «segunda realidad», que, aunque está fundida inseparablemente con lo ordinario, la realidad empírica, es sin embargo tan distinta que sólo podemos hacer comentarios negativos sobre ella y señalar los resquicios y los huecos en nuestra experiencia como prueba de su existencia. En ninguna parte se expresa este dualismo más agudamente que en las obras de Kafka y Joyce, quienes, aunque no tienen nada que ver con el surrealismo como doctrina, son surrealistas en el sentido más amplio, como la mayor parte de los escritores progresistas del siglo [4].

Es este dualismo el que hace a Freud tan atractivo para los surrealistas. Se puede explicar esta «segunda realidad» por el análisis freudiano del inconsciente, que, a su vez, intenta explicar la persistencia y el poder de las experiencias más tempranas:

> —El inconsciente, que da razón de todos los pensamientos, de los sentimientos, y del comportamiento de los seres humanos, consiste en tres componentes: el id, el *ego*, y el superego. El id o libido, como lo llama Freud, es un almacén interior de energía psicológica. Es el poder motivador que constituye nuestros instin-

---

[4] Hauser, Arnold, *The Social History of Art*, vol. IV, New York: Knopf, pág. 236. (La traducción es mía).

tos, impulsos y deseos básicos. Como un tronco de árbol que madura, desarrolla paulatinamente un exterior endurecido como resultado de su exposición a las numerosas restricciones que el mundo exterior impone sobre la vida consciente. Este exterior endurecido es el *ego*, el yo mental, la «corteza» de la personalidad. A medida que pasa el tiempo, el *ego* se da cuenta de los impulsos y deseos que le será permitido liberar al id en su interminable búsqueda de satisfacción. El *ego* aprende esto por la acción de un tercer componente mental, el superego o la conciencia, que empieza a desarrollarse con el nacimiento del individuo. El superego evoluciona inicialmente desde la íntima relación entre la madre y el hijo. Esto no implica que el superego sea moralmente superior al *ego* y al id; es meramente el mecanismo de guía y freno que reconoce las restricciones y dictámenes del mundo exterior. El superego nos hace capaces de diferenciar entre «bueno» y «malo» según las normas del ambiente social y religioso en que vivimos [5].

A veces, de la contradicción entre nuestros estados de conciencia y nuestro verdadero yo (estados subconscientes) resultan traumas psíquicos. Sábato utiliza estos conceptos freudianos para expresar la relación incestuosa de Fernando Vidal Olmos con su madre y, posteriormente, con su hija Alejandra. No obstante, en la literatura surrealista el incesto tiene implicaciones más trascendentes que un mero desequilibrio psicológico. Los surrealistas tratan de romper las barreras de comunicación que encantan al hombre moderno y, en consecuencia, buscan la individuación. Según Jung: «...el incesto en sí simboliza el anhelo de unirse con la esencia del yo, o, en otras palabras, el anhelo de la individuación. Esto explica por qué los dioses de la antigüedad muy frecuentemente tenían hijos engendrados en relaciones incestuosas» [6]. El hecho de que Fernando odiase a su padre y sintiese un amor apasionado hacia su madre tiene todos los aspectos de un complejo de Edipo, pero la relación incestuosa entre Fernando y Alejandra implica un anhelo de

---

[5] Russel, James A., M. D., *The Layman's Guide to Psychiatry*, New York: Barnes & Noble, Inc., 1961, págs. 5-6. (La traducción es mía).

[6] Cirlot, J. E., *Dictionary of Symbols*, New York: Philosophical Library, 1962, pág. 150. (La traducción es mía).

comunión entre individuos. No obstante, esta relación causa profundos traumas psíquicos en Alejandra. Todos sus intentos de relación física normal con Marcos y Martín fracasan debido a la repugnancia que siente por el acto sexual. Puede vencer este complejo de vez en cuando, pero las cicatrices psicológicas son profundas y los traumas y las convulsiones se reproducen siempre, hasta que decide destruir a su padre para librarse y purificarse.

En su primera sección, la novela se refiere a Alejandra como la «dragón-princesa». Aunque se puede interpretar «dragón» y «princesa» como símbolos de lo bueno y lo malo, parece que el término «dragón» tiene muchas implicaciones psicológicas: «El dragón es símbolo de la enfermedad. Jung dice que el dragón es la imagen maternal, es decir, un espejo del principio maternal o del inconsciente, y que expresa la repugnancia del individuo hacia el incesto y el temor de cometerlo»[7]. La expresión literaria del inconsciente nos lleva inevitablemente al mundo onírico como fuente de inspiración para los surrealistas.

La exploración del dualismo del ser en *Sobre héroes y tumbas* abarca un viaje por numerosos sueños o vagas experiencias que intentan ayudarnos a comprender las motivaciones de los personajes y dar una apariencia de unidad y coherencia a las ideas del autor. Arnold Hauser explica la importancia de los sueños para los surrealistas:

> El sueño llega a ser el paradigma del entendimiento total, en que la realidad y la irrealidad, la lógica y la fantasía, la banalidad y la subliminación de la existencia, forman la insoluble e inexplicable unidad. El naturalismo, meticuloso de los detalles, y la combinación arbitraria de sus relaciones que el surrealismo copia del sueño, expresan no sólo la sensación de que vivimos en dos niveles distintos, en dos esferas diferentes, sino también que estas regiones del ser se interpenetran tan a fondo que una no puede ser subordinada o contrapuesta a la otra como su antítesis[8].

---

[7] *Op. cit.*, pág. 84.
[8] Hauser, *Op. cit.*, pág. 236. (La traducción es mía).

La exploración de estas esferas dobles se desarrolla en el «Informe sobre Ciegos». En esta sección el autor se aparta bruscamente de las técnicas narrativas empleadas hasta aquí. Este rápido cambio revela que Sábato necesita utilizar medios extraordinarios para cambiar el rumbo de la novela. Las dos primeras secciones del libro, «El dragón y la princesa» y «Los rostros visibles», tratan primariamente de esos temas relacionados con el fenómeno de la argentinidad. Los problemas enfocados hasta aquí tienen sus raíces en el desarrollo histórico del país, y todavía siguen vigentes en la Argentina de hoy. En el «Informe», Sábato enfoca las vicisitudes del hombre moderno en busca de establecer comunicación con el mundo que lo rodea. Fernando Vidal Olmos ejemplifica esta búsqueda. La irracionalidad de la existencia moderna requiere una técnica que le dará sentido. El «Informe» es una representación simbólica de los misterios y las fuerzas ciegas que crean esta sensación de ilogicidad. Así Sábato emplea el término «ciegos» para conjurar una descripción vívida de estas entidades que motivan y controlan nuestra existencia. Sábato ha explicado el uso de este término en *El escritor y sus fantasmas*:

> Debo confesar que siento ante ellos un extraño y ambiguo sentimiento, como si estuviera ante un abismo en medio de la oscuridad. Sí, siento algo en la misma piel, algo que no puedo precisar ni explicar. Y eso que experimento yo en germen lo desarrollé hasta el delirio en el espíritu de Fernando, y así escribe el Informe... la ceguera es una metáfora de las tinieblas, el viaje de Fernando es un descenso a los infiernos, o un descenso al tenebroso mundo del subconsciente, es la vuelta a la madre o al útero, es la noche [9].

La ceguera ha desempeñado también un papel importante en *El túnel*. En esta novela vemos que el esposo de María Iribarne, Allende, es ciego y su presencia añade una dimensión de incertidumbre. La importancia dada a la ceguera es casi una obsesión para Sábato, pero también ha de ser una fascinación

---

[9] Sábato, *El escritor*, etc., *Op. cit.*, pág. 18.

que adquirió durante su asociación con los surrealistas. La ceguera es una característica sobresaliente de la literatura surrealista. Ellos creían que los ciegos poseen una clarividencia que falta a los que tienen la vista normal. Ésta puede ser la significación del papel de Allende en *El túnel*, puesto que es la única persona que comprende a María Iribarne. Louis Aragon, el surrealista francés, admiraba lo que creía ser la superioridad de su mente. En *Terre sans terre* incluye el poema siguiente:

> J'ai vu de près les aveugles le mystère de la naissance
> vent et pluie et vin et fruits
> le soleil de l'aveugle un enfant dans la neige
> et à dire l'avenir toute la force de l'homme
> offerte de chair comme le sel et le pain
> à la plus belle à la merveilleuse à la flamme future
> ....
>
> seule lumière seule
> pure entre les hautes déchirures
>
> j'ai vu de près parmi les aveugles le soleil de la naissance
> et la fleur première
> le pain rayonnant sur le comble de l'ombre
> et des montagnes d'oiseaux fraîchement confiants
> revenir à la source
> le chant et le silence mon pays de joie [10].

Puede ser que este poema tenga una significación ambigua, puesto que «les aveugles» pudieran ser una metáfora para designar a los que no poseen mucha sensibilidad hacia la belleza natural. En el empleo surrealista de la ceguera, esta ambigüedad está siempre presente. Por ejemplo, durante una exposición de las pinturas de Marcel Duchamp, los críticos las consideraron demasiado verdes. Entonces dos amigos suyos las pusieron en una pequeña revista llamada *The Blind Man* («El ciego») [11]. ¿A

---

[10] Caws, Mary Ann, *The Poetry of Dada and Surrealism*, Princeton: Princeton University Press, 1970, pág. 131.

[11] Wickes, Georges, *Americans in Paris*, Garden City, New York: Doubleday & Company, Inc., 1969, págs. 128-129.

qué se refiere aquí la ceguera: a la clarividencia del pintor, o
a la falta de sensibilidad de los que no ven el valor estético de
las pinturas?

El profesor Ilie ha observado también que la obsesión de
la ceguera aparece en los poemas de Vicente Aleixandre: «Los
ojos se representan sin vista, o persiguen a la gente, o llegan
a ser la antítesis de la belleza. Algunas veces desaparecen de la
escena (154) y caen en una condición perjudicial para presentar
una mejor expresión artística. Por ejemplo, puesto que la vista
es un instrumento de análisis racional, la poesía surrealista
resulta mejor por la ausencia de la luz y la facultad de la vista
(182, 205)» [12].

Sábato nos dice en el «Informe» que el pintor surrealista,
Victor Brauner, también tenía esta obsesión por la ceguera, y
muchas veces pintaba hombres con los ojos acribillados o re-
ventados. Su autorretrato lo muestra con una de las cuencas
de los ojos vacía. La ironía de esta situación es que, durante
una orgía surrealista, Oscar Domínguez tiró un vaso a alguien
que bajó la cabeza, y el vaso le dio a Brauner. El incidente le
costó un ojo [13]. Así vemos que la ceguera puede connotar misterio, oscuridad, clarividencia, la antítesis de la belleza y la
ausencia de la lógica.

La búsqueda de los ciegos por parte de Fernando inicia el
descenso al inconsciente, y este viaje tiene todas las cualidades
de una pesadilla. Puesto que el habla consciente y las acciones
diarias del hombre contradicen su comportamiento, la mente
subliminar trabaja para intentar definir sus acciones. Wallace
Fowlie nos dice que «Freud enseñó a los surrealistas que el
hombre es primariamente un soñador. El surrealista debe aprender a descender a sus sueños, como Orfeo descendió al mundo

---

[12] Ilie, Paul, *The Surrealist Mode in Spanish Literature*, Ann Arbor:
The University of Michigan Press, 1968, págs. 54-55. (La traducción es
mía).

[13] Sábato, Ernesto, *Sobre héroes y tumbas*, Buenos Aires: Editorial
Sudamericana, 7.ª edición, 1967, pág. 370. (Todas las citas del texto son
de esta edición).

inferior para encontrar allí su tesoro» [14]. Sábato nos hace pasar por la historia del hombre, hasta por la eternidad y, eventualmente, a la matriz misma donde Fernando se entera de su destino. Hablando por boca de Fernando, nos dice:

> ...si todo sueño es vagar del alma por esos territorios de la eternidad, todo sueño, para quien sepa interpretarlo, es un vaticinio o un informe de lo que vendrá [15].

En este viaje, Fernando se halla en una barca flotando sobre las negras aguas de un lago insondable. Todo es silencio. Nadie está presente sino un viejo que representa un Cíclope. La expresión nefaria en la cara del Cíclope le indica a Fernando que este viaje será ominoso. Fernando, dirigiéndose hacia el oeste, cree que debe llegar a la orilla antes de la puesta del sol. Vemos emerger algunos símbolos. El sol representa un acto espiritual que simboliza el entendimiento. Puesto que el sol es la fuente de la luz, esa luz simbolizará la inteligencia y el espíritu. En la mitología, el Cíclope representa de ordinario las fuerzas del mal. La significación del único ojo del Cíclope es ambivalente:

> ...por un lado implica lo inhumano, porque es menos de dos (dos ojos son la norma); mas, por otro lado, dada su colocación en la frente, más arriba del lugar designado para los ojos por la naturaleza, parece aludir a los poderes extraordinarios encarnados en el Cíclope. A la vez, el ojo en la frente se asocia con la idea de la destrucción... [16].

El viaje de Fernando llega a ser más difícil a medida que los remos se hunden en la negra y fangosa agua del lago. De repente la barca toca fondo y Fernando se lanza fuera, y el agua sucia le llega a las rodillas. Se fija en una gruta o cueva que apenas percibe en la ladera de una montaña. Al fondo, el viejo todavía le observa: «Con su único ojo, abierto sin descanso,

---

[14] Fowlie, Wallace, *Age of Surrealism*, New York: The Swallow Press, 1950, pág. 25. (La traducción es mía).

[15] *Sobre héroes y tumbas*, *Op. cit.*, pág. 391.

[16] Cirlot, *Op. cit.*, pág. 95. (La traducción es mía).

fulgurante de odio, parecía vigilar y hasta dirigir, como un pérfido oficial de ruta, mi marcha hacia el oeste» [17].

La repentina presencia de grandes pterodáctilos le recuerda a Fernando el placer sádico que sentía arrancando los ojos de pequeños pájaros y viéndolos lanzarse contra las paredes de su cuarto. Los pájaros lo rodean y él se hunde aún más en el barro, hasta que debe andar a tientas. El pico de un pájaro le penetra el ojo. Siente bajar el líquido por la mejilla. No puede mover la cabeza, como si quisiera facilitar la perversa tarea. Ahora no puede ver nada y se arrastra por el suelo. Finalmente entra en la cueva. El temor de perder los ojos tiene una interpretación freudiana:

> Un estudio de sueños, fantasías y mitos nos ha enseñado que una morbosa ansiedad relacionada con los ojos y con enceguecerse es muchas veces un sustituto por el temor de castración. Enceguciéndose, Edipo, ese mítico violador de la ley, llevó a cabo una mitigada forma del castigo de la castración, el único castigo que le convenía según la *lex talionis* [18].

El arrancamiento de los ojos de Fernando simboliza su propia castración por haber tenido relaciones incestuosas con su hija.

Al entrar en la cueva, la secuencia onírica toma otro rumbo. Fernando vuelve al mundo de la realidad, donde sigue acosando a los ciegos. Esta sección nos introduce en las hazañas de los surrealistas de París y en su descenso a las cloacas de Buenos Aires, donde se evocan de nuevo los temas argentinos.

Antes de seguir con el sueño, interesa observar que, para Jung, la cueva representa la seguridad y la impregnabilidad del inconsciente:

> Aparece bastante en la iconografía emblemática y mitológica como el lugar de reunión para los dioses, antecesores o arquetipos,

---

[17] *Sobre héroes y tumbas, Op. cit.*, págs. 337-338.
[18] Freud, Sigmund, *On Creativity and the Unconscious*, New York: Harper & Row, Publishers, 1958, pág. 137. (La traducción es mía).

llegando a ser una imagen objetiva de los infiernos, aunque todavía expresiva del inconsciente psicológico [19].

La entrada de la cueva se asoma a un enorme anfiteatro. La escena siguiente es totalmente diferente de la última. Una vista de ruinas antiguas se desarrolla ante sus ojos. Entre algunas torres se alza la inmensa estatua de una deidad, en cuyo centro umbilical brilla un faro fosforescente. Fernando hace la siguiente observación: «Tuve la certeza de que allí tendrá acabamiento mi largo peregrinaje y que, tal vez, en aquel reducto poderoso encontraría por fin el sentido de mi existencia» [20]. El ojo fosforescente de la deidad le atraía. La escena es comparable a ciertas pinturas de Ernest o Dalí:

> —La deidad estaba hecha de piedra ocre. Su cuerpo era de mujer, pero tenía alas y cabeza de vampiro, en negro brillante basalto. Sus manos y sus pies terminaban en poderosas garras. La deidad no tenía rostro, pero en lugar del ombligo refulgía el gigantesco ojo que me había guiado y atraído: ese ojo podía ser una enorme piedra preciosa, tal vez un rubí, pero más bien se me ocurría el reflejo cambiante de un fuego interior y perpetuo, porque su brillo parecía tener vida; lo que en medio de aquella lúgubre desolación producía un escalofrío de pavor y fascinación. Era una deidad terrible y nocturna, un espectral demonio que debía de tener el poder supremo sobre la vida y la muerte [21].

Fernando se acerca lentamente al Ojo. De repente oye una voz que le dice: «Ahora entra, este es tu comienzo y tu fin» [22]. Se inclina, enceguecido por la luz roja, y entra. Al seguir el túnel del Ojo, siente una extraña metamorfosis. Su cuerpo cobra forma de pez. Sus extremidades se transforman en aletas y su piel se cubre de duras escamas. En el túnel, Fernando experimenta varias etapas de la historia mundial. Por fin el sueño termina cuando unos grandes pájaros negros arremeten contra él para picotear sus ojos aterrados.

---

[19] Cirlot, *Op. cit.*, pág. 39. (La traducción es mía).
[20] *Sobre héroes y tumbas*, *Op. cit.*, pág. 384.
[21] *Op. cit.*, pág. 386.
[22] *Op. cit.*, pág. 387.

Todo el sueño es una fusión de dos conceptos distintos: la exploración del inconsciente y la vuelta a la matriz. Es un pasaje extremadamente difícil, pero artísticamente logrado. Sábato ha aprendido a captar con palabras las imágenes de la pintura surrealista. El «Informe» es una especie de automatismo preconcebido, y, aunque abundan las imágenes abstractas y el simbolismo, Sábato le da al lector las pistas suficientes para entender el sentido del trozo.

El «Informe» contiene numerosos símbolos, algunos de los cuales no son comprensibles sin las claves de capítulos siguientes. Por ejemplo, hay dos pasajes en el sueño donde los pájaros pican los ojos de Fernando. Estos incidentes no tienen mucho sentido hasta que Bruno revela en la última sección de la novela («Un Dios desconocido») un episodio que ocurrió cuando él y Fernando eran muchachos. Bruno recuerda que Fernando odiaba a su padre y sentía por su madre «una pasión enfermiza e histérica»[23]. En una ocasión Bruno había pintado una acuarela representando un alazán que era de Ana María (la madre de Fernando). Se entusiasmó tanto con el retrato que lo besó. Al ver esto Fernando, se enojó y atacó a Bruno con su cortaplumas. Poco después, Fernando se fue y se clavó el cortaplumas en su propia mano. Pasaron años antes de que Bruno comprendiera la significación de aquel acto. Este episodio, junto con el ataque de los pájaros y la mención de Tiresias en el «Informe» revelan que Sábato ha creado una versión moderna del mito de Edipo. Recuérdese que, en la obra de Sófocles, Edipo estaba predestinado a matar a su padre y cometer incesto con su madre. Cuando Edipo se casó con su madre y llegó a ser rey, hubo una plaga en Tebas como castigo por su acto. El oráculo mandó que se expulsara de la ciudad al asesino de Layo (el padre de Edipo). El adivino Tiresias dijo a Edipo que su crimen había causado la plaga, y entonces Edipo se arrancó sus propios ojos y salió de Tebas acompañado por su hija Antígona. Fernando, sin embargo, prosigue la relación incestuosa con su hija Alejandra. Pero, como Edipo, Fernando sim-

---

[23] *Op. cit.*, pág. 425.

boliza al vagabundo irremediable, quien, como cada hombre, debe luchar con sus problemas.

El viaje hacia la matriz simboliza la búsqueda del hombre para descubrir su «yo» así como la seguridad que desea en este mundo. No obstante, a medida que el pasaje nos da una mejor comprensión de los orígenes del hombre, Sábato emplea este recurso como medio para profetizar, en el sentido bíblico, el holocausto que tendrá lugar al fin del mundo. Sábato describe la duración máxima de la vida por medio de las experiencias de Fernando:

> —Sacudido por los rayos, temblaba todo aquel territorio arcaico, encendido por los relámpagos, barrido por el huracán de sangre. Hasta que la funesta luna radioactiva estalló como un fuego de artificio; pedazos como chispas cósmicas se precipitaron a través del espacio negro, incendiando los bosques; un gran incendio se desató, y propagándose con furia inició la destrucción total y la muerte. Entre oscuros clamores jirones de carne crepitaban o eran arrojados a las alturas. Territorios enteros se abrieron o se convirtieron en cangrejales, en que se hundieron o eran devorados vivos hombres y bestias. Seres mutilados corrían entre las ruinas. Manos sueltas, ojos que rodaban y saltaban como pelotas, cabezas sin ojos buscaban a tientas, piernas que corrían separadas de sus troncos, intestinos que se enredaban como lianas de carne e inmundicia, úteros gimientes, fetos abandonados y pisoteados por la muchedumbre de monstruos y bazofia. El Universo entero se derrumbó sobre mí[24].

Este pasaje ejemplifica las imágenes surrealistas más atrevidas de *Sobre héroes y tumbas*, y anticipa no sólo el fin del universo sino la muerte inminente de Fernando. Wallace Fowlie nos dice que: «La profecía, perdición, destino, ocultismo y suicidio son manifestaciones de los aspectos pesimistas o nihilistas del surrealismo»[25]. Sábato ha asumido la responsabilidad de ser la conciencia articulada de su generación. Así cumple la misión de cada artista:

---

[24] *Op. cit.*, pág. 395.
[25] Fowlie, *Op. cit.*, pág. 24. (La traducción es mía).

El artista no crea el problema de su generación, sino que crea el mito del problema. Es decir, la forma por medio de la cual se entiende y se siente el problema durante su propia generación y por generaciones subsiguientes [26].

El artista, en su necesidad de comprender el mundo, debe librarse de los límites del tiempo cronológico. Esta es la gran lección que los surrealistas aprendieron de Lautréamont. El artista tiene que mirar el tiempo en el sentido prehistórico, es decir, debe poder volver a ese mundo que existe antes del nacimiento y después de la muerte:

> El gran artista debe recordar todo; no solamente las guerras y revoluciones de su época, sino del tiempo antes del tiempo, de la guerra en los cielos, de las guerras apocalípticas y de los castigos infernales [27].

Esto es lo que Sábato ha intentado en las secuencias oníricas del «Informe».

La técnica que permite al escritor la flexibilidad de librarse de los confines aceptados del tiempo cronológico es el uso del monólogo interior o la escritura automática preconcebida. Por ejemplo, en el «Informe» Sábato se desliza del tiempo presente al tiempo prehistórico, a la vuelta a la matriz y a su presentimiento de la destrucción del universo, como si no hubiera una separación del tiempo. Tal procedimiento se cumple por el monólogo interior, que emana del inconsciente de Fernando, y el entretejimiento de la escritura automática en la narración. En esta forma de escritura surrealista

> el acento se enfoca en la simultaneidad del contenido de la conciencia, la inmanencia del pasado en el presente, la confluencia de los distintos períodos del tiempo, la fluidez amorfa de la experiencia interior, la infinidad del fluir del tiempo por la cual se lleva el alma, la relatividad del espacio y del tiempo, es decir, la imposibilidad de diferenciar y definir los medios en que se mueve la mente [28].

---

[26] *Op. cit.*, pág. 21. (La traducción es mía).
[27] *Op. cit.*, pág. 36. (La traducción es mía).
[28] Hauser, *Op. cit.*, pág. 239. (La traducción es mía).

La profesora Dellepiane mantiene que el uso del tiempo en *Sobre héroes y tumbas* no añade un aspecto caótico a la novela: «El libro no tiene nada de caótico. Posee, por el contrario, una sutil ordenación que demanda un análisis para descubrir un considerable número de claves»[29]. Tal comentario sólo es verdad en parte. Sábato ha practicado un automatismo preconcebido y escribe frases clave y ciertas palabras que contribuyen a una sutil ordenación de los acontecimientos. Sin embargo, muchas cosas no se entienden, y esto es intencional. Sábato, como buen surrealista, se atiene al concepto de que el mundo es caótico debido a la irracionalidad del hombre, y es deber del artista destruir por completo la visión racional y «poner en su lugar un conocimiento irracional y, por decirlo así, primordial, de las cosas»[30].

El descenso al inconsciente ocupa aproximadamente un cuarto del libro, y contiene la filosofía básica del autor. La técnica constituye un reto para el lector a medida que Sábato intenta captar la esencia de la vida humana a través de los símbolos e imágenes que se conjuran. Así, Sábato ha tratado de recuperar la fuerza psíquica que, según Breton, era una de las realizaciones del surrealismo:

> Recordemos... que la idea del surrealismo se dirige simplemente a una total recuperación de nuestra fuerza psíquica por un medio que es meramente el vertiginoso descenso al yo, la iluminación sistemática de lugares escondidos y el progresivo ennegrecer de otros lugares, el andar perpetuo en medio de zonas prohibidas[31].

La técnica de Sábato tiene mucho en común con la de Lorca en *Poeta en Nueva York*[32]. En realidad, el comentario conclusi-

---

[29] Dellepiane, Ángela, *Ernesto Sábato. El hombre y su obra*, New York: Las Americas Publishing Company, 1968, pág. 266, nota 109.

[30] *Dictionary of Modern Painting* (Surrealism), New York: Tudor Publishing Company, pág. 364. (La traducción es mía).

[31] Alquié, Ferdinand, *The Philosophy of Surrealism*, Ann Arbor: The University of Michigan Press, 1969, pág. 142. (La traducción es mía).

[32] Véase Ilie, *The Surrealist Mode in Spanish Literature*, los Capítulos 4, 5, 6, págs. 57-104.

vo hecho por Gustavo Correa sobre esta obra es igualmente aplicable al proceso creativo del «Informe»:

> Al penetrar en la caverna oscura y laberíntica de la ciudad, el poeta ha descendido al abismo de su propio subconsciente, donde las fuerzas amorfas y oscuras de la creación poética se debaten en lucha aterradora para producir la luz liberadora y armoniosa de la obra creada [33].

Hasta aquí sólo me he referido a las mayores características del surrealismo en *Sobre héroes y tumbas*. El resto de este análisis tratará sobre los elementos menores del surrealismo, como el énfasis en lo feo, el erotismo, el humor absurdo y el suicidio.

La preocupación por lo feo, el lado peor de la vida, que entra en el arte surrealista por el influjo de Huysmans y Zola, no se manifiesta necesariamente porque los surrealistas sean mórbidos o perversos. J. H. Matthews nos dice: «El naturalista acepta el mundo ordinario como digno de atención y obliga al público a enfrentarse con esos aspectos del universo que nos inculcan lo feo y lo materialista sin admitir interpretaciones trascendentales» [34]. Para el surrealista, lo feo proporciona un medio viable de comprender al hombre y su existencia compleja. Los surrealistas creen que examinando al hombre en su totalidad podemos entender sus motivaciones y deseos. Conciben al hombre en el sentido agustiniano, es decir, que el hombre es básicamente malo. Sin embargo, nunca se atendrían, como San Agustín, a que el hombre necesita la gracia divina para superar su naturaleza corrompida. Los valores religiosos no son parte de la filosofía surrealista. Conciben lo malo de su naturaleza como consecuencia de su incapacidad de comunicar o tratar de lo que ven como la desesperada condición humana.

---

[33] Correa, Gustavo, «Significado de *Poeta en Nueva York* de Federico García Lorca», *Cuadernos Americanos*, XVIII (enero-febrero, 1959), página 233.

[34] Matthews, J. H., *Surrealism and the Novel*, Ann Arbor: The University of Michigan Press, 1966, págs. 28-29. (La traducción es mía).

El artista sensible muchas veces se atiene al mismo punto de vista, y a veces exagera sus ideas para destacarlas. Esta exageración llega a la falta de buen gusto en sus obras. Esta falta de buen gusto es evidente en *Sobre héroes y tumbas*, como se ve en la escena simbólica donde Alejandra rechaza sus valores religiosos:

> Empecé a planear mi venganza, y como si Marcos Molina fuera el representante de Dios sobre la tierra, imaginé lo que haría con él apenas llegase a Miramar. Entretanto llevé a cabo algunas tareas menores: rompí la cruz que había sobre mi cama, eché al inodoro las estampas y me limpié con el traje de comunión como si fuera papel higiénico, tirándolo después a la basura [35].

A veces la presencia de lo feo asume un aspecto sádico. En una de las breves intercalaciones del «Informe», Fernando narra un episodio que ocurrió cuando vivía con los surrealistas en París. Durante su acoso de «ciegos», tiene contacto con una mujer ciega que sirve de modelo al pintor surrealista Oscar Domínguez. Domínguez se aprovecha de su ceguera para cometer con ella lo que Fernando llama «mil porquerías». Durante la seducción, Domínguez invita a Fernando a tomar parte en la orgía. Fernando rehúsa, no porque encuentre repugnante la sugestión, sino porque espera aprender algo observando a los miembros de la «Secta de ciegos». Hace el comentario siguiente, que indica lo lasciva que es la escena: «Siguió la comedia que luego fue degenerando en sombría y casi aterradora lucha sexual entre dos endemoniados que gritaban, mordían y arañaban» [36]. El lector experimenta cualquier cosa menos simpatía cuando se entera de que el esposo de la ciega, que es también ciego, está muy celoso. Un día, después de haberla atado a la cama, tuvo relaciones sexuales con otra mujer en su presencia. Algunos días después, la esposa se vengó derribándolo escalera abajo. Como resultado de la caída, quedó paralítico, y ahora ella lo tortura llevando a casa a sus amantes. Estas orgías no consti-

---

[35] *Sobre héroes y tumbas*, *Op. cit.*, pág. 68.
[36] *Op. cit.*, pág. 362.

tuyen una total invención de Sábato. Los surrealistas proporcionaban modelos originales con su comportamiento amoral [37].
Lo feo, o propiamente la inmundicia, llega al colmo cuando
Fernando desciende a las cloacas de Buenos Aires. Este viaje
al mundo subterráneo de lagartos, ratas, culebras, etc., se incluye en la novela con la intención de poner de relieve lo feo
del siglo veinte. Este pasaje marca el fin del viaje a los tiempos
prehistóricos y a la vuelta a la matriz. Cuando Fernando llega
a su destino, comprendemos la definición del héroe tal como
la da Sábato. Según él, héroe es el que explora todas las facetas
de la existencia humana. Se parece a individuos como Maupas-
sant, Artaud, Lautréamont, y Rimbaud, que penetraron en el
mundo prohibido y terminaron suicidándose o enloqueciendo.
En otras palabras, son héroes los que se sacrifican para conocer
el significado de nuestra existencia, aunque este conocimiento
les consuma al fin. Todo esto implica que la vida es una fétida
pesadilla carente de sentido, pues somos víctimas de estas fuerzas ciegas que nos dirigen y van a destruirnos a la larga. No
obstante, hay que hacer el viaje por el laberinto de la vida, y
este viaje es un acto heroico. Fernando resume esta afirmación
al explorar las cloacas:

> Sí, de pronto me sentí una especie de héroe, de héroe al revés,
> héroe negro y repugnante, pero héroe. Una especie de Sigfrido de
> las tinieblas, avanzando en la oscuridad y la fetidez con mi negro
> pabellón restallante, agitado por los huracanes infernales. ¿Pero
> avanzando hacia qué? Eso es lo que no alcanzaba a discernir y que
> aun ahora, en estos momentos que preceden a mi muerte, tampoco
> llego a comprender [38].

Esta presentación de la condición humana ha provocado el
contraataque de ciertos críticos, como Iris Josefina Ludmer, que
juzga a Sábato y su generación como los perpetradores de un
nuevo *mal du siècle*:

---

[37] Véase Josephson, Matthew, *Life Among the Surrealists*, New York:
Holt, Rinehart and Winston, 1962.
[38] *Sobre héroes y tumbas, Op. cit.*, pág. 375.

Esa seudo psicología social, que emplea datos de la psicología individual y los eleva a categorías absolutas, sin justificaciones ni asideros, ese intuicionismo que desconoce épocas, clases sociales, condicionamientos, situaciones, esa reducción de millones de individuos a un denominador común que registra estados de ánimo, cualidades negativas, esa constante apelación a la tristeza y al fracaso, a la nostalgia y a la soledad del argentino no es al acaso el clima del 30 Arlt, Scalabrini Ortiz, Mallea, las letras de tango, «los comprometedores del 30», la denuncia de una realidad asfixiante, la «rebelión inútil» de Martínez Estrada, la crítica negativista puramente anárquica[39].

El humor negro[40] es también un principio fundamental del surrealismo, debido al punto de vista absurdo y pesimista del artista. En su deseo de reformar el mundo, el surrealista debe demolerlo primero, y así el humor llega a ser el instrumento que quitará el yugo de hipocresía que es parte de nuestra existencia.

El surrealista se aparta del escenario de la vida para observarlo como espectador. Los movimientos de las marionetas son superficiales e ilusorios. El verdadero sentido de la vida pierde su aspecto serio y se hace ridículo, pero esta ridiculez tiene un sentido más profundo:

Mais, souligner les ridicules, bafouer toutes les conventions aboutit inévitablement à la révolte contre ll'ordre établi. Depuis Freud, l'humeur apparaît clairement comme une métamorphose de l'esprit d'insoumission, un refus de se plier aux préjuges sociaux: il est masque du desespoir[41].

Sobre héroes y tumbas es un comentario acerbo sobre la condición humana, y así contiene una actitud irreverente hacia

---

[39] Ludmer, Iris Josefina, «Ernesto Sábato y un testimonio del fracaso», *Boletín de literatura hispánica*, vol. V, 1963, pág. 88.

[40] Un estudio muy detallado sobre el papel del humor negro en la literatura surrealista es: Alquié, Ferdinand, ed., *Entretiens sur le surréalisme*, Paris: Mouton and Company, 1968, «L'humour noir», págs. 99-124.

[41] Duplissis, Yves, *Le Surréalisme*, Paris: Presses Universitaires de France, 1958, págs. 20-21.

el mundo, sus instituciones y los principios que muchos creen sagrados. Ridiculiza lo absurdo de la vida por medio del humor que se esconde detrás de la máscara de la desesperanza que el autor siente ante fuerzas abrumadoras. Fernando Vidal Olmos encarna este morboso y absurdo sentido del humor en la novela. El placer que experimenta arrancando los ojos a gatos y pájaros delante de los que odian tal conducta revela una mente perturbada. El episodio culminante es el juego sádico que Fernando propone a Bruno. Éste debe subir al mirador de la casa donde Escolástica vive solitaria desde que la Mazorca decapitó a su padre. Se ha quedado allí custodiando la cabeza, guardada en una caja de sombreros. Fernando le dará a Bruno un premio si logra entrar a hurtadillas en el cuarto y volver con la caja y su contenido. La escena recuerda una novela gótica, o un cuento de horror de William Faulkner («A Rose for Emily»). En realidad, este morboso juego tiene un doble propósito. Por un lado, ensalza la naturaleza sádica de Fernando, que no respeta la dignidad humana. Por otro, demuestra que el absurdo surrealista no es siempre gratuito. Hay ocasiones en que la lógica de lo absurdo tiene alguna trascendencia. No debemos interpretar la actitud de Escolástica como lo absurdo por lo absurdo. Escolástica simboliza el pasado de la Argentina, comenzando con las amargas luchas entre el régimen de Juan Manuel de Rosas y los unitarios. Su larga vida es un testimonio de que los problemas argentinos del pasado siguen vigentes. Así Fernando, que simboliza al hombre moderno, pero es ante todo argentino, está inevitablemente envuelto en este pasado. El juego aparentemente absurdo llega a ser el símbolo de esta dicotomía.

Si la libertad del tiempo cronológico ayuda al artista a describir el mundo caótico, la libertad de la moral sexual convencional es una meta justificable que ayuda al artista a comprender la *raison d'être* del hombre. Como consecuencia de esta actitud, el erotismo desempeña un papel dominante en la literatura surrealista:

> La revolución surrealista, cuando estalló en declaraciones elocuentes y comportamiento histriónico, requería una libertad total en todas las actividades humanas, incluso la actividad del amor.

> Al principio, esta libertad amorosa, en el sentido surrealista, se
> parecía bastante a la libertad licenciosa o al libertinaje. El amor
> era un experimento con sensaciones descomunales. La celebrada
> declaración de Rimbaud: «el desarreglo de los sentidos», se inter-
> pretaba fácilmente como incitación a practicar formas de amor
> perversas [42].

Como una manifestación más del espíritu iconoclasta del
movimiento, el escritor surrealista intenta destruir también las
reglas que gobiernan la moral sexual. Sábato, como buen surrealista, se identifica con esta voluntad de expresar formas de
amor perverso, como se ve en la orgía sexual entre el pintor
Oscar Domínguez y la ciega. No se puede explicar esta orgía
como un intento de buscar una comunión o de entender la
condición humana, sino como una manifestación del erotismo
surrealista, que es «una creencia en la capacidad del hombre
para recuperar, por su propia cuenta, el paraíso de su deseo» [43].
Hay que advertir que las expresiones de amor perverso pueden llevar una connotación ambigua. Por ejemplo, la relación
entre Fernando y Alejandra, mientras que parece perversa, simboliza en realidad el tema central de la novela. Sábato ha fun-
dido el tema de la argentinidad con el de la existencia problemática del hombre moderno. La estructura del libro revela que
Alejandra está asociada con todo lo que es argentino. El hecho
de que su historia familiar comience con el régimen de Rosas
no es accidental, porque la Argentina como nación empieza con
la unidad nacional efectuada bajo Rosas, por tenue que esta
fuera. La técnica narrativa utilizada para describir las secuencias históricas es convencional. Cuando el autor pasa a los problemas del hombre moderno, aumenta su empleo del simbolismo y de todos los recursos surrealistas.
Lo misterioso y lo trágico son características permanentes
del surrealismo. Es «el hermetismo de la forma y del contenido
poéticos» [44] lo que da al arte surrealista un aire de oscuridad y

---

[42] Fowlie, *Op. cit.*, págs. 144-145. (La traducción es mía).
[43] Matthews, *Op. cit.*, pág. 138. (La traducción es mía).
[44] Fowlie, *Op. cit.*, pág. 42. (La traducción es mía).

misterio. En *Sobre héroes y tumbas,* el lector debe estar constantemente alerta a ciertos símbolos, palabras clave y otros indicios que facilitan la comprensión de la obra; pero las más veces, no podrá estar completamente seguro. Por ejemplo, no sabemos lo que hace Alejandra cuando no está con Martín, porque sólo la conocemos por su relación con este joven. La relación que Alejandra tiene con Molinari y Bordenave es un misterio. Se supone que Alejandra se prostituye porque necesita dinero para satisfacer su necesidad de drogas.

Lo misterioso y lo trágico también forman parte de la personalidad de Fernando. Por un lado, Fernando es gracioso, como se ve en la larga polémica que sostiene con Inés González Iturrat. Por otro, sabemos que padece profundos traumas psíquicos, que emergen durante su acoso de «ciegos».

La compañera de lo misterioso y lo trágico es la soledad. El artista del siglo veinte cultiva la soledad con la misma reverencia que un sacramento religioso. La soledad puede tener efecto saludable cuando el artista trata de establecer la armonía entre su persona y este mundo enigmático. Pero la soledad también puede llevar a la desesperanza, a locura y, finalmente, al suicidio.

El suicidio es característico de muchos surrealistas franceses y llegó a tener el aprecio de un acto noble. Breton declaró que el suicidio puede ser un acto legítimo si el artista cree que su único desafío contra el mundo puede ser la destrucción de sí mismo [45]. Tal acto llegó a ser el símbolo del espíritu rebelde y nihilista del movimiento surrealista. El número de suicidas entre los surrealistas es bastante alarmante. Los más notorios son Oscar Domínguez, Wolfgang Paalen, Jean Pierre Duprey y René Crével. Además, el suicidio era también una forma de evasión del trabajo penoso y de lo feo de la existencia humana. El profesor Gershman dice:

> El suicidio, sin embargo, junto con otras evasiones, es una posible solución a la vida, un rechazo del presente en favor de

---

[45] Coyne, André, «Vallejo y el surrealismo», *Revista Iberoamericana,* XXXVI, abril-junio de 1970, pág. 247.

un paraíso hipotético. Cuando Camus, enfrentado con lo absurdo, rechaza el suicidio por la nueva trinidad de rebelión, libertad, y pasión, Aragon sólo puede contemplar un escape a los cielos, pero para él el más allá no existe [46].

Aragon resumió la esencia del suicidio con este recurso en uno de sus poemas:

Suicide

a b c d e f
g h i j k l
m n o p q r
s t u v w
x y z [47].

El suicidio desempeña un papel importante en *Sobre héroes y tumbas*. En una ocasión, Alejandra sugiere a Martín que se suiciden juntos. El joven no está tan perturbado como ella, y no llevan a cabo la sugerencia. Pero, al fin de la narración, cuando los traumas de Alejandra son peores, se siente impelida a disparar contra Fernando y a quemar el cuerpo de él y el suyo propio. Es interesante notar que Alejandra no se quitó la vida con la pistola. Por eso, la muerte por fuego lleva implicaciones rituales de un acto de purificación, una purificación requerida por el acto de incesto que ha cometido.

A lo largo de este capítulo se ha dicho que la base de la técnica novelística en *Sobre héroes y tumbas* tiene sus raíces en el movimiento surrealista. A la luz de lo que se ha expuesto, me gustaría presentar algunos rasgos de la novela moderna según los concibe Sábato como crítico: 1) descenso al yo; 2) el tiempo interior; 3) el subconsciente; 4) la ilogicidad; 5) el mundo desde el yo; 6) el otro; 7) la comunión; 8) sentido sagrado del cuerpo; 9) el conocimiento [48].

Las semejanzas entre estos rasgos y los principios fundamentales del surrealismo son más que fortuitas. No obstante,

---

[46] Gershman, Herbert S., *The Surrealist Revolution in France*, Ann Arbor: The University of Michigan Press, 1969, pág. 74.

[47] *Op. cit.*, pág. 68.

[48] Sábato, *El escritor y sus fantasmas, Op. cit.*, págs. 86-89.

Sobre héroes y tumbas es una novela de tal magnitud que no pertenece exclusivamente a ningún movimiento, ni su autor a ninguna escuela literaria. Pero no hay duda de que podemos comprender mejor las complejidades de *Sobre héroes y tumbas* si las interpretamos a la luz de los objetivos y características del surrealismo.

CAPÍTULO VII

UNA ANTI-NOVELA SURREALISTA

(JULIO CORTÁZAR, *Rayuela*, 1963)

    Rayuela de Julio Cortázar es, hasta cierto punto, el ejemplo
más patente de una novela hispanoamericana escrita al modo
surrealista. Pero esto no quiere decir que *Rayuela* sea una obra
surrealista y nada más. Al contrario, es una «Caja de Pandora»,
según la adecuada definición de Carlos Fuentes [1]. Como tal, es
un complejo y omnímodo comentario sobre una variedad de
tópicos, desde el Zen Budismo hasta el jazz. Los críticos la han
evaluado como un ridículo ejercicio literario o como una de
las obras hispanoamericanas más importantes.

    Como quiera que sea, se puede comprender mejor *Rayuela*
si se tienen en cuenta los elementos surrealistas que abarcan
gran parte de la novela. Siendo la moda surrealista tan penetrante en esta obra, es natural que hallemos en ella muchas de
las características que hemos estudiado en los capítulos anteriores. Por eso, atenderemos sólo a examinar los elementos surrealistas que Cortázar maneja mejor y que lo distinguen de
los otros autores que hemos visto hasta aquí. Nos concentrare-
mos principalmente en la orientación literaria de Cortázar por
medio de algunas ideas del personaje Morelli, la influencia
patafísica, los juegos surrealistas, las imágenes y aspectos lin-

---

    1 Fuentes, Carlos, *La nueva novela hispanoamericana*, México: Joa-
quín Mortiz, 1969, pág. 67.

güísticos inusitados. Antes de analizar estos puntos, nos conviene mostrar históricamente los vínculos de Cortázar con el surrealismo y cómo sus elementos han llegado a ser parte de su repertorio literario.

Como hemos visto, Bombal, Asturias, Carpentier, y hasta cierto punto Sábato, todos presenciaron directamente el fenómeno surrealista cuando estaba en su apogeo en Francia y en el resto de Europa. Cortázar, en cambio, era un maestro volantón en la Argentina en 1939, cuando el movimiento surrealista, como organización formal, ya declinaba.

Aunque nacido en Bruselas, de padres argentinos, Cortázar vivió en la Argentina desde los cuatro años de edad. El francés fue su primera lengua, y en Buenos Aires adquirió una perspectiva cultural europea orientada hacia Francia. Alcanzó tal pericia en la literatura francesa que le invitaron a dar cursos en la Universidad de Cuyo, Mendoza. Durante este período comenzó a escribir cuentos que nunca intentaba publicar. Cuando Perón fue elegido presidente en 1946, Cortázar renunció a su puesto y se trasladó a Buenos Aires. Poco después su nombre comenzaba a aparecer en varias revistas literarias. Fue entonces cuando Cortázar, el incipiente defensor del surrealismo, empezó a sobresalir.

En 1949 publicó un breve artículo titulado «Un cadáver viviente», que fue una esotérica defensa del movimiento surrealista. Debemos recordar que, después de la Segunda Guerra Mundial, muchos de los surrealistas exiliados empezaron a volver a Francia y esperaban, entre otras cosas, recobrar su antigua prominencia. Fue también por entonces cuando escritores importantes, como Jean Paul Sartre y Albert Camus, comenzaron sus ataques contra el surrealismo. Creían que la preocupación existencialista por la condición humana era un esfuerzo más serio. No obstante, Cortázar estaba tan convencido de la validez del surrealismo y de su enfoque de la existencia humana que decidió unirse a los defensores del movimiento. Las últimas líneas de «Un cadáver viviente» demuestran la naturaleza de su apoyo:

—Todos conocemos la disolución del equipo espectacular del surrealismo francés; Artaud ha caído, y Crével, y hubieron cismas y renuncias, mientras otros retornaron profesionalmente a la literatura o a los caballetes, a la utilización de las recetas eficaces. Mucho de esto huele a museo, y las gentes están contentas porque los museos son sitios seguros donde se guardan bajo llave los objetos explosivos; uno va el domingo a verlos, etc. Pero conviene acordarse que del primer juego surrealista con papelitos nació este verso: «El cadáver exquisito beberá el vino nuevo». Cuidado con este vivísimo muerto que viste hoy el más peligroso de los trajes, el de la falsa ausencia, y que presente como nunca allí donde no se lo sospecha, apoya sus manos enormes en el tiempo para no dejarlo irse sin él, que le da sentido. Cuidado, señores, al inclinaros sobre la fosa para decirle hipócritamente adiós; él está detrás vuestro, y su alegre, necesario empujón inesperado puede lanzaros dentro, a conocer de veras esa tierra que odiáis a fuerza de ser finos, a fuerza de estar muertos en un mundo que ya no cuenta con vosotros [2].

Este comentario es el primero de los muchos que destacan la propensión de Cortázar hacia el surrealismo. Años más tarde, cuando Cortázar ya había alcanzado renombre como escritor, admitió que su contacto con el surrealismo, por medio de lecturas, ocurrió a una edad relativamente temprana y fue bastante extensivo. Parece que, hasta los dieciocho años, su lectura de literatura francesa no tuvo orden ni concierto. Pero un día leyó *Opium* de Jean Cocteau. Esta extraña y fascinante obra le produjo un profundo efecto, infundiendo en él una predilección por la literatura francesa de vanguardia. Un escritor le condujo a otro: Breton, Eluard, Crével, hasta que se encontró totalmente inmerso en el mundo de los surrealistas [3]. Y el contacto de Cortázar con el surrealismo le ayudó sin duda a formar su propio concepto estético. Si se juzga su familiaridad con el movimiento por el número de surrealistas que se mencionan en

---

[2] *Realidad*, vol. V, págs. 349-350.
[3] Harss, Luis, *Los nuestros*, Buenos Aires: Editorial Sudamericana, 1969, 3.ª edición, pág. 282.

Rayuela[4], es evidente que sus lecturas fueron considerables y dan razón de su concepción surrealista del mundo: Cortázar niega en sus obras la división entre la realidad y la fantasía, negación que es la característica sobresaliente del pensamiento surrealista y el rasgo más comúnmente distintivo del movimiento.

Hace unos años, Cortázar fue entrevistado por el novelista peruano Mario Vargas Llosa, quien le hizo preguntas sobre la fusión de los elementos realistas y fantásticos en sus obras, pues tal alianza ha venido a tipificar los escritos del argentino. La respuesta de Cortázar nos muestra hasta qué punto está comprometido con la óptica surrealista:

—Toda persona que tenga una concepción surrealista del mundo sabe que esa alianza de 'dos géneros' es un falso problema. Entendemos primero sobre la noción misma del surrealismo: para mí es sencillamente una vivencia lo más abierta posible sobre el mundo, el resultado de esa apertura, de esa porosidad frente a las circunstancias, se traduce en la anulación de la barrera más o menos convencional que la razón razonante trata de establecer entre lo que considera real (o natural) y lo que califica de fantástico (o sobrenatural), incluyendo en lo primero todo aquello que tiende a la repetición, acepta la causalidad y se somete a las categorías del entendimiento, y considerando como fantástico o sobrenatural todo lo que manifiesta como carácter de excepción, al margen, insólitamente. Desde luego, siempre ha sido más fácil y frecuente encontrar un caballo que un unicornio, aunque nadie negará que el unicornio proyecta en la vida significativa del hombre una imagen por lo menos tan intensa como la del caballo. Para una visión surrealista, la determinación del grado de realidad del caballo y del unicornio es una cuestión superflua, que a lo sumo tiene importancia pragmática, sin contar que en ciertas circunstancias un caballo puede ser mucho más fantástico que un unicornio; así, en esa alternación en que una u otra modalidad del ser se nos impone con una evidencia total e indeclinable, los términos escolásticos de

---

[4] Algunos surrealistas importantes mencionados en la novela son: Paul Klee, Alfred Jarry, Lautréamont, Raymond Queneau, Picasso, René Crével, Antonin Artaud, Wifredo Lam, Max Ernest, Luis Buñuel, Jacques Vaché y Apollinaire.

realidad y fantasía, de natural y sobrenatural, acaban por perder todo valor clasificatorio...[5].

Las palabras clave expresadas en esta cita son las que definen el surrealismo como «una vivencia lo más abierta posible sobre el mundo...», porque implican el concepto de una completa libertad de expresión abrazada por los surrealistas y nos ayudarán a entender la utilización por parte de Cortázar de todo género de técnicas surrealistas en *Rayuela*.

He caracterizado *Rayuela* como una «anti-novela surrealista», y tal vez sea necesario justificar este comentario. La novela, si se acepta su tradición y sus normas básicas del siglo diecinueve, ha sido según Germaine Brée: «...una ficción, una reorganización artificial de la materia prima de la vida»[6]. Sin embargo, en el siglo veinte, los surrealistas, en su afán de ir más allá de la realidad de la vida racional, querían romper todas las reglas comúnmente aceptadas. Las innovaciones que propusieron, primero en la poesía y luego en la novela, no contenían reglas fundamentales. Cada escritor podía seguir su propio rumbo para alcanzar el efecto deseado. Al principio del movimiento, la calidad surrealista de cualquier obra sufría el escrutinio de Breton y de su grupo predilecto. Estos decidieron también quiénes serían los santos patronos del movimiento. En resumidas cuentas, todo lo que tenían en común era su rechazo de cualquier código estético. En el *Primer Manifiesto*, de 1924, el foco de Breton se dirigía mayormente a la poesía. Dijo muy poco sobre la novela. Apenas se puede aceptar su dictum sobre cómo escribir novelas falsas como criterio operativo: «...ponga la aguja marcada 'buena' en la posición de 'acción' y lo demás

---

[5] Simo, Ana María et al., *Cinco miradas sobre Cortázar*, Buenos Aires: Editorial Tiempo Contemporáneo, 1968, págs. 84-85. (La cita original es de: «Preguntas a Julio Cortázar» por Mario Vargas Llosa en el diario *Expreso*, Lima, 7-2-65).

[6] Brée, Germaine and Guiton, Margaret, *An Age of Fiction*, New Brunswick, N. J.: Rutgers University Press, 1957, pág. 137. (La traducción es mía).

seguirá naturalmente» [7]. Pero en el *Segundo Manifiesto*, de 1930, Breton explica mejor cómo imagina ciertas novelas. Por ejemplo, especula sobre novelas que no pueden terminar simulando problemas que no tienen soluciones; novelas en que la estructuración es sencilla, pero el lenguaje está completamente fuera de lugar, pues usan palabras que describen la fatiga para describir un secuestro, o el lenguaje que describe alegría para la descripción de una tormenta. En suma, el uso contradictorio de técnicas literarias. Finalmente, Breton lo resume todo diciendo que cualquier persona que quiere destruir el concepto realista de la vida no encontrará problemas para elegir el método apropiado [8].

Tal audacia literaria tenía un propósito. Destruyendo y burlándose del mundo racional, los surrealistas esperaban hallar un nuevo rumbo hacia el absoluto. Este es precisamente el método que emplea Cortázar en *Rayuela*, donde manifiesta sus intenciones al lector mediante el autor-sustituto, Morelli, cuyas ideas literarias incluyen la fórmula para escribir una anti-novela como *Rayuela*. Si aceptamos la idea de que Morelli es el yo sustituto de Cortázar, se aclara mejor la relación de éste con el movimiento surrealista, así como las complejidades de la obra.

«MORELLIANA» [9]

El Capítulo 145 consta de una cita de *Ferdydurke*, obra del polaco-argentino surrealista Witold Gombrowicz. La cita, mencionada por Morelli, trata de las ideas de Gombrowicz sobre el arte de escribir, y sirve para informarnos sobre la estructuración de *Rayuela*. Esencialmente, Gombrowicz nos dice que divide su obra en partes individuales, siendo cada parte una partícula de la obra total. Tal estructuración se debe a su concepto del individuo como la fusión de partes del cuerpo y partes del

---

[7] Breton, André, *Manifestoes of Surrealism*, Ann Arbor: The University of Michigan Press, 1969, pág. 31. (La traducción es mía).

[8] *Op. cit.*, págs. 162-163.

[9] Este es un término inventado por Cortázar.

alma. Al ampliar la idea un poco más, se aplica también a su perspectiva de la humanidad. Reconociendo que sus ideas sobre la concepción parcial nos llevarán a concluir que todo esto es una porquería o un juego, admite de buena gana que eso es lo que intenta, porque no puede someterse a las severas reglas y cánones del arte. No puede tolerar nada que sea doctrinario [10].

Lo importante de esta cita es que refleja el punto de vista surrealista, que tampoco podía aguantar las reglas establecidas del arte. Para los surrealistas, el arte constituye una gran parte de la vida, y puesto que consideran la vida como una burla, como un juego absurdo, piensan que se debe tratar al arte del mismo modo. Este concepto no es enteramente frívolo. Aunque son frívolos los medios, el objetivo no lo es, porque los surrealistas buscan siempre *le merveilleux* por cualquier vía posible. En *Rayuela*, este término aparece bajo muchos nombres: Kibbutz, satori, el más allá, mandala. La intención de Cortázar es traer alguna unidad a nuestra búsqueda de felicidad y entendimiento.

La teoría de la concepción parcial de Gombrowicz aclara hasta cierto punto las instrucciones para leer *Rayuela* contenidas en la tabla que Cortázar presenta al lector cuando le dice que *Rayuela* contiene muchos libros, pero solamente dos son importantes. Debemos leer el primer libro desde el Capítulo 1 hasta el 56 y pasando por alto todo lo que sigue. En el segundo libro el lector debe empezar por el Capítulo 73, siguiendo luego el orden indicado al fin de cada capítulo. Cortázar invita así al lector a jugar al juego de rayuela, zigzagueando por las varias partes de su novela.

El primer método de lectura presenta un lógico desarrollo del argumento, dedicado al que Cortázar llama «el lector-hembra», lo cual no nos facilita la comprensión de lo que Cortázar quiere decir. El segundo método no excluye los Capítulos 57-1555 (llamados irónicamente «los Capítulos prescindibles»), que presentan la ideología cortazariana sobre muchos tópicos y

---

[10] Cortázar, Julio, *Rayuela*, Buenos Aires: Editorial Sudamericana, 1969, 10.ª edición, pág. 614. (Todas las citas del texto son de esta edición).

también sirven para ilustrar cómo funciona la teoría de la concepción parcial. El saltar por todas partes, el arrojarnos de una idea a otra, lo ha resumido así el profesor James E. Irby: «...De todo corazón sigue Cortázar, a su modo, el gran sueño del surrealismo de desmontar la maquinaria racional y la rutina del pensamiento occidental para recobrar la verdadera fuerza espiritual del hombre» [11]. Además, la exposición razonada de este extraño método de leer la novela se explica cuando Morelli nos dice que busca el Centro, dibujando su mandala, e inventando así los medios de purificarse [12].

Las ideas de Morelli exponen la justificación de *Rayuela*. En el Capítulo 79 [13] revela sus planes de escribir «la novela cómica». Pero «cómica» no quiere decir chistosa, pues nos dice que el *Ulises* de James Joyce es un buen ejemplo de una novela cómica. La palabra «cómica» refleja la idea de lo absurdo. Morelli concibe la novela ordinaria como un orden cerrado, del que uno debe escaparse, eliminando la sistemática construcción de personajes y situaciones. Quiere que sustituyamos la novela ordinaria por el método siguiente: «...la ironía, la autocrítica incesante, la incongruencia, la imaginación al servicio de nadie» [14]. Tal método concede mucha libertad en el proceso artístico. Cortázar, como los surrealistas franceses, sueña con hacer de cada hombre un poeta, metiéndolo directamente en la creación de la obra. Cree que no debe haber un mensaje, sino solamente mensajeros, que formulan para sí mismos lo que dará sentido a su existencia. El lector no debe estar fuera de la experiencia de la obra, sino que debe identificarse con el autor y con su experiencia al mismo momento y en la misma forma. Cortázar resume así su método:

> Una tentativa de este orden parte de una repulsa de la literatura; repulsa parcial puesto que se apoya en la palabra, pero que debe en cada operación que emprendan autor y lector. Así, usar la no-

---

[11] Irby, James E., «Cortázar's *Hopscotch* and Other Games», *Novel*, vol. 1, núm. 1, 1967, pág. 64. (La traducción es mía).
[12] *Rayuela, Op. cit.*, pág. 459.
[13] *Op. cit.*, págs. 452-454.
[14] *Op. cit.*, pág. 452.

vela como se usa un revólver para defender la paz, cambiando su signo. Tomar de la literatura eso que es puente vivo de hombre, y que el tratado o el ensayo sólo permite entre especialistas. Una narrativa que no sea pretexto para la transmisión de un 'mensaje' (no hay mensaje, hay mensajeros y eso es el mensaje...); una narrativa que actúe como coagulante de vivencias, como catalizadora de nociones confusas y mal entendidas, y que inicia en primer término en el que escribe, para lo cual hay que escribirla como antinovela... [15].

Escribir una anti-novela como *Rayuela* implica un salto hacia la surrealidad, la búsqueda imposible de todos los surrealistas. En el *Primer Manifiesto*, Breton admite la imposibilidad de llegar al absoluto, pero incita a sus seguidores a acosarlo, pues cree que la alegría de la posible posesión vale la pena [16]. Los surrealistas iniciales se consideraban dioses, pues no se atenían al concepto de un Dios Todopoderoso, y creían que el absoluto comenzaba y acababa en su propio inconsciente. Quitándose el yugo del mundo racional, podrían alcanzar sus metas. Tal concepción empuja al surrealismo más allá de un nebuloso código estético.

Muchas ideas expresadas por Morelli no son muy originales. Un escrutinio de estas ideas revela su afinidad con la filosofía de Alfred Jarry, que formuló la ciencia de la ambigüedad llamada «La Patafísica».

«RAYUELA» = LA PATAFÍSICA

Los críticos mencionan muchas veces la influencia de Alfred Jarry sobre Cortázar; pero para quienes no sepan nada de este santo patrón del surrealismo, la referencia significa poco, especialmente si consideramos que las ideas de Jarry llegaron a ser parte tan integrante del pensamiento surrealista, que apenas se distinguen de él. Cortázar, en una entrevista con Luis Harss, rinde homenaje a Jarry como uno de sus mentores literarios:

---

[15] *Op. cit.*, págs. 452-453.
[16] Breton, *Op. cit.*, pág. 14.

Lo que me interesa cada vez más, actualmente, es lo que llamaría
la literatura de excepción. Una buena página de Jarry me incita
mucho más que las obras completas de La Bruyère. Esto no es un
juicio absoluto. Creo que la literatura clásica sigue siendo lo que
es. Pero estoy de acuerdo con el gran principio «patafísico» de
Jarry: «Lo verdaderamente interesante no son las leyes sino las
excepciones». El poeta debe dedicarse a la caza de excepciones y
dejarles las leyes a los hombres de ciencia y a los escritores se-
rios [17].

Si Salvador Dalí representa hoy la fusión pictórica del arte
y de la vida, Jarry, en su época, simboliza la fusión de la literatura y la vida. En opinión de Jarry, si hubiera algún sentido
más allá de la vida, estaría en alguna parte de lo absurdo. Intentando encontrar sentido en lo absurdo, Jarry esperaba alcanzar
un nuevo nivel de experiencia y a la vez unir sus propias experiencias y las de su arte. Llama a tal esfuerzo «la ciencia de la
patafísica». He aquí su propia definición:

—La patafísica es la ciencia del reino situado más allá de la
metafísica... Estudia las leyes que gobiernan las excepciones y explica el universo suplementario de éste; o, con menos ambición,
describe un universo que uno puede ver —debe ver tal vez— en
vez del tradicional, porque las leyes descritas en el universo tradicional son en sí excepciones correlacionadas, aunque frecuentes,
o, en cualquier caso, hechos accidentales que, reducidos apenas
a excepciones excepcionales, no tienen la ventaja de la singularidad.
Definición: la patafísica es la ciencia de imaginar soluciones que
simbólicamente atribuye las propiedades de objetos, descritos por
su virtualidad, a sus lineamentos [18].

Una declaración de los principios básicos de esta «ciencia»
aclarará la definición: 1) La patafísica era un mandato para
fundir elementos disonantes cuyo resultado sería hallar «la
belleza» en lo monstruoso. La idea de la repulsión fascinaba a
Jarry, que intentaba convertirla en un modo de existencia. 2)

---

[17] Harss, *Op. cit.*, págs. 296-297.
[18] Shattuck, Roger, *The Banquet Years*, New York: Random House,
1968, págs. 241-242. (La traducción es mía).

La ambigüedad había de ser el criterio de la convertibilidad. Todas las interpretaciones de un objeto u obra eran iguales. Ningún comentario riguroso o dogmático podría ser el único. 3) El anacronismo en el arte era un principio sagrado. La mezcla e intersección de distintas zonas temporales alcanzan la eternidad[19]. Estos principios fueron incorporados por los surrealistas a su concepto de la libertad total en el arte. Explican su inclinación a estados oníricos, al inconsciente, a la falta de lógica, al empleo de la escritura automática en sus obras, tanto pictóricas como literarias.

Estos principios se reflejan en el código estético de Morelli. La predilección de Cortázar por lo monstruoso se ilustra en muchos episodios de *Rayuela*. Basta recordar los pasajes que describen orgías sexuales y borracheras, los juegos ridículos, el manicomio, los escapes alucinatorios, los síncopes, y otros elementos chocantes y sórdidos. Para Cortázar, como para sus antecesores surrealistas, la repulsión es una expresión de la «belleza», un modo de liberar el espíritu en su búsqueda de lo paradójico.

La ambigüedad como criterio de la convertibilidad es un principio que está presente en el argumento entero de *Rayuela*. Los episodios disociados, la incongruencia y los pensamientos sin orden ni concierto se le arrojan al lector desde todas partes. El autor nos llama a perseguir el extraño mundo de Horacio Oliveira y experimentarlo simultáneamente con él. Aunque sabemos muchas cosas de Oliveira y sus amigos, no podemos penetrar su verdadero carácter. Todo es conjetural, y la interpretación de un lector vale tanto como la de otro.

El anacronismo es una de las características sobresalientes de la novela. Si el lector sigue la primera sugerencia para leer la obra, encuentra que el argumento se desenvuelve en orden cronológico. Sin embargo, si sigue la segunda, tiene que prepararse para saltar de una realidad a otra, para entrar en zonas temporales suspendidas y regiones que rayan en lo alucinatorio. Jugando al juego de rayuela nos hundimos en el mundo corta-

---

[19] *Op. cit.*, págs. 240-241.

zariano, un mundo surrealista, donde lo que importa es el juego
de azar.

LOS JUEGOS SURREALISTAS

Un recurso prevalente usado por los surrealistas para alcanzar *le merveilleux* es el juego lúdico. Es un medio de evadirse
de la realidad ordinaria y proporcionar revelaciones sumamente
sugestivas. La energía creativa gastada en los juegos les hace
sentirse dioses [20]. Los juegos permiten otra realidad, una realidad más ideal. Herbert Gershman explica su motivación:

> —Para los surrealistas, los juegos fueron un método para des-
> pegarse del mundo, un gesto sin sentido en el contexto de la vida
> 'ordinaria', pero que señalaba una distinción social y sugería un
> distinto punto de vista metafísico... La belleza de un juego reside
> en su claro e irrevocable orden. No se permite una infracción de
> las reglas a riesgo de negar el juego, de romper el círculo mágico,
> de abrir las puertas del invernadero al frío viento del mundo del
> más allá... El juego, la forma artística del rebelde, es la máscara
> rígida del esteta. Es la libertad misma (siempre, sin embargo,
> dentro de los confines del juego), porque no se incluye el mundo
> real. Relaja a los estirados eliminando la tensión. Libra al tonto
> de la sentencia de la historia, hace al hombre un dios, e hincha su
> estómago de esperanza [21].

Los juegos son un medio de enfrentarse con lo absurdo de
la vida, afrontándolo en un nivel igual. En *Rayuela*, Oliveira
hace el comentario siguiente: «Sólo viviendo absurdamente se
podría romper alguna vez este absurdo infinito» [22]. La salida
para confrontar lo absurdo de la vida está en las actividades
del Club Serpiente, compuesto por Oliveira y sus amigos, en
París, y sus conocidos argentinos después que vuelve a su país.
Uno de los juegos de los surrealistas originarios se llamaba
el *cadavre exquis*, y consistía en un papel doblado, en el que

---

[20] Gershman, Herbert, *The Surrealist Revolution in France*, Ann Arbor:
The University of Michigan Press, 1969, pág. 14.

[21] *Op. cit.*, págs. 10-11. (La traducción es mía).

[22] *Rayuela, Op. cit.*, pág. 123.

estaba escrita una palabra, una frase o un dibujo hecho por varias personas, cada una de las cuales ignoraba la colaboración
de las otras. El primer ejemplo de lo que resultó de este juego
es un clásico, y dio su nombre a la práctica: «Le cadavre-exquis-
boira-le vin-nouveau» [23]. Este juego lingüístico es uno de los varios pasatiempos de Oliveira y sus amigos en *Rayuela*. Una tarde,
para divertirse, Oliveira construye una serie de juegos verbales.
Empieza por juntar los títulos de los diarios:

«Se Le Enreda La Lana del Tejido y Perece Asfixiada en Lanus
Oeste» [24].

Los surrealistas franceses vieron en esta frivolidad una expresión artística tan legítima como un análisis literario. En su
Primer Manifiesto, Breton cita varios ejemplos semejantes al
siguiente:

THE FIRST WHITE PAPER
OF CHANCE
RED WILL BE [25].

Oliveira sigue el juego anotando diálogos escritos en el metro,
en los cafés, en las tabernas, y los junta en lo que llama:
«DIÁLOGO TÍPICO DE ESPAÑOLES». Esto nos recuerda el
juego surrealista llamado «JEU DES QUESTIONS ET DES RE-
PONSES» [26], célebre por su ilogicidad y *non sequitur*:

LÓPEZ. — Yo he vivido un año entero en Madrid. Verá usted, era
en 1925, y...

PÉREZ. — ¿En Madrid? Pues precisamente le decía yo ayer al
doctor García...

LÓPEZ. — De 1925 a 1926, en que fui profesor de literatura en la
Universidad.

---

[23] *Dictionnaire Abrégé du Surréalisme*, Rennes: Gazette des Beaux
Arts, José Corti, 1969, pág. 6.

[24] *Rayuela, Op. cit.*, pág. 278.

[25] Breton, *Op. cit.*, pág. 43.

[26] Nadeau, Maurice, *Histoire du Surréalisme*, Paris: Editions du Seuil,
1945, págs. 279-281.

PÉREZ. — Le decía yo: «Hombre, todo el que haya vivido en Madrid sabe lo que es eso».

LÓPEZ. — Una cátedra es especialmente creada para mí para que pudiera dictar mis cursos de literatura.

PÉREZ. — Exacto, exacto. Pues ayer mismo le decía yo al doctor García, que es muy amigo mío... [27].

Oliveira presta ahora atención a una publicación de la UNESCO, y empieza a leer los nombres del consejo birmanés. No puede resistir la tentación de escribir el siguiente poema lúdico, usando los nombres en la lista. Este recurso se halla frecuentemente en la poesía surrealista:

> U Nu,
> U Tin,
> Mya Bu,
> Thado Thiri Thudama U E Maung,
> Sithu U Cho,
> Wunna Kyaw Htin U Khin Zaw,
> Wunna Kyaw Htin U Thein Han,
> Wunna Kyaw Htin U Myo Min,
> Thiri Byanchi U Thant,
> Thado Maha Thray Sithu U Chan Htoon [28].

Todos estos juegos sirven para liberar nuestras fantasías y facilitan así la creación del mundo superreal. La mayoría de los juegos presentados en *Rayuela* son experimentos lingüísticos. Producen a veces imágenes totalmente incongruentes con los objetos del mundo real. Con frecuencia estas imágenes tienen propiedades que no son naturales.

LAS IMÁGENES SURREALISTAS

En el *Primer Manifiesto*, Breton dijo: «Se ha dado el lenguaje al hombre para que pueda emplearlo de una manera su-

---

[27] *Rayuela, Op. cit.*, pág. 279.
[28] *Op. cit.*, pág. 280.

rrealista»[29]. Quiere decir que el hombre debe usarlo sin restricciones. En consecuencia, de este libre ejercicio del lenguaje en la literatura surrealista resultaron imágenes muy arbitrarias. Breton intentó establecer las normas de las imágenes que consideraría surrealistas. Sabiendo que era imposible una clasificación completa, mantenía que todas las imágenes tenían una virtud común, su grado de arbitrariedad. La imagen surrealista sería arbitraria por su aparente contradicción, abstracción, ridiculez, cualidades alucinatorias, negación de propiedades físicas, o porque provocaría la risa[30]. Según estas normas, las siguientes imágenes de *Rayuela* son excelentes ejemplos de imágenes surrealistas.

LAS IMÁGENES CONTRADICTORIAS

En el Capítulo 7, Oliveira describe una apasionada escena de amor entre él y la Maga: «...nos besamos como si tuviéramos la boca llena de flores o de peces, de movimientos vivos de fragancia oscura»[31]. Al describir sus bocas como llenas de flores, produce un efecto estético, pero se niega este efecto con la inmediata mención de los peces. La imagen contradictoria se amplía con el oxímoron «fragancia oscura».

LA ABSTRACCIÓN

Durante una reunión del Club Serpiente, los miembros escuchaban jazz. Cortázar crea la imagen siguiente: «...y el silencio que había en toda música verdadera se desanimaba lentamente de las paredes, salía de debajo del diván, se despegaba como labios o capullos»[32]. La calidad de la música es ser audible. En esta escena, la música asume una propiedad visual, casi tangible, y así se crea una noción abstracta de la música. Sin em-

---

[29] Breton, *Op. cit.*, pág. 32. (La traducción es mía.)
[30] *Op. cit.*, pág. 38.
[31] *Rayuela, Op. cit.*, pág. 48.
[32] *Op. cit.*, pág. 68.

bargo, la imagen realza el efecto de la música sobre los miembros del Club.

LAS IMÁGENES RIDÍCULAS

Las imágenes ridículas en *Rayuela* provienen muchas veces de situaciones peculiares causadas por los personajes. Basta recordar incidentes como el pedazo de azúcar en el restaurante, el puente de tablas entre los apartamentos de Oliveira y Traveler. Pero ninguna imagen es más ridícula que la de esta canción obscena:

> Lo corrieron de atrás, lo corrieron de atrás,
> le metieron un palo en el cúúúlo.
> ¡Pobre señor! ¡Pobre señor!
> No se lo pudo sacar [33].

LAS IMÁGENES ALUCINATORIAS

Abundan en *Rayuela* las alucinaciones. A veces estas imágenes forman parte de secuencias oníricas, o aparecen en la obra sin relación aparente con lo que tiene lugar. No obstante, sirven para describir la constante fusión de la realidad y de lo irreal. El siguiente pasaje produce un efecto alucinatorio, y no se puede explicar en el contexto en que se halla:

> —No podré renunciar jamás al sentimiento de que ahí, pegado a mi cara, entrelazado en mis dedos, hay como una deslumbrante explosión hacia la luz, irrupción de mí hacia lo otro o de lo otro en mí, algo infinitamente cristalino que podría cuajar y resolverse en luz total sin tiempo ni espacio. Como una puerta de ópalo y diamante desde la cual se empieza a ser eso que verdaderamente se es y que no se quiere y no se sabe y no se puede ser [34].

---

[33] *Op. cit.*, pág. 307.
[34] *Op. cit.*, pág. 413.

LA NEGACIÓN DE PROPIEDADES FÍSICAS

Hay formas en *Rayuela* de imágenes antitéticas, en las que Cortázar niega la propiedad física del objeto descrito:

...torturas de sémola... [35]
...hogueras de tapioca... [36]
...recintos del verano... [37].

LAS IMÁGENES CÓMICAS

El humor es tal vez la característica sobresaliente de la novela. Aparece en forma de juegos verbales, obscenidades, parodia, retruécanos, chistes y juegos extraños. La ironía o el leve sarcasmo están presentes también, como vemos en el siguiente comentario, hecho por Oliveira, acerca de Traveler:

> Cállate, miriápodo de diez a doce centímetros de largo, con un par de patas en cada uno de los veintiún anillos en que tiene dividido el cuerpo, cuatro ojos y en la boca mandibulillas córneas y ganchudas que al morder sueltan un veneno muy activo... [38].

Es obvio que muchas de estas imágenes son sumamente poéticas, mientras que otras no caben en ninguna clasificación. Casi todas están desprovistas de lógica, porque conjuran una separación de lo real o de una propiedad física. Pero casi todas poseen la virtud común de la arbitrariedad, tan deseada por Breton. La extensión de la arbitrariedad es aún más evidente a medida que examinamos algunos descomunales aspectos lingüísticos de la prosa cortazariana.

---

[35] *Op. cit.*, pág. 239.
[36] *Op. cit.*, pág. 239.
[37] *Op. cit.*, pág. 484.
[38] *Op. cit.*, pág. 282.

LOS DESCOMUNALES ASPECTOS LINGÜÍSTICOS

Hacia el fin de su carrera literaria, Breton intentó resumir el propósito del movimiento surrealista reafirmando muchos de los principios originales: «¿Qué significó entonces? Nada menos que el redescubrimiento del secreto del lenguaje, cuyos elementos dejarían de flotar como echazón sobre la superficie de un mar muerto. Para hacer esto fue esencial arrebatar estos elementos a su uso utilitario, cada vez más estrecho, siendo ésta la única manera de emanciparlos y restaurar todo su poder» [39]. Hemos visto que esta emancipación y restauración tuvieron como resultado la creación de imágenes arbitrarias. Otro recurso fue la destrucción directa del lenguaje, para que de sus cenizas surgiera una nueva y profunda realidad. Este ataque contra el lenguaje avanzó desde la mera ruptura de reglas sintácticas hasta la invención de formas de expresión completamente nuevas. Muchos pasajes en *Rayuela* siguen esta norma de la literatura surrealista francesa. Cortázar cree que el lenguaje ordinario nos engaña, porque sirve para explicarlo todo y, por consiguiente, nos excluye de otras formas de realidad. Por eso lucha contra el uso del lenguaje que considera falso. Sin embargo, las palabras son los únicos instrumentos que posee el escritor, y Cortázar no puede desconocerlas. He aquí algunos recursos lingüísticos de *Rayuela* que ponen de manifiesto el ataque inicial de Cortázar contra el lenguaje:

1) *Los clisés*: Puesto que el clisé es una expresión trivial o gastada, Cortázar demuestra su desdén por este tipo de frase juntando todas las palabras o separándolas con guión:

...corriócomounreguerodepólvora... [40]
...las-pesadas-responsabilidades... [41].

2) *El retruécano aliterativo*: Cortázar, como el poeta surrealista Robert Desnos, se inclina al juego de palabras, espe-

---

[39] Breton, *Op. cit.*, pág. 297. (La traducción es mía).
[40] *Rayuela, Op. cit.*, pág. 294.
[41] *Op. cit.*, pág. 343.

cialmente a las formas que podemos describir como retruécanos
aliterativos. Deseando expresar su futilidad al no poder comunicar sus sentimientos a Traveler, Oliveira crea el siguiente retruécano basado en la palabra «lana»:

> Si empezaba a tirar del ovillo, iba salir una hebra de lana,
> metros de lana, lanada, lanagnórisis, lanaturner, lannapurna, lana-
> tomía, lanata, lanatalidad, lanacionalidad, lanaturalidad, la lana
> hasta lanáusea, pero nunca el ovillo [42].

3) *La letra «H» como prefijo*: El uso de la letra «H» como
prefijo es un juego que Cortázar emplea frecuentemente para
crear situaciones cómicas:

> «Heste Holiveira siempre con sus hejemplos» [43].

4) *Glíglico*: Otra forma del contralenguaje se expresa en
un «dialecto» denominado «glíglico» en la novela. En el siguiente
ejemplo, Oliveira le pregunta a la Maga sobre la proeza sexual
de Ossip. Su intención es obviamente cómica:

> Oliveira:
> ¿Pero te retila la murta?
> ....
> ¿Y te hace poner los plíneos entre las argustas?
> Maga:
> Sí, y después nos entreturnamos los porcios hasta
> que él dice basta basta... [44].

La palabra «murta» existe en español, y su connotación aquí
es comprensible. Pero las palabras «plíneos», «argustas» y «por-
cios» son invenciones de Cortázar; expresiones sugestivas, desprovistas de sentido.

5) *El contralenguaje por excelencia*: El «glíglico» es un lenguaje personal entre Oliveira y la Maga. Hasta cierto punto, se
parece al vocabulario especial (en un nivel distinto, por supues-

---

[42] *Op. cit.*, pág. 358.
[43] *Op. cit.*, pág. 463.
[44] *Op. cit.*, pág. 104.

to) empleado por amantes o miembros de una familia. Sin embargo, todo el capítulo 68 está escrito en un lenguaje mucho más difícil que el «glíglico», debido a la frecuencia de las palabras *portmanteau*, los verbalismos polisemánticos, y otros neologismos. Es el más serio esfuerzo de Cortázar para restaurar el poder a las palabras. El pasaje siguiente describe el acto sexual:

> —Y sin embargo era apenas el principio, porque en un momento dado ella se tordulaba los hurgalios, consintiendo en que él aproximara suavemente sus orfelunios. Apenas se entreplumaban, algo como un ulucordio los encrestoriaba, los extrayuxtaba y paramovía, de pronto era el clinón, la esterfurosa convulcante de las matricas, la jadehollante embocapluvia del orgumio, los esproemios del merpasmo en una sobrehumítica agopausa. ¡Evohe! ¡Evohe! Volpasados en una cresta del murelio, se sentían balparamar, perlinos y marulos. Temblaba el troc, se vencían las marioplumas, y todo se resolviraba en un profundo pínce, en niolamas de argutendidas gasas, en carinias casi crueles que los ordopenaban hasta el límite de las gunfias [45].

Las dificultades presentadas aquí requieren una participación total por parte del lector. Aunque no se puede estar seguro del sentido exacto de todas las palabras, los puentes de comunicación establecidos por el autor son suficientes para reflejar el sentido general de lo que acontece.

Al intentar resumir la eficacia de los recursos surrealistas de *Rayuela*, recordamos la advertencia de Morelli en el Capítulo 137: «Si el volumen o el tono de la obra pueden llevar a creer que el autor intentó una suma, apresurarse a señalarle que está ante la tentativa contraria, la de una *resta* implacable» [46]. ¿Qué criterio se puede aplicar a una obra que intenta eludir las reglas, destruir los conceptos aceptados de la literatura? No tenemos más remedio que aceptar las normas establecidas por el autor. Si tal es el caso, Cortázar ha logrado su propósito. Sin embargo, el empleo de tales técnicas trasciende la

---

[45] *Op. cit.*, pág. 428.
[46] *Op. cit.*, pág. 595.

mera intención de escribir una anti-novela, porque Cortázar, como otros que se atienen a las metas surrealistas, ha tratado de traspasar el espejo, de ojear el otro lado de la realidad. Parece que *Rayuela* demuestra que esta tarea está fuera de la capacidad del hombre mortal. Sólo nos queda «la alegría de la posible posesión», tan deseada por los surrealistas. *Rayuela* es una novela que abruma al lector, que lo deja en la dicotómica condición de sentirse agobiado y a la vez exaltado.

CAPÍTULO VIII

EL AUTOMATISMO CONTROLADO

(JUAN RULFO, *Pedro Páramo*, 1955)

Los autores que hemos examinado en los capítulos anteriores tienen vínculos históricos con el surrealismo francés. Estos vínculos son el resultado de haber participado directamente en el movimiento surrealista o de haber demostrado una definitiva afinidad espiritual con los conceptos y técnicas de aquel movimiento estético. Es difícil colocar a Juan Rulfo en este conjunto de autores. Mientras que pertenece cronológicamente a la primera generación de escritores hispanoamericanos influidos por el surrealismo francés, sus obras publicadas aparecen después de 1946, y así debe pertenecer a la segunda generación según se ha esbozado en el Capítulo 3 de este estudio. Sin embargo, su única novela hasta hoy, *Pedro Páramo*, es un ejemplo sobresaliente de prosa surrealista si la examinamos a la luz del criterio establecido previamente. A excepción de los recursos lingüísticos vistos en las obras de Asturias y Cortázar, todas las características surrealistas propuestas por el profesor Ilie son claramente visibles en esta breve narración.

Nuestro análisis de *Pedro Páramo* enfocará primariamente el uso de la libre asociación o la escritura automática, que es la técnica predominante que emplea Rulfo para describir lo que es el tema central de la novela: una interpretación personal del malinchismo. No obstante, antes de emprender esta tarea, vamos a echar una ojeada a Juan Rulfo, hombre algo enigmático entre los escritores hispanoamericanos.

Juan Rulfo ha evitado la publicidad tan deseada por muchos de sus contemporáneos y se ha negado muchas veces a contestar preguntas sobre su vida personal y sus obras [1]. Ha conseguido renombre universal por dos obras, la colección de cuentos *El llano en llamas* (1953) y una novela, *Pedro Páramo* (1955). Se han traducido ambos libros a las lenguas más importantes. Las ventas de ambos son causa de envidia. En ciertos aspectos, Rulfo es comparable a la Bombal, que, cuanto menos publica, más crece su fama. El profesor Hugo Rodríguez-Alcalá ha resumido bien la situación de Rulfo: «Es el [caso] de la máxima fama con la mínima obra» [2].

Rulfo nació el 16 de mayo de 1918 en el distrito de Sayula, estado de Jalisco. Se dice que su familia gozaba de una vida cómoda hasta que lo perdió todo durante la Guerra de los Cristeros, que duró de 1926 hasta 1928, episodio que aparece en *Pedro Páramo*. Su padre murió durante esta guerra, y, después de la muerte de su madre, Juan entró en un asilo de huérfanos. En 1933, cuando tenía quince años, fue a la Ciudad de México, donde estudió contabilidad y derecho. Durante diez años ocupó un cargo de poca importancia en el Servicio de Inmigración, y, después de dejar este puesto, tuvo varias ocupaciones. Fue empleado de la Goodrich Rubber, guionista de cine, y trabajó en la televisión. Desde 1962, trabaja en el Instituto Nacional Indigenista. Quienes lo conocen dicen que es callado, inseguro de su capacidad y un perfeccionista. En parte, esto explica por qué destruyó la primera novela que había escrito y por qué hay intervalos tan largos entre publicaciones. Su meticulosa preocupación por su oficio ha demorado la publicación de *La Cordillera*, novela que su público espera con ansiedad.

De los dos libros publicados por Rulfo, *Pedro Páramo* es el que ha alcanzado más fama. Según algunos críticos, es la novela

---

[1] Para más datos biográficos, véase: Rodríguez-Alcalá, Hugo, *Narrativa hispanoamericana*, Madrid: Editorial Gredos, S. A., 1973; Harss, Luis, *Los nuestros*, Buenos Aires: Editorial Sudamericana, 1969.

[2] Rodríguez-Alcalá, *Op. cit.*, pág. 88.

que inició el llamado «boom», característica de la prolífica producción de ficción hispanoamericana durante los últimos veintiséis años [3]. Se han aventurado numerosas interpretaciones temáticas, y los críticos han ofrecido varias explicaciones de las técnicas usadas en esta obra, técnicas que emanan de la novela moderna de este siglo [4]. Se dice que las influencias sobre las obras de Rulfo provienen primariamente de Kafka, Joyce, Faulkner, Dos Passos y los escritores rusos y escandinavos. Algunos de estos escritores presentan un estilo o forma exterior comúnmente conocido como literatura del «fluir constante» [5]. Obviamente, *Pedro Páramo* demuestra muchas similaridades con este tipo de literatura. Pero los críticos que no conocen la literatura mexicana tienden a hacer analogías con autores de fama universal o con sus propios compatriotas. Parece que, en su afán de determinar las fuentes de inspiración literaria de Rulfo, han pasado por alto el vasto legado de la literatura mexicana. Basta leer las novelas mexicanas de los años veinte por Gilberto Owen, Jaime Torres Bodet, Xavier Icaza y la dificilísima novela de Mariano Azuela, *La Malhora*, para hallar precursores con técnicas que hoy son comunes en la novela contemporánea. No sabemos con exactitud la deuda de Rulfo con sus compatriotas. Aun cuando estos escritores mexicanos no lograron fama universal como Joyce o Faulkner, sin duda estaban al día en cuanto a los cambios estimulados por la vanguardia europea. Luis Mario Schneider ha expuesto adecuadamente este dilema:

> La crítica viene sosteniendo que tanto en Rulfo como en Revueltas se dejan ver influencias directas de los escritores de la llamada generación perdida de los Estados Unidos, así como de Sartre y su corriente existencialista. Sin embargo, tal posición

---

[3] Donoso, José, *Historia personal del «boom»*, Barcelona: Editorial Anagrama, 1972, pág. 116.

[4] Gertel, Zunilda, *La novela hispanoamericana contemporánea*, Buenos Aires: Nuevos Esquemas, 1970, págs. 32-33.

[5] Véase: Humphrey, Robert, *Stream of Consciousness in the Modern Novel*, Berkeley: University of California Press, 1959.

implica una salida simplista y, por supuesto, no llega a determinar
las vertientes verdaderamente originales [6].

No obstante, a pesar de esta polémica, existe un vínculo que
une a todos estos escritores. Es la libertad de expresión, que
describe más incisivamente el punto de vista del autor y en-
vuelve al lector más profundamente en el proceso creativo. La
búsqueda de las técnicas que permiten esta libertad de expresión no se origina en el mundo anglosajón, aunque James Joyce
llegó a ser su exponente más celebrado. Es evidente en Joyce
la influencia de Édouard Dujardin y de los autores de la vanguardia de comienzos del siglo veinte [7]. Los responsables de
haber cristalizado los cambios en las técnicas artísticas y literarias fueron los surrealistas franceses. *Pedro Páramo* es un producto del legado heredado de ellos. El argumento más certero
para corroborar esta opinión está en la técnica sobresaliente
empleada por Rulfo en la novela, el uso de la libre asociación
o el automatismo controlado. De buenas a primeras se concluye
que esto es una contradicción. ¿Cómo puede el automatismo
lograr su función específica si está controlado?

La escritura automática significaba originalmente que el autor no ejercía ningún control racional sobre su obra. Antes
señalamos que los surrealistas escribían frecuentemente bajo
el influjo de drogas, hipnosis y sesiones espiritistas. Abandonaron al fin estas prácticas para hacer más comprensibles sus
obras. Lo que resultó fue un esfuerzo más consciente en el uso
de la escritura automática, y así tenemos un término más de-
finido, el automatismo controlado. Sin embargo, si uno escribe
con o sin un intento deliberado y racional de deformar la realidad, los efectos son muchas veces iguales. Puesto que el crítico
no puede estar seguro del grado de deliberación por parte del
autor, usamos aquí los términos libre asociación o escritura
automática, como hacen otros críticos, para describir el fluir
del pensamiento incongruente, no racional y no sintáctico. Al-

---

6 Flores, Ángel y Silva Cáceres, Raúl, *La novela hispanoamericana
actual*, New York: Las Américas Publishing Company, 1971, pág. 126.

7 Humphrey, *Op. cit.*, pág. 24.

guien que ha analizado bien el estilo de Rulfo, y cuyas conclusiones son semejantes a las mías, es Carlos Blanco Aguinaga:

> Rulfo se encuentra con una libertad absoluta para enfocar su mundo sin ninguna de las convenciones de la novela realista tradicional... Ahora, frente a un mundo de fantasmas y rumores, el orden cronológico de la narración pierde toda razón de ser y al desaparecer este orden desaparece su convención simbólica: la estructuración de la obra en capítulos. En *Pedro Páramo*, en lugar de capítulos cronológicos —o aun contrapunteados— encontramos fragmentos de tiempos diversos, relacionados todos entre sí por la unidad sin límites que es el no tiempo de la muerte y la confusión que son los rumores mismos... Con maestría asombrosa Rulfo ha ordenado la confusión, el caos de voces y rumores atemporales con que se le dio esta obra y su personaje central. Pero ha ordenado —ahí la maestría— en libertad aparente, sin que notemos la presencia calculadora del narrador que escribe desde el tiempo [8].

La consideración más importante del estilo de Rulfo es que no notamos la presencia calculadora del narrador. Una primera lectura de la novela nos da la impresión de que Rulfo, después de haber terminado la obra, dejó caer las páginas desde lo alto de la caja de la escalera y luego procedió a juntarlas al azar sin prestar atención al orden de la novela. Una lectura más cuidadosa revela que Rulfo deja poco al azar. Pero, en el caso de *Pedro Páramo*, es necesario admitir que la aproximación del crítico a la estructura depende muchas veces de su interpretación de la obra.

Mario Vargas Llosa ha dicho que el escritor es el exorcista de sus propios demonios, y tal vez esto se aplica bien a Juan Rulfo. Se ha visto el tema de *Pedro Páramo* como una respuesta catártica de Rulfo a su juventud solitaria, una visión de México como el cielo y el infierno, otra novela de la Revolución, y se han dado otras muchas interpretaciones. Como quiera que sea, *Pedro Páramo* es una visión personal de México, y la estructura temática de la obra sugiere la percepción caótica de su patria.

---

[8] Lafforgue, Jorge, ed., *Nueva novela latinoamericana*, vol. I, Buenos Aires: Editorial Paidós, 1962, pág. 103.

Tal punto de vista no es extraño en un escritor mexicano. La originalidad de Rulfo consiste en la manera de presentar la psique de una nación no entendida inmediatamente en los libros de historia. Examinemos algunos aspectos generales del malinchismo para ver cómo se relacionan con esta espléndida novela.

Desde la Revolución de 1910, muchos escritores mexicanos se han interesado por buscar una identidad nacional y una interpretación de la psique mexicana. Uno de los expositores más sobresalientes de la mexicanidad es Octavio Paz. Mientras que México es el tema predominante en casi todas sus obras, la que mejor destaca sus ideas acerca del carácter nacional de su pueblo es *El laberinto de la soledad* [9]. El Capítulo IV de esta colección de ensayos es «Los hijos de la Malinche», que intenta explicar el fenómeno comúnmente conocido como malinchismo. El parecido entre las ideas expresadas en esta teoría y la visión de México expuesta en *Pedro Páramo* es más que una mera coincidencia.

Puesto que la sociología trata del origen y la evolución de la sociedad y de las funciones de los grupos humanos, podemos definir el malinchismo como un término sociológico. Pero la separación entre la sociología y la psicología en lo que se refiere a esta teoría es muy pequeña.

¿Cómo concibe Paz el malinchismo? Parece apropiado examinar algunas ideas preliminares en el Capítulo IV de *El laberinto de la soledad* antes de analizar la tesis central.

Paz concibe el carácter mexicano como algo insondable y legendario. Este concepto se debe mayormente a la propensión del mexicano hacia el hermetismo. El mexicano es producto de circunstancias sociales que tienen sus raíces en la historia. Nunca se revela de una manera natural, «sin el acicate de la fiesta, el alcohol o la muerte» [10]. Su soledad engendra una actitud servil, que, según Paz, tiene su origen en el período colonial. Esto implicaría que el conquistador español es responsable de tal actitud.

---

[9] Paz, Octavio, *El laberinto de la soledad*, México: Fondo de Cultura Económica, 5.ª edición, 1967.

[10] *Op. cit.*, pág. 64.

Paz insiste también en que el mexicano lucha contra entidades imaginarias, vestigios del pasado o fantasmas engendrados por el mexicano mismo. Estos fantasmas tienen un aliado secreto y poderoso: el temor del mexicano a ser él mismo: «Porque todo lo que es el mexicano actual, como se ha visto, puede reducirse a esto: el mexicano no quiere o no se atreve a ser él mismo» [11].

En la estructuración de su tesis central, Paz delibera sobre las varias significaciones de la palabra «chingar» tal como se emplea en México. Lo que nos fascina en este proceso es cómo se puede disecar semánticamente la psique de una nación:

> Pero la pluralidad de significaciones no impide que la idea de agresión —en todos sus grados, desde el simple de incomodar, picar, zaherir, hasta el de violar, desgarrar y matar— se presenta como significado último... Lo chingado es lo pasivo, lo inerte y abierto, por oposición a lo que chinga, que es activo, agresivo y cerrado. El chingón es el macho, el que abre. La chingada, la hembra, la pasividad pura, inerme ante el exterior... La chingada es la Madre abierta, violada o burlada por la fuerza. El «hijo de la chingada» es el engendro de la violencia, del rapto o de la burla [12].

Las tres palabras importantes para nuestra consideración son: «la chingada», «el hijo de la chingada», y «el macho». Paz procede a hacer la analogía siguiente: Doña Marina (La Malinche) fue la intérprete y compañera constante de Hernán Cortés. Aunque se rindió voluntariamente al español, es el símbolo de la mujer violada, seducida por el español, que la abandona después de la conquista del país. Cortés, en su lugar, será el símbolo del «macho» o «chingón», el que emplea la violencia para cumplir sus intenciones. El producto de este acto de violencia es «el hijo de la chingada», el que sufre las consecuencias de esta unión. Por supuesto, todo esto simboliza el choque entre dos culturas muy distintas. Paz concluye:

---

[11] *Op. cit.*, pág. 66.
[12] *Op. cit.*, págs. 68-72.

> La extraña permanencia de Cortés y de la Malinche en la ima-
> ginación y en la sensibilidad de los mexicanos actuales revela que
> son algo más que figuras históricas: son símbolos de un conflicto
> secreto, que aún no hemos resuelto... El mexicano no quiere ser
> ni indio ni español. Tampoco quiere descender de ellos. Los niega.
> Y no se afirma en tanto que mestizo, sino como abstracción: es
> un hombre. Se vuelve hijo de la nada. Él empieza en sí mismo [13].

En esencia, esta es la teoría del malinchismo. El mexicano
es producto de dos culturas diversas, ninguna de las cuales
tiene validez por sí. Y sin embargo, si no escoge, y rechaza las
dos, será producto de la nada. Por eso debe empezar en sí
mismo para encontrar la solución de su existencia vacía.

Paz añade también que La Reforma ha dejado algunos efectos en el carácter de su pueblo. Dice que Juárez y su generación
trataron de fundar una nación sobre ideales diferentes de los
de la Nueva España:

> El Estado mexicano proclama una concepción universal y ab-
> soluta del hombre: La República no está compuesta por criollos,
> indios y mestizos, como con gran amor por los matices y respeto
> por la naturaleza heteróclita del mundo colonial especificaban las
> leyes de Indias, sino por hombres a secas y a solas [14].

Se definen el mexicano y la mexicanidad como una ruptura
y negación de la antigua herencia. Habrá ahora una búsqueda
y una voluntad de transcender este estado de enajenamiento.

La analogía entre México y el ciclo familiar tiene cierta verosimilitud: España fue el padre, la nación azteca la madre.
Engendraron a México. Después de casi cinco siglos de historia,
México ha sufrido algunas experiencias interesantes: la Independencia, la Reforma, el Porfiriato y la Revolución de 1910. La
teoría de Paz sobre la psique mexicana está formulada cronológicamente. La interpretación de Rulfo no lo está. Está escrita
sin restricciones temporales, y va más allá de las fronteras históricas delineadas por Paz. No obstante, ambos escritores con-

---

[13] *Op. cit.*, págs. 79-80.
[14] *Op. cit.*, pág. 79.

ciben la historia mexicana como caótica. En el caso de Rulfo, esto explica hasta cierto punto la estructuración de *Pedro Páramo.*

La caótica estructuración de la novela se complica más por el sentido del «no tiempo». La percepción de México por Rulfo incluye un inextricable mosaico del pasado y el presente. Así comparte con Cortázar el concepto surrealista de la existencia, en que la división de la realidad y la irrealidad es un falso problema. Sin embargo, podemos extrapolar un argumento discernible de esta difícil estructuración.

Juan Preciado, habiendo hecho una promesa a su madre moribunda, vuelve a Comala para pedir a su padre, Pedro Páramo, la parte de su herencia que justamente le pertenece. El encuentro de Juan con la extraña atmósfera de Comala y la gente que vive allí se narra en una serie de escenas retrospectivas y desconectadas que revelan la historia del pueblo. El papel de Juan como iniciador de la narración sirve para presentarle al lector las sombras, los fantasmas, ecos, murmullos y otros personajes que añadirán a nuestro entendimiento de la obra. Esta aproximación a la historia por medio de lo fantástico es una característica sobresaliente de la literatura surrealista. Herbert Read explicó este proceso de lo fantástico:

> Lo «fantástico», contraseña que el realismo socialista excluye de la manera más radical y a la que el surrealismo nunca cesa de apelar, constituye en nuestra opinión la clave suprema de este contenido latente, los medios de sondar los puntales secretos de la historia que desaparecen bajo un laberinto de acontecimientos. Sólo aproximándose a lo fantástico, a un punto donde la razón humana pierde su control, es cómo la más profunda emoción del individuo posee la mejor oportunidad de expresarse: una emoción inapropiada que es capaz de proyectarse en la estructura del mundo real y que no tiene otra solución en su urgencia que depender de la solicitación externa de símbolos y mitos [15].

---

[15] Read, Herbert, *Surrealism*, London: Faber and Faber Limited, 1936, pág. 106.

Desde el principio de la novela se pierde cualquier sentido del tiempo en la presentación de Comala y los acontecimientos que ocurren allí. A medida que Juan Preciado se acerca al pueblo, pide orientación a un viajero, y se entera de que debe bajar la colina. El descenso de los dos se describe así:

—Habíamos dejado el aire caliente allá arriba y nos íbamos hundiendo en el puro calor sin aire...
—Hace calor aquí —dije.
—Sí, y esto no es nada —contestó el otro—. Cálmese. Ya lo sentirá más fuerte cuando lleguemos a Comala. Aquello está sobre las brasas de la tierra, en la mera boca del infierno [16].

Mientras que Comala refleja la infernal visión de México, simboliza y evoca también un pueblo antes de su ruina completa. Hugo Rodríguez-Alcalá resume este escenario ambivalente:

Comala será el infierno y estaría lleno de horrores. Mas los personajes fantasmales de Comala evocarían tiempos mejores, anteriores a la ruina del pueblo y a las culpas causantes de esta ruina, y entonces se suscitaría en la psique del lector una visión totalmente diferente: Comala, en la nostalgia, sería un pueblo hermoso, lleno de vida, de luz, de fragancias; Comala tendría un paisaje de dulces lomas y llanuras verdes, de cielo azul, de vientos tibios y de paz profunda [17].

Según nuestra teoría, *Pedro Páramo* es una interpretación del malinchismo, y así vemos que México es un infierno viviente creado por el choque entre la cultura hispana y la indígena. Aun el nombre del pueblo, Comala, proyecta este simbolismo. Un comal se usa para hacer las tortillas, el alimento básico tan identificado con México. Los personajes mismos son símbolos que conjuran el pasado de México.

Pedro Páramo es el personaje central de la novela. Su mismo nombre traiciona su verdadera personalidad. Pedro quiere

---

[16] Fulfo, Juan, *Pedro Páramo*, México: Fondo de la Cultura Económica, 7.ª edición, 1965, pág. 4. (Todas las citas del texto proceden de esta edición).
[17] Rodríguez-Alcalá, Hugo, *El Arte de Juan Rulfo*, México: Instituto Nacional de Bellas Artes, 1965, pág. 95.

decir piedra y páramo es un desierto. Controla los acontecimientos en Comala del mismo modo que lo indica su nombre. Todo lo que pasa en Comala y la vida de cada individuo giran alrededor de él. Cuando Juan Preciado llega a Comala, no se sabe si Pedro Páramo está vivo o muerto. El encuentro con Abundio, al principio de la novela, no aclara esta circunstancia. Las escenas retrospectivas revelan que la historia de la familia Páramo ha sido bastante violenta. Se conoce a Pedro como «un rencor vivo». Mataron a su padre, Don Lucas Páramo, y nos enteramos de que el padre había dejado deudas que no podía pagar sin vender sus tierras. Aquí surgen la naturaleza violenta y la astucia de Pedro Páramo. Para retener sus propiedades, arregla su propio matrimonio con Dolores Preciado, cuya familia posee casi todos los préstamos hipotecarios de la familia Páramo. Cuando otro acreedor, Toribio Alderete, disputa las fronteras de sus tierras, Pedro se burla de la ley haciendo que su administrador, Fulgor Sedano, mate a Alderete. Cuando su amante, Susana San Juan, muere, Pedro da salida a su remordimiento y enfado con los de Comala:

—Don Pedro no hablaba. No salía de su cuarto. Juró vengarse de Comala: —Me cruzaré de brazos y Comala se morirá de hambre. Y así lo hizo [18].

Por lo tanto, Pedro simboliza al macho, al chingón. Abandona a Dolores Preciado igual que Cortés había dejado a Doña Marina. El papel de Dolores es precisamente el de la Malinche, la violada. El autor no traza bien su personalidad. Oímos su voz en la forma de murmullos y ecos que recuerdan una Comala hermosa, llena de vida, de llanuras verdes. Dolores simboliza a México antes de la llegada del español cuando el salvaje noble vivía en paz, libre de la violencia del hombre blanco. La unión entre Pedro Páramo y Dolores Preciado constituye la mezcla de dos civilizaciones, de la que resulta una raza nueva, una nueva cultura y una historia violenta. Vamos a ver qué aspecto tiene la progenie de esta unión: «los hijos de la Malinche».

---

[18] Rulfo, *Op. cit.*, pág. 121.

Pedro Páramo tiene tres hijos: uno legítimo (Juan Preciado) y dos ilegítimos (Miguel y Abundio). La función de cada hijo es distinta y a la vez importante para entender la teoría del malinchismo. Rulfo no los describe con atributos físicos, pero su presencia amorfa nos dice mucho.

Miguel Páramo tiene la misma naturaleza violenta de su padre. Seduce a todas las mujeres alrededor de Comala, mata al padre de Ana (la sobrina del Padre Rentería) y muere tan violentamente como había vivido. Su caballo lo arrojó contra un muro cubierto de hiedra, que antes era el linde entre las propiedades de Pedro Páramo y Toribio Alderete. Después de su muerte, Miguel entra y sale de la narración como un alma en pena que debe vagar por la tierra para siempre. Hay un sentido de castigo divino en este papel. Miguel es producto de la violencia, que sólo engendra violencia.

El papel de Abundio Martínez refuerza aún más nuestra tesis. Es el arriero que aparece al principio de la narración y acompaña a Juan Preciado (no sabe que es su hermanastro) hasta la entrada de Comala. Aparece brevemente hacia la mitad de la obra, pero sin producir un impacto notable. Sin embargo, comparte con Pedro Páramo el clímax dramático del capítulo final. Abundio ha ido a la pulpería para emborracharse después de la muerte de su esposa e hijo, víctimas de un parto difícil. En un estado de embriaguez extrema, empieza a volver a casa. Su borrachera no ha pacificado su rencor. De repente, decide visitar a su padre y pedirle dinero para enterrar a sus seres queridos:

> —Denme una caridad para enterrar a mi mujer —dice al ver de súbito «la figura de un señor sentado junto a una puerta» [19].

No se saludan. Cuando Pedro Páramo se niega a ayudarle, Abundio lo ataca con su cuchillo:

> —Dio un golpe seco contra la tierra y se fue desmoronando como si fuera un montón de piedras [20].

---

[19] *Op. cit.*, pág. 123.
[20] *Op. cit.*, pág. 124.

Así, Pedro Páramo mismo encuentra un fin violento. Abundio personifica la soledad y la actitud servil de su raza. Es típico del mexicano (según Paz) que nunca se expresa de una manera natural «sin el acicate de la fiesta, el alcohol o la muerte». La escena simboliza la muerte del «chingón», que ejerce su voluntad de hierro sobre una gente pasiva.

Juan Preciado, el tercer hijo, es uno de los narradores principales durante la primera mitad de la obra. Por sus ojos vemos el mundo de Comala. Su búsqueda del padre desconocido trasciende la promesa hecha a su madre. Encarna al mexicano moderno, que busca su propia identidad. De algún modo, es el otro yo de Rulfo. Los dos quedaron huérfanos a una edad temprana y ambos buscaron su propia identidad como medio de escapar a su soledad.

Otros personajes de la novela, como el Padre Rentería, aportan un aspecto importante a la interpretación del malinchismo. El Padre Rentería está presente en cada suceso de Comala. Celebra la misa cuando Pedro Páramo se casa, ayuda a Susana San Juan durante sus últimos días y oye las confesiones de todas las mujeres que se han acostado con Miguel Páramo. Su alma está llena de remordimiento porque no hace nada para amonestar a Pedro Páramo por sus crímenes. Una vez que vuelve a casa su sobrina, Ana, le pregunta:

—¿Se siente mal?
—Mal no, Ana. Malo. Un hombre malo.
Eso siento que soy [21].

El Padre Rentería es el único religioso de la novela. Esto implica que simboliza a la Iglesia, que tiene fama en México de haber compartido con la oligarquía la injusticia económica y social contra las masas a través de la historia. El desdén que siente Rulfo hacia este personaje se refleja en el hecho de que el Padre Rentería se alista en las filas de los Cristeros, un grupo de fanáticos que destruyen el hogar de la familia Rulfo.

---

[21] *Op. cit.*, pág. 48.

El personaje más enigmático de la novela es Susana San Juan. Es un misterio total. No conocemos el mundo en que vive. Rulfo nos dice simplemente que es hermosa. Hace muchos años que Susana no vive en Comala, y, cuando vuelve, es evidente que está enloqueciendo. Nunca se aclara el secreto de su trauma. Sin embargo, sabemos que Pedro Páramo siempre la ha amado. Hay indicios de que las relaciones entre Susana y su padre, Bartolomé, no son del todo satisfactorias. Nunca se dirige a él como padre, y en una ocasión niega ser su hija. En esta escena vemos un cuadro retrospectivo en que Susana, de niña, desciende a un lugar semejante a un pozo atada de una soga. Está buscando algunas monedas de oro con su padre. Lo único que encuentra es un esqueleto que se deshace en sus manos cuando lo toca. Se asusta y pierde el conocimiento. Cuando se despierta algunos días más tarde, su padre le está pegando fríamente en la cara. Desde aquel día, comienza la angustia de Susana. Este es el episodio más difícil de la novela. Es posible que la escena simbolice el asesinato de su esposo, cometido por Bartolomé por orden de Pedro Páramo, o posiblemente un acto de incesto. La última interpretación se relaciona con una escena que ocurre cuando Susana está a punto de morirse. Un gato negro entra en su cuarto y, cuando pregunta quién es, se entera de que es su padre, que acecha en la oscuridad.

Susana es también una narradora importante de la novela. A medida que da vueltas en la tumba después de su muerte, evoca varios episodios del pasado, referentes a la triste historia de Comala. Su papel tiene relación directa con la interpretación de la mexicanidad. Susana resume la frustración. Es la contrapartida femenina de Abundio. Debido a su frustración, no puede establecer su propia identidad. No sabe si es la hija de Bartolomé o la esposa de Pedro Páramo. Llega a ser el símbolo de la inocencia viciada por la violencia.

Si es confuso el incesto entre Susana y Bartolomé, es muy evidente en el pasaje relativo a Donis y Dorotea. Son hermanos que cohabitan a causa de la soledad. Refuerzan este tema en la novela. También representan a ciertos individuos del estado de donde viene Rulfo, una provincia donde los hermanos cohabitan para tener alguna esperanza de continuidad frente a la despoblación de la región.

Todos los personajes tienen un denominador común, la frustración. Si se analiza esta frustración a la luz del malinchismo, vemos que es la característica sobresaliente de la historia mexicana. La visión de Rulfo se relaciona con la profunda emoción de su pueblo. Esta visión pesimista por parte del autor se expresa en un comentario de Bartolomé San Juan:

> —Hay pueblos que saben a desdicha. Se les conoce con sorber un poco de su aire viejo y entumido, pobre y flaco como todo lo viejo. Este es uno de esos pueblos, Susana.
>
> «Allá, de donde venimos ahora, al menos te entretenías mirando el nacimiento de las cosas: nubes y pájaros, el musgo, ¿te acuerdas? Aquí en cambio no sentirás sino ese olor amarillo y acedo que parece destilar por todas partes. Y es que este es un pueblo desdichado; untado todo de desdicha» [22].

Este «olor amarillo y acedo» simboliza por supuesto, las cualidades infernales que Rulfo adscribe a su patria. Desgraciadamente, su visión ofrece poca esperanza para el futuro. Es una visión surrealista que abarca hechos históricos y mitos tradicionales, y así presenta una interpretación muy creativa de la realidad mexicana. Las cualidades poéticas combinadas con las innovadoras narrativas técnicas han confirmado a *Pedro Paramo* como una de las mejores obras hispanoamericanas escritas al modo surrealista.

---

[22] *Op. cit.*, pág. 87.

CAPÍTULO IX

EL MONTAJE SURREALISTA

(MARIO VARGAS LLOSA, *La Casa Verde*, 1963)

Andrés Amorós ha llamado a Mario Vargas Llosa el Benjamín de los escritores hispanoamericanos [1]. Este epíteto es apropiado no sólo porque es el más joven de los autores que hemos estudiado hasta aquí, sino porque representa a los escritores de su generación que han continuado la moda surrealista cultivada por la generación anterior. Vargas Llosa tiene una fama internacional que lo sañala como el más destacado novelista contemporáneo hispanoamericano. El hecho de que reconozca su deuda con los precursores confirma su sólida reputación como escritor y el prestigio que la narración hispanoamericana ha logrado en los últimos treinta años.

La Casa Verde, que analizaremos en este capítulo final, representa otra etapa del desarrollo de la moda surrealista. Estamos ahora ante un autor joven cuyo concepto del surrealismo se ajusta a la interpretación promovida por Julio Cortázar. Sin embargo, ciertos críticos que han estudiado las obras de Vargas Llosa, aunque se refieren de vez en cuando a los pasajes surrealistas, todavía comparan su estilo con el de novelistas como James Joyce, Virginia Woolf y William Faulkner. En pocas palabras, les parece más conveniente usar los términos «el cons-

---

[1] Amorós, Andrés, *Introducción a la novela hispanoamericana*, Salamanca: Anaya, 1973, pág. 162.

tante fluir» o «la novela moderna» cuando intentan destacar las fuentes de su inspiración literaria. Ya hemos argumentado contra tales términos, y no es necesario refutarlos de nuevo. Ciertamente, sería absurdo decir que el surrealismo haya tenido un influjo decisivo en su preparación, pero igualmente absurdo sería excluirlo.

Cuando Mario Vargas Llosa salió del Perú para buscar fama y fortuna en Europa, tuvo que trabajar en diferentes oficios para subsistir. Obtuvo un puesto en la radio y televisión francesa, en París. La naturaleza de su trabajo le daba oportunidad para tener entrevistas con escritores hispanoamericanos como Borges, Carpentier, Cortázar, Fuentes y otros. Más tarde afirmaría que estos escritores representaban «la tendencia más original, más rica, más audaz y ambiciosa de la novela occidental» [2]. ¡Qué enunciado por parte de un escritor tan familiarizado con los escritores franceses y norteamericanos! No obstante, entre todos estos escritores, hay uno que le ha servido de modelo en cuanto al buen arte de escribir y a la conducta y punto de vista del escritor contemporáneo de Hispanoamérica. Es Julio Cortázar, de quien Vargas Llosa ha dicho:

> En cierta forma ha sido un modelo mío. A mí me parece admirable con qué pureza, con qué integridad, vive la literatura, cómo está dispuesto a sacrificar la vocación a nada. Yo creo que ésta es la conducta indispensable de un escritor [3].

Julio Cortázar puede ser, entre los contemporáneos, el escritor surrealista *par excellence*. Pero la influencia surrealista sobre Vargas Llosa ha sido parte integral de su vida desde los años de su formación. El surrealismo arraigó en el Perú por los esfuerzos de César Vallejo, Xavier Abril, Emilio Adolfo Westphalen y César Moro. Vargas Llosa conocía y recibió el influjo personal de César Moro, que fue su profesor de francés en el Leoncio Prado y le sirvió de modelo para la figura del profesor

---

[2] M. F., «Conversación con Vargas Llosa», *Imagen*, núm. 6, agosto de 1967, pág. 5.
[3] Rodríguez Monegal, Emir, «Madurez de Vargas Llosa», *Mundo Nuevo*, núm. 3, setiembre de 1966, pág. 63.

Fontana en *La ciudad y los perros*[4]. Para entender mejor la atracción ejercida sobre Vargas Llosa por el surrealismo, basta examinar los numerosos artículos que ha escrito sobre escritores surrealistas, pintura surrealista y arte y literatura vanguardistas en general. Es interesante notar también que cuando Vargas Llosa recibió, en 1967, el Premio Rómulo Gallegos del Instituto Nacional de Cultura y Bellas Artes de Venezuela, pronunció un discurso sobre las vicisitudes de los escritores y su profesión. Para ejemplificar la soledad que experimenta el escritor, habló de un desconocido poeta peruano, Carlos Oquendo de Amat, influido por la poesía de André Breton[5].

A lo largo de este estudio hemos examinado autores que emplean de varios modos técnicas y conceptos surrealistas. Hemos visto que María Luisa Bombal enfoca así exclusivamente los elementos oníricos, mientras que los escritores más versátiles, como Asturias y Cortázar, recorren toda la moda surrealista. Si tenemos en cuenta que Vargas Llosa representa una extensión y un desarrollo más adelantado de la moda surrealista, observamos que en sus obras *in toto* también encierran casi todos los conceptos y técnicas ya estudiados en obras como *El Señor Presidente* y *Rayuela*. Por ejemplo, *La ciudad y los perros* contiene monólogos interiores, secuencias oníricas, verbalismo polisemántico y palabras de *portmanteau*. En *La Casa Verde* hay otras formas de la moda surrealista.

Algunos críticos han comparado *La Casa Verde* con *Rayuela*, y la exposición razonada de tal comparación se basa únicamente en el efecto zigzagueante producido a medida que saltamos de un episodio a otro. Aparte de esta semejanza, sería un error considerar *La Casa Verde* como una versión peruana de la obra de Cortázar. Ambas son conceptualmente disímiles. Como quiera que sea, lo que diferencia a *La Casa Verde* de las otras novelas que hemos estudiado es el empleo de la técnica llamada mon-

---

[4] Vargas Llosa, Mario, *La ciudad y los perros*, Barcelona: Seix Barral, 1963.

[5] Giacoman, Helmy F. y Oviedo, José Miguel, eds., *Homenaje a Mario Vargas Llosa*, New York: Las Américas Publishing Company, 1971, páginas 17-21.

taje cinematográfico. Originalmente, el montaje desempeñaba en el mundo de las películas el mismo papel que la escritura automática en la literatura o el *collage* en la pintura. Eisenstein y Pudovkin perfeccionaron esta técnica. Estudiaron las películas de D. W. Griffith y las de otros en su búsqueda del ritmo que consideraban la base formal de tales películas. Sus estudios y experimentos produjeron la primera teoría estética del arte cinematográfico:

> La dedujeron principalmente de *Intolerancia* (1916) de Griffith... *Intolerancia* contaba simultáneamente cuatro historias de cuatro épocas diferentes, saltando de una a otra según fuese necesario, y culminaba en un clímax cuádruple en que «la historia misma parece brotar como una catarata a través de la pantalla». Esto era un verdadero contrapunto cinematográfico «...Su revelación específica para los cinematógrafos soviéticos fue que el director de una película, como editor, podría ser el gran escamoteador del tiempo y del espacio, yuxtaponiendo cualquiera de los elementos del universo visible o todos ellos, para producir los contrastes, comparaciones, o paralelismos que requiriese el tema. Pudovkin escribió : «La redacción es la fuerza creativa de la realidad del filme», y él y sus colegas trataron de bosquejar lo más precisamente posible la teoría del montaje... La teoría del montaje (la selección, el cortar y el juntar una totalidad consecutiva de vistas separadas hechas en el proceso de la película) afirma que todo grabado es en la película la materia prima que ha de ser editada... En la redacción se juntan las vistas de una manera determinada, no por su contenido o valor narrativo, sino según el plan editorial preconcebido y estructurado para alcanzar el efecto rítmico. Se aseguran tales efectos «métricamente»; las secuencias compuestas de vistas muy breves producirán melancolía o reposo; se puede alternar o modificar los dos ritmos en el grado que se desee. La teoría del montaje supone que el asalto que estos ritmos medidos ejecutan sobre los reflejos humanos produce reacciones emocionales e intelectuales casi independientes del contenido... El montaje podría contar cualquier historia o dramatizar cualquier tema [6].

---

[6] *The Encyclopedia Americana*, vol. 19, New York: Americana Corporation, 1968, pág. 540 a-b. (La traducción es mía).

Estos principios adquieren una calidad surrealista en *La Casa Verde* a medida que el autor los manipula en la construcción del complejo argumento de la novela.

Vargas Llosa ha entretejido cinco historias, que son los hilos centrales de la narración. Cada una de ellas tiene ramificaciones que pertenecen al argumento particular, y numerosos personajes interrelacionados. Las historias se desarrollan en un período de unos cuarenta años. Se presentan en escenas retrospectivas, que exigen la atención del lector para poder ajustar el largo rompecabezas. La novela está compuesta de cuatro libros y un epílogo. Cada libro consta o bien de cuatro capítulos (los libros uno y tres) o bien de tres capítulos (los libros dos y cuatro). Para complicar más la situación, cada capítulo se divide en secuencias o subargumentos. El epílogo, como los cuatro libros, está compuesto de un prólogo y cuatro capítulos, estructura interesante para un epílogo. Los términos literarios no funcionan en el sentido normalmente aceptado por el lector. No hay un intento de ordenar el caos. Los términos sólo tienen sentido para el autor, que no se preocupa por hacer una narrativa coherente y lógica. José Miguel Oviedo ha esquematizado cuidadosamente los varios componentes, y su boceto nos da una idea del efecto de montaje que el lector encontrará en las divisiones centrales de la obra:

Libro Uno	Libro Tres
Prólogo	Prólogo
Cap. I (5 secuencias)	Cap. I (4 secuencias)
Cap. II (5 secuencias)	Cap. II (4 secuencias)
Cap. III (5 secuencias)	Cap. III (4 secuencias)
Cap. IV (5 secuencias)	Cap. IV (4 secuencias)
Libro Dos	Libro Cuatro
Prólogo	Prólogo
Cap. I (5 secuencias)	Cap. I (4 secuencias)
Cap. II (5 secuencias)	Cap. II (4 secuencias)
Cap. III (5 secuencias)	Cap. III (4 secuencias)

Total general de secuencias: 63

Epílogo

Prólogo

Cap. I

Cap. II

Cap. III

Cap. IV [7].

Hemos dicho ya que algunos críticos han comparado la estructura de esta novela con la de *Rayuela*. No obstante, el lector recordará que Cortázar, en la introducción de su novela, nos dio unas reglas para leer la obra. Vargas Llosa no nos da ninguna para leer *La Casa Verde*. El lector debe empezar en la primera página y seguir hasta el fin sin un orden cronológico para las historias e intercalaciones. No se puede conceptualizar el escenario del tiempo y del espacio. Algunos episodios empiezan al final y terminan con el principio o a la mitad del argumento. Se emplean frecuentemente varios recursos narrativos, como el monólogo directo e indirecto, el autor omnisciente y la narración en primera, segunda y tercera persona. Se quebrantan todas las reglas sintácticas, todo se funde en una masa verbal, dándonos la impresión de un mosaico incongruente e irracional. Y es esta impresión la que establece la calidad surrealista del montaje. Pero, además de que el montaje tiene éxito y depende de la buena redacción, hay una sensación de un caos planeado, como ha sugerido Lillian Castañeda:

...no hay caos en la mente del autor, quien ha planeado cuidadosamente la arquitectura de su novela para mantener en suspenso al lector y hacer que participe de la acción. En un principio *La Casa Verde* es un verdadero rompecabezas, pues el autor opta por suprimir datos esenciales, suscitando cierta ambigüedad en torno al argumento y a las identidades de los personajes, y no es hasta la mitad del libro en que el rompecabezas comienza a tomar forma [8].

---

[7] Oviedo, José Miguel, *Mario Vargas Llosa: La Invención de una Realidad*, Barcelona: Seix Barral, 1970, pág. 144.

[8] Giacoman y Oviedo, *Op. cit.*, pág. 314.

Vargas Llosa, como un editor de películas, seleccionó, cortó y juntó los varios elementos del rompecabezas formado por cinco interesantes argumentos principales. En las páginas siguientes, intentaré juntar estas historias y explicar el fondo que figura en su creación.

La acción de estas historias fluctúa básicamente entre dos polos, Santa María de Nieva, en el nordeste del Perú, y la ciudad de Piura, en el Desierto de Sechura, al noroeste del país. El primer episodio revela los esfuerzos de una orden de monjas misioneras que mantiene un convento-misión en la avanzada de Santa María de Nieva. Este establecimiento es también una factoría que comercia en caucho, pues está situada en la confluencia del Río Nieva y el Alto Marañón. Vargas Llosa llegó a conocer esta interesante región al participar en una expedición arqueológica. Pudo observar las condiciones primitivas en que viven los aguarunas, muratos y huambisas. Allí se enteró de que, una vez al año, el ejército peruano ayudaba a las monjas a traer a la civilización a las indias jóvenes, que eran secuestradas por las buenas o por las malas y llevadas a la misión, donde les enseñaban a bañarse y vestirse apropiadamente, hablar castellano y aprender los principios rudimentarios de la religión católica. Las monjas, con sus buenas intenciones, consideraban que sus esfuerzos eran un gran servicio a la humanidad. Pero, cuando las muchachas terminaban su educación, el destino las trataba cruelmente. En muchos casos, sólo alcanzaban puestos de sirvientas o eran concubinas de los ricos. En *La Casa Verde*, una de estas muchachas, Bonifacia, recibe educación y más tarde es expulsada por haber dejado escapar a otras dos muchachas. Bonifacia se casa con un sargento del ejército, conocido simplemente por el nombre de Sargento. Pronto lo trasladan a Piura. Una noche, el Sargento participa en un juego de ruleta rusa en que mata a otro hombre. Le echan la culpa de su muerte y es condenado a prisión. Bonifacia se hace prostituta, y desde entonces la conocemos por el nombre de La Selvática. Aunque la historia está basada en hechos concretos, parece que las buenas monjas son víctimas de una terrible ironía. Vargas Llosa ha establecido la perspectiva de estas circunstancias:

Pero también es cruel la vida de niñas en la propia tribu. Tampoco allí las respetan, sus madres las desfloran con los dedos y se comen la telita, como en una ceremonia, o los padres mismos las violan. Es un mundo terrible[9].

El próximo episodio nos interna más aún en la selva, y de nuevo su tema es el de la explotación. Es la historia de Jum, el jefe de los indios urukusa. La fuente principal de rentas en esta región es el caucho, y su comercio está controlado por Julio Reátegui y sus asociados. Compran el caucho a precios muy bajos y obtienen grandes ganancias con un esfuerzo mínimo, con poco riesgo y pocas inversiones. Esta ha sido la práctica usual desde el siglo diecinueve. Un día, un individuo llamado Bonino Pérez decide que estas injusticias deben terminar. Comienza a mostrar a los indios cómo pueden unirse y formar una cooperativa. Así podrán pedir un precio más justo por su caucho. El hombre que escoge Pérez para llevar a cabo el plan es Jum. Obviamente, tal empresa económica amenaza a los comerciantes blancos, y en seguida toman las medidas necesarias para eliminar la amenaza. A las órdenes de Reátegui, los soldados van a capturar a Jum para hacer con él un escarmiento que cause temor entre los indios.

Los soldados ejecutan la orden con una crueldad increíble. Cayendo sobre la aldea, violan a las indias delante de sus esposos. Capturan a Jum y lo cuelgan por las muñecas entre dos árboles. Lo azotan y le queman las axilas con huevos calientes. Al fin, le rapan la cabeza, el máximo ultraje para un indio.

El tercer episodio también tiene lugar en la selva. Es la historia de Fushía (Tushía en realidad), un negociante-aventurero. Como las otras historias, se basa en la vida de un personaje real que andaba por la selva entre Iquitos y Santa María de Nieva. Sus aventuras rivalizan con las de Gaspar Núñez Cabeza de Vaca. Los aguarunas le relataron a Vargas Llosa muchos cuentos acerca de este hombre temerario que había llegado del Brasil y avanzado por el Marañón hasta el territorio de los aguarunas y huambisas. Fushía estableció un reino feudal en

---

[9] Rodríguez Monegal, *Op. cit.*, pág. 58.

la selva con un ejército privado que le ayudó a invadir todas las aldeas de la región cauchera. Sus negocios incluían también la caza de animales salvajes y la venta de cueros y madera. Su base de operaciones era una isla en medio del Río Santiago, donde vivía con un harén de indias. Su historia es una de las más interesantes y a la vez una de las más complejas de *La Casa Verde*. Como en las otras historias, no hay orden cronológico entre los varios subargumentos de la narración central.

La historia de Fushía comienza cuando secuestra a una muchacha blanca llamada Lalita. Sueña con ganar dinero para escaparse al Ecuador, donde planea pasar cómodamente sus últimos años. Después de muchos de trabajo duro, su mundo empieza a deshacerse. En su última empresa económica, Fushía se asocia con Julio Reátegui. Venden el caucho al Eje a buen precio. Cuando la ley los descubre, se echa toda la culpa a Fushía, que de nuevo se ve forzado a huir. Reátegui es demasiado poderoso e influyente para que los otros sospechen de él. Para aumentar sus problemas, Fushía contrae una enfermedad rara y su carne empieza a pudrirse. No se puede vivir con él. Lalita, que acaba de tener un hijo, escapa con el guía, Adrián Nieves. El único amigo de Fushía, Aquilino, lo lleva a un lugar escondido en la selva, una leprosería donde todos esperan la muerte. Fushía es un tipo zolesco, predeterminado por su ambiente, que lo consume.

Los episodios de el Sargento-Bonifacia y Fushía-Lalita tienen relación con otras historias, que ocurren en Piura. Vargas Llosa pasó un año en esta ciudad (1946), donde asistió al Colegio Salesiano. Tenía sólo diez años, pero conservó sus recuerdos de aquella experiencia y los incluyó en *La Casa Verde*.

El primero de estos episodios ocurridos en Piura es la historia de los Inconquistables, un cuarteto de vagabundos que viven en el barrio pobre de la ciudad, llamado La Mangachería. Es una vecindad conocida por sus mendigos, ladrones y asesinos, pero produce los mejores músicos de Piura. Los Inconquistables son José, el Mono, Josefino y Lituma. Simbolizan el elemento macho, y son famosos por sus jactancias y borracheras. Bonifacia y el Sargento reaparecen en esta parte de la narración. Pero, sin que lo sepa el lector, sus nombres son ahora La Selvática y Lituma. Bonifacia trabaja como prostituta, y Lituma acaba de salir de la prisión. Lituma ha cambiado considerablemente, y no sabe que Josefino ha seducido a Bonifacia (La Selvática). Toda esta historia enfoca las aventuras de los mangaches y el incidente de la muerte de Seminario (a quien mató Lituma). Este episodio es muy confuso, porque los personajes asumen un papel doble, y los acontecimientos no son muy claros.

La historia central y la que da el título a la novela es la historia de Anselmo y de La Casa Verde. Piura había sido una ciudad bastante aburrida en cuanto a actividades sociales, hasta que un día llega un forastero. Don Anselmo, como lo llaman con afecto, es un arpista excelente, que frecuenta las cantinas para demostrar sus dotes musicales. Todo el mundo quiere a Don Anselmo. Al poco tiempo, Don Anselmo decide que lo que necesita Piura es un buen prostíbulo. Así, con el estímulo de sus amigos, construye el edificio al borde de la ciudad, junto al desierto. Lo pinta de verde porque, según los rumores, había vivido en la selva. Hay algunas protestas de esposas desconcertadas y del cura local, el Padre García. Sin embargo, con el correr de los años, la presencia de La Casa Verde se acepta como algo normal. Como empresa económica, crece rápidamente y Anselmo hace ampliaciones y cambios de estructura. Al fin, ocurre algo que trastorna la buena fortuna de Anselmo y acaba causando su desgracia.

Un día encuentran en las dunas a una joven llamada Antonia. La pobre está medio muerta. Los buitres le han arrancado los ojos y la lengua. Se supo que sus padres habían sido atacados y muertos por bandidos. Juana Baura, una lavandera, cuida a Antonia como si fuera su madre. Pero un día Antonia desaparece, y con gran sorpresa de todos (incluso del lector), se sabe que Don Anselmo la ha secuestrado y la ha llevado a vivir con él en La Caca Verde. Nadie se atreve a rectificar la situación. Se supone que está en las mejores manos. Sin embargo, queda encinta y muere en el parto, a pesar de los esfuerzos del doctor Zevallos. La recién nacida, la Chunga, sobrevive. Cuando el Padre García se entera de lo ocurrido, incita a una muchedumbre para que quemen La Casa Verde. Así lo hacen, y Anselmo poco a poco llega a ser un roto que vive de botella en botella. Algunos años después, se regenera hasta cierto punto y toca de nuevo el arpa en el mejor conjunto de la Mangachería. Construyen una Casa Verde nueva en otra parte de la ciudad, ahora a cargo de la hija, la Chunga, que da trabajo al conjunto musical de su padre.

La técnica del montaje, usada como el recurso narrativo principal, no permite el desarrollo de los personajes al estilo del siglo diecinueve. El lector tiene que sacar muchas conclusiones a medida que junta los pedazos del rompecabezas. Vargas Llosa reconoce que a sus personajes les falta individualidad:

> En *La Casa Verde* he tratado de encontrar un procedimiento técnico que haga eso más visible, y es el hecho de haber suprimido casi completamente los personajes individuales y haber tratado de presentar personajes colectivos, es decir, grupos que pertenecen a realidades distintas y que son como manifestaciones de esas realidades distintas [10].

De acuerdo con esto, ha procurado ser un narrador de cuentos, un *conteur*. Como tal, tiene la responsabilidad de asegurar que ciertos aspectos de la narración se mantienen a pesar de sus intenciones y técnicas estéticas. Y esta responsabilidad nos obliga a decir que ni hay una transición lógica entre los personajes Bonifacia-Selvática, el Sargento-Lituma, y Anselmo, ni se logra la verosimilitud. Hay semejanzas en los recursos narrativos de esta novela y los de *El acoso*, de Carpentier. Pero los personajes de ésta son verosímiles. Si hay un defecto mayor en *La Casa Verde*, está en el desarrollo de los tres personajes mencionados.

El montaje surrealista de la novela tiene como resultado una total fragmentación del tiempo y del espacio. Vargas Llosa fragmenta no sólo los párrafos, sino también las frases. Tal

---

[10] Harss, Luis, *Los nuestros*, Buenos Aires: Editorial Sudamericana, 1969, págs. 442-443.

procedimiento ha suscitado comentarios como éste de Mario Benedetti:

> Pero también es un escándalo verbal. No porque a veces suelte un exabrupto sino porque a menudo las palabras se salen de cauce, operan por sí mismas, se introducen compulsivamente en un significado que no era el suyo, expresan mucho más de lo que el cuitado les permite. Un escándalo anti retórico, anti académico [11].

Vamos a examinar cómo emplea Vargas Llosa el montaje surrealista para establecer contrastes, comparaciones, paralelismos, ritmo y reacciones emocionales e intelectuales.

LAS PERSPECTIVAS AMBIGUAS

La multiplicidad de *foci* o perspectivas es un recurso comúnmente empleado por el autor en la narrativa. Los fragmentos aparecen, como en la pantalla, uno tras otro sin que el lector pueda entender el sentido de cada uno. Las palabras, frases e imágenes asaltan la psique del lector a un paso alarmante. En el Capítulo IV del libro tercero, hay una secuencia que empieza como un aparente monólogo interior en la mente de Lalita. Sin embargo, a medida que fluyen las palabras y frases, nos enteramos de que el trozo se compone de una serie de fragmentos que pertenecen a un rompecabezas más largo, que el lector debe juntar para crear algún sentido coherente:

> ELLA ESTABA solita, siempre esperando, para qué contar los días, lloverá, no lloverá, ¿volverán hoy día?, todavía es demasiado pronto. ¿Traerán mercadería? Que traigan, Cristo de Bagazán, santo, santo, mucha, jebe, pieles, que llegue don Aquilino con ropa y comida, ¿cuánto vendió?, y él bastante, Lalita, a buen precio. Y Fushía, viejo querido. Que se hicieran ricos, Virgencita, santa, santa, porque entonces saldrían de la isla, volverían donde los cristianos y se casarían, ¿cierto Fushía?, cierto Lalita. Y que él cambiara y la quisiera de nuevo y en las noches ¿a tu hamaca?, sí, ¿desnuda?,

---

[11] Benedetti, Mario, *Letras del Continente Mestizo*, Montevideo: Arca Editorial, 1969, págs. 246-247.

sí, ¿le chupaba?, sí, ¿le gustaba?, sí, ¿más que las achuales?, sí,
¿que la shapra?, sí sí, Lalita, y que tuvieran otro hijo. Fíjese, don
Aquilino, ¿no se me parece?, mírelo cómo ha crecido, habla huam-
bisa mejor que cristiano. Y el viejo ¿sufres, Lalita? y ella un poco
porque ya no la quería, y él ¿es muy malo contigo?, ...Los huambisas fueron a buscarlo y Pantacha a lo mejor lo mataron, patrón,
lo odian y el práctico Nieves no creo, ya se han hecho amigos, y
Fushía son capaces, esos perros, y Jum no me mataron, me fui
por ahí y ahora volví, ¿se iba a quedar?, sí. El patrón lo reñiría
pero no te vayas, Jum, se le pasaba prontito y, además, y Fushía
un poco loco, Lalita, pero útil, un convencedor. De veras diablos
cristianos, aguaruna aj?, les discurseaba?, Jum, patrón cojudeando,
mintiendo, aj?... Y el práctico Nieves no sabía sus nombres, pa-
trona, no le había dicho, dos cristianos nada más, le metieron odio
contra los patrones y decía que lo desgraciaron y ella ¿te engaña-
ron?, ¿te robaron?, y él me aconsejaron y ella quisiera que hablá-
ramos, Jum... [12].

LA FRAGMENTACIÓN DE SECUENCIAS TEMPORALES

Vargas Llosa vincula frecuentemente diálogos que se refieren
al mismo incidente, pero que han ocurrido en tiempos distintos.
El ejemplo más notable es el episodio que trata del juego de
ruleta rusa en que Seminario muere. De vez en cuando se menciona el encarcelamiento de Lituma, pero el lector no entiende
las circunstancias. El desarrollo de este misterio se cuenta en
tres diálogos separados: uno que pertenece directamente al
accidente, cuando Lituma fue trasladado de Santa María de
Nieva a Piura; en el segundo, los que fueron testigos del incidente lo recuerdan años más tarde; y el tercero explica cómo
la fanfarronada e insultos de Seminario provocaron el juego
de ruleta rusa con el Sargento (Lituma). Los tres diálogos,
expresados en un nivel temporal distinto, nos dan varias perspectivas de lo que ocurrió y realzan lo dramático del incidente.

---

[12] Vargas Llosa, Mario, *La Casa Verde*, Barcelona: Seix Barral, 6.ª edición, 1968, págs. 284-286. (Todas las citas del texto proceden de esta edición).

En otras ocasiones Vargas Llosa mezcla episodios que producen el efecto de una confluencia del tiempo y del espacio. Estos pasajes confunden mucho al lector, porque es casi imposible vincularlos y comprender la significación del pasaje, como se ve en los ejemplos siguientes:

—Mapas de la Amazonía, señor Reátegui —dijo don Fabio—. Enormes, como los que hay en el cuartel. Los clavó en su cuarto y decía es para saber por dónde sacaremos la madera. Había hecho rayas y anotaciones en brasileño, vea qué raro.

—No tiene nada de raro, don Fabio —dijo Fushía—. Además de la madera, también me interesa el comercio. Y a veces es útil tener contactos con los indígenas. Por eso marqué las tribus.

—Hasta las del Marañón y las de Ucayali, don Julio —dijo don Fabio—, y yo pensaba que hombre de empresa, hará una buena pareja con el señor Reátegui.

—¿Te acuerdas cómo quemamos tus mapas? —dijo Aquilino—. Pura basura, los que hacen mapas no saben que la Amazonía es como mujer caliente, no se está quieta. Aquí todo se mueve, los ríos, los animales, los árboles. Vaya tierra loca la que nos ha tocado, Fushía [13].

Los diálogos nos dan indicios de algo que ha ocurrido antes u ocurrirá más tarde en la narrativa. El pasaje revela tres diálogos distintos entre cuatro personajes diferentes: 1) Don Fabio-Julio Reátegui; 2) Don Fabio-Fushía; 3) Aquilino-Fushía.

EL DIÁLOGO ELÍPTICO

De ordinario es fácil distinguir entre el diálogo y las partes narrativas. Pero cuando un autor no sigue las reglas de puntuación es difícil seguir el fluir del pensamiento. Vemos preguntas y comentarios que tienen poca o ninguna importancia en la narración. Este recurso se parece a una forma pura de escritura automática, como se ve en el trozo siguiente:

---

[13] *Op. cit.*, págs. 50-51.

...y él tenía pero ya no tiene, y ella ¿muchos? y él pocos y entonces comenzó a llover. Nubes espesas y oscuras, inmóviles sobre
las lupanas, vaciaron agua negra dos días seguidos y toda la isla
se convirtió en un charco fangoso, la cocha en una niebla turbia
y muchos pájaros caían muertos a la puerta de la cabaña y Lalita
pobres, estarían viajando, que tapen los cueros, el jebe, y Fushía
rápido, carajo, perros, se cargaba a todos, en esa playita, busquen
un refugio, una cueva para hacer candela y Pantacha cociendo sus
yerbas y el práctico Nieves mascando tabaco como los huambisas.
Y Lalita también le traería esta vez... [14].

EL CAOS SINTÁCTICO

Hemos dicho varias veces que la literatura surrealista no
respeta las reglas gramaticales y sintácticas. La violación de
estas reglas se ve como el intento del autor de reflejar la irracionalidad humana y, a la vez, de crear un nuevo nivel de conciencia. En *La Casa Verde*, Vargas Llosa no crea neologismos
sino que se rebela contra los medios ordinarios de comunicación, rompiendo las reglas gramaticales, sintácticas y de puntuación. Así añade una dimensión a la realidad en que se hallan
sus personajes. Es una realidad que absorbe totalmente al lector,
forzándole a entrar en la psique del personaje. Nótese en el
pasaje siguiente la omisión de conjunciones, puntos, y el uso
incorrecto del pronombre y el verbo:

Y AL ANOCHECER ella escapó como él le dijo, bajó el barranco y
Fushía por qué te demoraste tanto, rápido, a la lanchita. Se aleja-
ron de Uchamala con el motor apagado, casi a oscuras, y él todo
el tiempo no te habrán visto, Lalita?, pobre de ti si te vieron, me
estoy jugando el pescuezo, no se por qué lo hago y ella, que iba
de puntero, cuidado, un remolino y a la izquierda rocas. Por fin
se refugiaron en una playa, escondieron la lancha, se tumbaron en
la arena. Y el estoy celoso, Lalita, no me cuentes del perro de
Reátegui, pero necesitaba una lancha y comida, nos esperan días
amargos pero ya verás, saldré adelante y ella saldrás, yo te ayuda-
ré, Fushía... [15].

---

[14] *Op. cit.*, págs. 286-287.
[15] *Op. cit.*, págs. 214-215.

En cuanto a riqueza de palabras y ambiente, *La Casa Verde* es una versión contemporánea de novelas como *La Vorágine*, *Doña Bárbara* y *Los pasos perdidos*, que combina los elementos telúricos de las dos primeras con las cualidades artísticas de la última. Si hay un intento de describir los efectos del determinismo geográfico, no lo hace Vargas Llosa con la intención de culpar a las fuerzas predominantes del ambiente en que viven sus personajes. En cambio, prefiere acriminar a las fuerzas gobernantes y sociales de su patria. Como escritor comprometido, examina con sutileza y expone lo que considera las actitudes y conducta anticuadas de las instituciones poderosas, como las fuerzas militares, los intereses comerciales, la aristocracia y la Iglesia. Si se lee *La Casa Verde* desde esta perspectiva, el libro presenta una visión pesimista de la realidad peruana. Sin embargo, el libro ha tenido una repercusión importante en la ficción hispanoamericana. Creemos que lleva adelante la tradición de la moda surrealista que ha sido materia de este estudio.

CONCLUSIÓN

El propósito de este estudio ha sido demostrar que hay características discernibles en la ficción hispanoamericana que revelan la presencia de una modalidad surrealista. Se esperaba que un análisis de un número limitado de obras fuera tan concluyente como un estudio de naturaleza panorámica. Asimismo, para eludir la polémica normalmente asociada con escritores surrealistas que no son franceses, escogimos a esos autores que tenían vínculos históricos con el surrealismo francés o que demostraban una definitiva predilección por los conceptos y las técnicas de esa escuela estética. Como criterio analítico, empleamos sobre todo los principios propuestos por los profesores J. H. Matthews y Paul Ilie, para que el lector comprendiera no sólo el enfoque del estudio sino también el uso del término «surrealista» en la literatura contemporánea.

Hemos tratado de trazar un desarrollo progresivo de la modalidad surrealista a través de más de cuatro décadas. Las siete novelas que forman la base de nuestro análisis recorren conceptos y técnicas muy diversos, desde lo onírico hasta el uso del contralenguaje. En nuestra opinión, estas obras ilustran plenamente la influencia surrealista en la ficción hispanoamericana. A la luz de lo que hemos intentado, establecemos las siguientes conclusiones. Primero, las obras estudiadas reflejan colectivamente la presencia de metas y técnicas surrealistas como parte integral del vasto panorama de la ficción hispanoamericana. Segundo, a pesar de que solamente hubo unos pocos grupos de admiradores formalmente organizados, todos tenían un buen conocimiento de la escuela francesa, la cual ejerció una vasta influencia sobre un número considerable de escritores. Tercero, los siete autores tienen algo en común: su relación intelectual y emocional frente a su ámbito cultural, que se describe en sus obras por medio de la fusión de sus experiencias personales en una especie de surrealidad. Cuarto, el término «surrealista» ha cambiado considerablemente desde la fundación del movimiento original, así como el término «romántico» evolucionó a través del siglo XIX. Sin embargo, creo que cuando se escriban las historias definitivas de la literatura del siglo XX, los términos como «barroco», «neobarroco», «la novela de constante fluir», «realismo mágico», etc., desaparecerán, y que la palabra «surrealista» ha de ser en el futuro la única designación aplicable a la mayor parte de las obras literarias de nuestra época.

En conclusión, pienso que la interpretación de la modalidad surrealista en la literatura hispanoamericana será materia de polémica por mucho tiempo. Espero que este breve estudio haya contribuido de alguna manera a la disminución de esta polémica.

APÉNDICE I*

EL SURREALISMO EN LAS AMÉRICAS

ARGENTINA

Hasta la publicación de *Poesía argentina de vanguardia*: *surrealismo e invencionismo* (1964) por Juan José Ceselli, no se ha hecho ningún intento de apuntar el impacto del surrealismo sobre la poesía argentina. Los que se interesen en retrazar la historia de las actividades surrealistas en la Argentina no pueden evitar la selección pionera de Ceselli sobre los textos surrealistas y parasurrealistas.

(a) *Publicaciones por y sobre los surrealistas en la Argentina*:

Breton, André, *Fata Morgana*, Buenos Aires, Editions des Lettres françaises, 1942.

Ceselli, Juan José, *La Otra Cara de la Luna*, Buenos Aires, Ediciones «Botella al Mar», 1955.

— *Los Poderes Melancólicos*, Buenos Aires, Editorial Americalee, 1955.

— *De Los Mitos Celestes y de Fuego*, Buenos Aires, Ediciones «Letra y Línea», 1955.

— *La Sirena Violada*, Buenos Aires, Editorial Americalee, 1957.

— *Violín María*, Buenos Aires, Ediciones La Reja, 1961.

— *Poesía Argentina de Vanguardia*: *Surrealismo e Invencionismo*, Buenos Aires, Ministerio de Relaciones Exteriores, 1964.

---

* Fuente: Matthews, J. H., «Forty Years of Surrealism (1924-1964): A Preliminary Bibliography», *Comparative Literature Studies*, III, 3 (1966), 309-350.

Latorre, Carlos, *Puerta de Arena*, Buenos Aires, Editorial «Botella al Mar», 1950.
— *La Ley de Gravedad*, Buenos Aires, «Botella al Mar», 1952.
— *El lugar Commún* (sic), Buenos Aires, Ediciones «Letra y Línea», 1954.
— *Los Alcances de la Realidad*, Buenos Aires, «Letra y Línea», 1955.
— *La Línea de Flotación*, Buenos Aires, Ediciones «A Partir de Cero», 1959.
Llinás, Julio, *Panta Rhei*, Buenos Aires, Ediciones «Cuarta Vigilia», 1950.
— *La Ciencia Natural*, Buenos Aires, Boa Ediciones, 1959.
Madariaga, Francisco José, *El Pequeño Patíbulo*, Buenos Aires, Ediciones «Letra y Línea», 1954.
— *Las Jaulas del Sol*, Buenos Aires, Ediciones «A Partir de Cero», 1960.
— *El Delito Natal*, Buenos Aires, Editorial Sudamericana, 1963.
Molina, Enrique, *Costumbres Errantes o la Redondez de la Tierra*, Buenos Aires, Editorial «Botella al Mar», 1951.
— *Amantes Antípodas*, Buenos Aires, Losada, S. A., 1961.
— *Fuego Libre*, Buenos Aires, Losada, S. A., 1962.
Pellegrini, Aldo, *El Muro Secreto*, Buenos Aires, Editorial Argonauta, 1949.
— *La Valija de Fuego*, Buenos Aires, Editorial Argonauta, 1949.
— *Construcción de la Destrucción*, Buenos Aires, Ediciones «A Partir de Cero», 1957.
— *Antología de la Poesía surrealista de Lengua francesa*, Buenos Aires, Compañía General Fabril Editora, 1961.
— *Teatro de la Inestable Realidad*, Buenos Aires, Ediciones del Carro de Tespis, 1964.
Vasco, Juan Antonio, *Cambio de Horario*, Buenos Aires, Ediciones «Letra y Línea», 1954.
— *Destino Commún* (sic), Buenos Aires, Ediciones «A Partir de Cero», 1959.

(b) *Las revistas surrealistas publicadas en la Argentina*:

Que, dos números, N.º 1, Nov. 1928. N.º 2, Dic. 1930.
Ciclo, dos números, N.º 1, Nov. 1948. N.º 2, Marz.-Abr. 1949.
A Partir de Cero, tres números, N.º 1, Nov. 1952. N.º 2, Dic. 1952. N.º 3, 1956.
Letra y Línea, cuatro números, N.º 3, Dic. 1953-En. 1954.

(c) *Libros sobre el surrealismo en la Argentina*:

Díez-Canedo, Enrique, *La Poesía Francese* (*sic*) *del Romantismo* (*sic*) *al Superrealismo*, Buenos Aires, 1945.

Gómez de la Serna, Ramón, *Ismos* (cap.: «Surrealismo», págs. 247-54), Buenos Aires, Editorial Poseidon, 1943.

CHILE

No se ha documentado completamente el surrealismo chileno. Hasta ahora los informes disponibles vienen de «Letter from Chile» por Braulio Arenas en *VVV* (Núm. 2-3, marzo de 1946, 124-125). La carta de Arenas destacó las actividades del grupo surrealista en Chile desde 1938 y fue acompañada por breves textos del autor, por Jorge Cáceres y por Enrique Gómez-Correa. La siguiente lista de publicaciones completa el «bilan provisoire» publicado en *Vingt Ans de Surréalisme* (1961, págs. 38-39) por Jean-Louis Bédouin.

(a) *Publicaciones por y sobre los surrealistas en Chile*:

Arenas, Braulio, *El Mundo y su Doble*, Santiago de Chile, Ediciones Mandrágora, 1940.
— *La Mujer Mnemotécnica*, Santiago de Chile, Ediciones Mandrágora, 1941.
— *Luz Adjunta*, Santiago de Chile, Ediciones Tornasol, 1950.
— *La Simple Vista*, Santiago de Chile, Ediciones Donde los poetas, 1951.
— *En el Océano de Nadie*, Santiago de Chile, Ediciones Le Grabuge, 1951 (2.ª ed., 1955).
— *La Gran Vida*, Santiago de Chile, Ediciones Le Grabuge, 1952.
— *El Pensamiento Transmitido*, Santiago de Chile, Ediciones Gradiva, 1952.
— *Discurso del Gran Poder*, Santiago de Chile, Ediciones La Grabuge, 1952.
— *Versión Definitiva*, Santiago de Chile, Ediciones Falansterio, 1956.
— *El Cerro Caracol*, Santiago de Chile, Ediciones Falansterio, 1959 (2.ª ed., Ediciones Revista Atenea, 1961).
— *Poemas, 1934-1959*, Santiago de Chile, Ediciones Mandrágora, 1959.
— *La Casa fantasma*, Santiago de Chile, Colección Andravar, 1962.
Arenas, Braulio; Gómez-Correa, Enrique; Cáceres, Jorge; Cid, Teófilo, *Ximena*, Santiago de Chile, Ediciones Mandrágora, 1939.
Arenas, Gómez-Correa, Cáceres, *El A. G. C. de la Mandrágora* (Santiago de Chile), s. d. [1957?].

Arp, Jean & Huidobro, Vicente, *Tres inmensas novelas*, Santiago de Chile, Editorial Zig-Zag, 1935.

Cáceres, Jorge, *René, o la Mecania Celeste*, Santiago de Chile, Ediciones Mandrágora, 1941.

— *Pasada Libre*, Santiago de Chile, Ediciones Mandrágora, 1941.

— *Por el Camino de la Gran Pirámide Polar*, Santiago de Chile, Ediciones surrealistas, 1942.

— *Monumento a los Pájaros*, Santiago de Chile, Ediciones surrealistas, 1942.

Cid, Teófilo, *Bouldroud*, Santiago de Chile, Ediciones Mandrágora, 1942.

Gómez-Correa, Enrique, *Las Hijas de la Memoria*, Santiago de Chile, Ediciones Mandrágora, 1940.

— *Cataclismo en los Ojos*, Santiago de Chile, Ediciones Mandrágora, 1942.

— *Sociología de la Locura*, Santiago de Chile, Ediciones Aire Libre, 1942.

— *Mandrágora Siglo XX*, Santiago de Chile, Ediciones Mandrágora, s. d. [1945].

— *La Noche al Desnudo*, Santiago de Chile, Ediciones Mandrágora, 1945.

— *El Espectro de René Magritte*, Santiago de Chile, Ediciones Mandrágora, s. d. [1948?].

— *En Pleno Día*, Santiago de Chile, Ediciones Mandrágora, 1949.

— *Carta-Elegía a Jorge Cáceres*, Santiago de Chile, Ediciones Le Grabuge, 1952.

— *Lo Disconocido Liberada* seguido de *Les tres y media etapas del vacío*, Santiago de Chile, Ediciones Mandrágora, 1954.

— *Mandrágora, rey de gitanos* (drama inspirado en un cuento de Achim von Arnim), Santiago de Chile, Ediciones Mandrágora, 1954.

— *La Idea de Dios y las Vocales*, Santiago de Chile, Ediciones Mandrágora, 1954.

— *La Violencia*, Santiago de Chile, Mandrágora, s. d. [1955?].

— *Reencuentro y pérdida de la Mandrágora*, Santiago de Chile, Ediciones Mandrágora, 1955.

Matta Echaurren, Roberto Sebastien & Dreier, Katherine Sophie, *Duchamp's Glass: La Mariée mise a nu par ses celibataires, même; An Analytical Reflection*, New York, Société anonyme, Inc., 1944.

Sobre Matta:

(i) *artículos*

André Breton, 'Preface' to catalogue of Matta Exhibition, Paris, Galerie Drouin, 1947.

Alain Jouffroy, «Le Réalisme ouvert de Matta», *Cahiers d'Art*, XXVIII (N.º 1, 1953), 112-16.

Georges Lambrichs, «Allons à Matta», *La Nouvelle Nouvelle Revue française*, XLV (1956), 540-41.

Pierre Mabille, «Matta and the New Reality», *Horizon*, September 1949, págs. 184-190.

James Thrall Soby, «Matta Echaurren», in his *Contemporary Painters*, New York, The Museum of Modern Art, 1948, págs. 61-69.

Patrick Waldberg, «Matta, l'aube, le vertige», *Quadrum*, N.º 5 (1958), 23-34.

See also Matta, *The Museum of Modern Art Bulletin*, XXV, N.º 1 (1957).

Onfray, Fernando, *Trillada Fábula en pro de la Abolición del Colmillo*, Santiago de Chile, Ediciones Mandrágora, 1941.

(b) *Revistas surrealistas publicadas en Chile*:

Mandrágora, siete números, N.º 1, Dic. 1938. N.º 7, Oct. 1943.
Boletín surrealista, un solo número, 1941.
Leitmotiv, tres números, N.º 1, Dic. 1942. N.º 2-3, Dic. 1943.

(c) *Catálogos importantes de exposiciones surrealistas en Chile*:

Catálogo de la exposición surrealista, Santiago de Chile, Biblioteca Nacional, Dic. 22-31, 1941.
Catálogo de la exposición international surrealista, Santiago de Chile, Galería Dédalo, Nov. 22-Dic. 4, 1948.

CUBA

No ha habido mucha actividad surrealista en Cuba. Wifredo Lam es el único cubano hasta ahora que ha hecho aportes notables al arte surrealista. Sin embargo, en diciembre de 1964, el número siete de *La Brèche, action surréaliste*, tuvo un comentario: «L'exemple de Cuba et la Révolution (message des surréalistes aux écrivains et artistes cubaines)» del cual viene lo siguiente: «Dans la révolution cubaine, dans l'admirable insurrection de la Sierra Maestra, dans la lutte du peuple cubaine pour sa liberté et dans l'opposition des intellectuels et artistes cubains à tout dogmatisme, le surréalisme salue un mouvement fraternel».

(a) *Publicaciones por y sobre surrealistas en Cuba*:

Cesaire, Aime, *Cahier du Retour au Pays natal*, Cuba, 1943.
Lam, Wifredo.

Sobre Lam:
(i) *libros*

Jacques Charpier, *Lam*, Paris, Le Musée Poche, 1960.
Benjamin Péret, *Essais sur un Peintre américain*, México, 1944.
Fernando Ortiz, *Wifredo Lam y su obra vista a través de significados críticos*, Havana, Publicaciones del Ministerio de Educación, 1950.

(ii) *artículos*

Georges Besson, «Wifredo Lam», *Ce Soir*, Jul. 2, 1939.
Lydia Carbrera, «Wifredo Lam», *Diario de la Marina*, En. 30, 1942.
— «Un Gran Pintor», *Diario de la Marina*, May. 17, 1942.
— «Exposición de Wifredo Lam», *Diario de la Marina*, Dic. 29, 1943.
Nicolas Calas, «Magic Icons», *Horizon*, N.º 83 (1946).
Alejo Carpentier, «Wifredo Lam en Nueva-York» (sic) *Información*, Jun. 1944.
— «Reflexiones acerca de la pintura de Wifredo Lam», *Gaeta del Caribe*, Jul. 1944.
Denis Chevalier, «Wifredo Lam», *Arts*, 1946.
Cesaire, Aime, «Wifredo Lam et les Antilles», *Cahiers d'Art*, 1947.
Pierre Loeb, «Carta a Wifredo Lam», *Diario de la Marina*, En. 20, 1944.
— «Peintres inspirés: Wifredo Lam», in his *Voyages à travers la Peinture*, Paris, 1946.
Pierre Mabille, «La Manigua», *Cuadernos Americanos*, N.º 4 (1944).
— «The Ritual Paintings of Wifredo Lam», *Magazine of Art*, May. 1949.
Amedée Ozenfant, «Lam», *France-Amérique*, N.º 210 (1950).
Véase también: *7 Peintres surréalistes cubains*, catálogo de una exposición en la Galerie Mayan, Bruselas, Dic. 4-24, 1964.

ECUADOR

No ha habido mucha actividad surrealista en El Ecuador. Sin embargo, sus manifestaciones en la poesía francesa se han mencionado en: Andrada, Jorge Carrera, *Poesía francesa con-temporánea*, Quito, Casa de la Cultura Ecuatoriana, 1951.

MÉXICO

La visita de Breton a México (vea: *Entretiens*, Paris, 1952, págs. 182-91) fue marcada por su publicación, en colaboración con Leon Trotsky, del texto: *Pour un Art révolutionnaire inde-pendent*, México: 25 de julio, 1938. Breton ha confirmado en *Entretiens* (pág. 190), que el nombre de Diego Rivera fue subs-tituido por el de Trotsky, en este documento, «por razones tác-ticas». El acuerdo de Breton con Trotsky fue confirmado, sin embargo, por la formación de la Federation Internationale de l'Art Révolutionnaire Independent que tenía como su órgano oficial la revista *Cle* (1939).

(a) *Publicaciones por y sobre surrealistas en México*:

Moro, César, *Le Château de Grisou*, México, Tigrondine, 1943.
— *Lettre d'Amour*, México, Dyn, 1944.
Paz, Octavio, *Raíz del hombre*, México, Simbad, 1937.
— *A la orilla del mundo y Primer día, Bajo tu clara sombra, Raíz del hombre, Noche de resurrecciones*, México, Poesía hispanoamericana, 1942.
— *El laberinto de la soledad*, México, Ediciones Cuadernos Americanos, 1950.
— *Águila o sol?*, México, Tezontle, 1951.
— *Semillas para un himno*, México, Tezontle, 1954.
— *El arco y la lira; la revelación poética; poesía e historia*, México, Fondo de Cultura Económica, 1956.
— *Aigle ou Soleil?*, Paris, Falaize, 1958.
— *La estación violenta*, México, Fondo de Cultura Económica, 1958.
— *Le Labyrinthe de la Solitude*, Paris, Fayard, 1959.
— *Salamandra 1958-1961*, México, J. Mortiz, 1962.
— *Pierre de Soleil*, Paris, Gallimard, 1962.
— *The Labyrinth of Solitude*, New York, Grove Press, 1962.
— *Sun Stone, Piedra de Sol*, New York, New Directions, 1963.
— *Hommage et Profanations*, Paris, Jean Hugues, 1963.

— *Selected Poems*, Bloomington, University of Indiana Press, 1963.

Péret, Benjamin, *Le Déshonneur des Poètes*, México, Poésie et Revolution, 1945.

b) *Revistas surrealistas publicadas en México*:

Dyn, 1942.

(c) *Catálogos importantes de exposiciones surrealistas en México*:

Exposición internacional del Surrealismo, México, Galería de Arte Mexicano, En.-Feb. 1940.

(d) *Libros sobre el surrealismo en México*:

Durán-Gili, Manuel, *El Superrealismo en la poesía española contemporánea*, México, D. F., 1950.

Larrea, Juan, *El Surrealismo entre viejo y nuevo mundo*, México, Ediciones Cuadernos Americanos, 1944.

(e) *Artículos sobre el surrealismo en México*:

Aub, Max, «El Surrealismo», en *Poesía española contemporánea*, México, Imprenta Universitaria, 1954, págs. 135-46.

Cirre, José Francisco, «Creacionismo y Superrealismo» en *Forma y espíritu de una lírica española 1920-1935*, México, Gráfica Panamericana, 1950, págs. 103-23.

PERÚ

(a) *Publicaciones por y sobre los surrealistas en el Perú*:

Moro, César, *Le Château de Grisou*, México, Tigrondine, 1943.

— *Lettre d'Amour*, México, Dyn, 1944.

— *Trafalgar Square*, Lima, Tigrondine, 1954.

— *Amour à Mort*, Paris, Le Cheval marin, 1957.

— *La Tortuga ecuestre*, Lima, André Coyné, 1958.

(b) *Revistas surrealistas publicadas en el Perú*:

El Uso de la Palabra, 1933.

PUERTO RICO

Hasta ahora la única publicación surrealista en Puerto Rico ha sido un texto por el expatriado español, E. F. Granell.

(a) *Publicaciones por y sobre los surrealistas en Puerto Rico*:

Granell, E. F., *Isla Cofre Mítico*, Isla de Puerto Rico, Editorial Caribe, 1951.

VENEZUELA

No hay muchos indicios de actividad surrealista en Venezuela. Sin embargo, en los años recientes la influencia del surrealismo ha aparecido entre los escritores del grupo Techo de la Ballena. Publicaron en el periódico *Clarín* una selección de textos por los surrealistas de París que inmediatamente provocó una protesta de casi cincuenta organizaciones, desde la Asociación de Caballeros de San Vicente hasta la Unión Americana de Mujeres. Se notan las siguientes publicaciones por los escritores del Techo de la Ballena.

(a) *Publicaciones por y sobre los surrealistas en Venezuela*:

Aray, Edmundo, *Nadie Quiere Descansar*, Caracas, Sardio, 1961.
— *Sube para Bajar*, Ediciones del Techo de la Ballena, 1963.
— *Twist presidencial* (minidramas), Caracas, Ediciones tubulares, N.º 2, 1963.
Calzadilla, Juan, *Dictado por la jauría*, Caracas, Ediciones del Techo de la Ballena, 1962.
Contramaestre, Carlos, *Homenaje a la Necrofilia*, Caracas, Ediciones del Techo de la Ballena, 1962.
Girondo, Oliverio, *Topatumba*, Caracas, Ediciones del Techo de la Ballena, 1963.
González, Daniel, *Engranaje*, Caracas, Ediciones del Techo de la Ballena, 1964.
González, Daniel & Gonzales Leon, Adriano, *Asfalto-Infierno*, Caracas, Ediciones del Techo de la Ballena, 1963.
Guedez, Jesús Enrique, *Las Naves*, Caracas, Ediciones de la Universidad Central de Venezuela, 1959.
— *Sacramentales*, Caracas, Tabla Redonda, 1961.
— *Sextantes*, Caracas, Ediciones Tabla Redonda, 1965.
Morera, Gabriel, *Cabezas filosóficas*, Caracas, Ediciones del Techo de la Ballena, 1961.

Ogaz, Dámaso, *Espada de doble filo*, Caracas, Colección Sir Walter Ra-
leigh, 1962.

Ovalles, Caupolicán, *Duerme usted, Señor Presidente?*, Caracas, Ediciones
del Techo de la Ballena, 1962.

— *En Uso de Razón*, Caracas, Ediciones tubulares, N.º 1, 1963.

Perdomo, Francisco Pérez, *Fantasmas y Enfermedades*, Caracas, Sardio,
1961.

— *Los Venenos Fieles*, Caracas, Ediciones del Techo de la Ballena, 1963.

(b) *Revistas surrealistas publicadas en Venezuela*:

Rayado sobre el Techo, tres números, N.º 1, Marz. 1961. N.º 2, May. 1963.
N.º 3, s. d. [1964?].

(c) *Catálogos importantes de exposiciones surrealistas en
Venezuela*:

Para restituir el Magma, Caracas, Ediciones del Techo de la Ballena, Marz.
1961.

Homenaje a la cursilería, Caracas, Ediciones del Techo de la Ballena,
Jun. 1961.

Matta: La Llave de los Campos, Caracas, Galería del Techo, Galería du
Dragón, Abr. 1965.

APÉNDICE II *

MANIFIESTOS Y TEXTOS TEÓRICOS DE LOS SURREALISTAS ARGENTINOS

PEQUEÑO ESFUERZO DE JUSTIFICACIÓN COLECTIVA

Justificación de esta revista: Buscar en la expresión la evidencia de nuestra propia y oculta estructura (palabra, espejo del hombre) y quizás también algo como una necesidad irresistible de pensar en voz alta.

Justificación de nosotros: Seres atraídos hacia sí mismos por una extraordinaria fuerza centrípeta.

Definidos exteriormente como inestables (igual y alternativa repulsión por el movimiento y por la inmovilidad, por la acción y por la inacción) nosotros hemos acudido a la única manera de existir en densidad (es decir sin disolvernos) que es la introspección. Este vocablo no lo entendemos como planteamiento de problemas estériles, sino como una manera de dejarse poseer por uno mismo, estando lo consciente puramente dedicado a revelar por el signo de cada palabra una profunda realidad constitutiva.

En esta actitud se distinguen dos partes:

1.º placer de una ilimitada libertad expansiva;

2.º posibilidad de conocernos (especie de método psicoanalítico, pero en el cual no partimos de ningún prejuicio sobre nuestra propia estructura).

---

* Fuente: de Sola, Graciela, *Proyecciones del surrealismo en la literatura argentina*, Buenos Aires: Ediciones Culturales Argentinas, 1967.

De lo ya dicho se desprende que nosotros contemplamos la vida (esos mil choques de la realidad exterior) con el mismo desasimiento que observamos para el resto del mundo. Sin embargo guardamos para ella como para éste una consideración cortés como a posibles signos que en circunstancias imprevistas pudieran servir para explicarnos.

Si desvalorizamos la vida es por la evidencia de un destino. Vomitamos incontenurblemente sobre todas las formas de resignación a ese destino (cualidad máxima del espíritu burgués) y miramos con simpatía todos esos aspectos de una liberación voluntaria o involuntaria: enfermedad, locura, suicidio, crimen, revolución. Pero esto no pasa de ser una posición moral. En realidad, estamos decididos a no intentar nada fundamental fuera de nosotros.

Cada uno busca en sí mismo. Esta verdad de orientación es casi lo único que nos reúne y quizás un poco de simpatía (ese deseo de ser más que un individuo, deseo de ser muchos).

Justificación de nuestra expresión: Toda palabra está en el corazón mismo de los problemas del ser. Es decir, que para un hombre determinado, su misterio toma la forma de sus palabras (en un sentido más amplio: toma la forma de sus signos).

Justificación del nombre de la revista: interrogación primera y máxima, desnuda de todos los ornamentos ortográficos, reducida a su pura esencia verbal.

(Sin firma, en revista *Que*, nov. 1928. N.º 1. Escrito por Aldo Pellegrini).

INTRODUCCIÓN

Muchos sistemas filosóficos son más bien poemas, en cuanto que independizados de toda crítica del pensamiento presentan los problemas de la personalidad en toda su angustiosa lucidez de presentimiento, que es lo que hace la poesía. Así, no puedo librarme de denominar a los fragmentos que siguen poemas filosóficos.

1. MACROCOSMOS Y MICROCOSMOS

La costumbre de ver toda cosa nueva como un nacimiento, nos hace olvidar las consideraciones sobre una posible ubicuidad de nuestra ausencia. En efecto, entrando en una calle, las cosas vestidas con la calidad de nuestro yo entran a formar parte de lo real, pero creo que, abandonadas de toda corporización consciente, ellas podrían conservar una forma más sutil, dependiendo de las cualidades conscientes de nuestra ausencia. Así, explico la sensación absurda que experimento a veces, de que las cosas han existido antes que yo por esa presencia pluriespacial de mí mismo que llamo ausencia. Esto aclara también otra sensación agudísima: en todo lugar nuevo al que llego siento como si hubiera estado eternamente en él. Para las cosas es como si vivieran de mi presentimiento, su forma dependiendo de las cualidades conscientes de éste.

2. EL FRÍO JAMÁS DE LA VERDAD

Nunca sentiré tan cerca a la verdad como en este momento en que se aproximan dos embarazadas y nos arrojan los contornos temibles de sus dolores. Toda la diferencia que hay entre las vidas de ambas reside en que una dará a luz un hijo blanco y la otra uno negro. Posiblemente la segunda descubra más tarde la importancia de los negros, pero entoces la vida formará un charco de una sustancia espesa como la pez, en cuyo centro exacto se ahogará un pájaro rojo en el preciso instante en que llegaba un lamento para salvarlo. Entonces esa misma mujer exclama: «hijo, alcánzame la peineta». El hijo, interpretando erróneamente tales palabras, empuña un revólver y la mata. Luego coloca la peineta en los cabellos de la muerta y se duerme satisfecho de haber realizado con tal perfección los deseos de su madre. Sueña con una campana y con cuatro formas que se llaman, de izquierda a derecha: Y, PERO, QUE, NADA. La campana es grande —pequeña y pesada— leve, pero al tocarla descubro que se trata de la sangre suavemente coagulada en el pecho de la madre. La sombra que me precede tiembla ante la inutilidad de todo movimiento.

Conclusión para los espíritus amantes de la verdad. Ya que he demostrado que no hay ninguna posibilidad de alcanzar una verdad exterior a nosotros, y que, precisamente, el hueco o espacio que dejamos es donde existe la verdad, os invito a pronunciar estas tres palabras resposantes: viaducto, víbora y concordancia.

Ergo: toda investigación de la verdad nos aleja de ella. Amor de lo verdadero se llama inmovilidad.

3. SABIDURÍA DEL CARTEL

Dos circunstancias imprevistas acompañadas por un cartel que llevaba pintada una figura de mujer vestida de rojo, entraron en la habitación iluminada por el resplandor de 7 seres que acababan de nacer. La sorpresa de esta constatación hace que se apaguen las luces y sólo queda la claridad que produce un dedo encendido por el miedo de tanto silencio. La mujer vestida de rojo cuenta cansadamente las piraguas que atraviesan los canales de su inmovilidad que llevan los sueños de los últimos coyotes que duermen en el cerebro de un niño muerto en 1912. Todos los hechos son idénticos y todos pasan en el mismo instante: por consiguiente, mesa, frío, nunca y canción son cuatro nombres de la misma cosa. Estas palabras las pronunciaba un hombre que, encerrado en un W. C., tuvo durante 7 minutos el cañón de un revólver Colt aplicado contra su sien. Estaba entretenido en analizar el temblor que lo sacudía y, finalmente, decidió llamarlo PASIÓN POR LA ALEGRÍA. Su propia vacilación hizo adelantar en media hora la llegada de la noche y quizás sea esta la explicación porque dos horas más tarde había dos hombres y dos mujeres que se contemplaban ansiosamente en un cabaret. En ese instante la mujer roja quemaba las piraguas exangües y cantaba para adormecer a su hijo despertado por el rumor de los noctámbulos que pasaban bajo sus párpados. Los pieles rojas sueñan con el fin del mundo. Pero su hijo muerto en 1912 sólo oye una voz interminable que dice: ¡viva la antisepsia! Para que la noche sea más bella yo escupo sobre la identidad de mi cuerpo.

4. VIDAS CIRCULARES

Ni por un inmenso astrónomo que superponga cuatro telescopios, se podrá llegar hasta esa incertidumbre que ostenta un color rojo en cada mejilla. Fríos y escaleras y otros aparatos son igualmente inútiles para alcanzar a las mujeres que tienen las manos cortadas a la altura de las muñecas. Las arterias seccionadas simulan presagios y la sangre que fluye arranca bruscamente su máscara de jovialidad. Yo odio a estas mujeres llenas del orgullo irresistible de estar muertas y para comenzar a dedicarme a la filosofía denominaré PASADO, PRESENTE y PORVENIR a tres personas sentadas en torno de una mesa en la que hay dos tazas, un vaso y un paquete de cigarrillos. Para oscultar la turbación que me produce este encuentro finjo ser circular, girando simplemente sobre uno de mis talones y cuando arrebatado por mi propio vértigo desesperaba de detenerme se abrió una puerta y entré en la inmortalidad, es decir, en una habitación negra, en la cual dos hombres giraban velozmente sobre sus talones.

5. VER

El pie cubría una voz estrangulada por el rectángulo apacible de la aventura. Dos paralelas, o dos niños, salían de sí mismos para encontrar aspectos inéditos que ellos bautizaban: automóvil, casa, sol, suelo. Si uno perdiera el pequeño libro que lleva en la mano desaparecería inmediatamente por la razón de que toda existencia depende en un sentido absoluto de... Reconciliaos con la vida; total, un hombre ha perdido sus dos manos y ha hablado con una simplicidad que partía el alma de la posible utilización de dos manos de cera que substituirían las caricias de la mujer por un ruido sordo. El día abandonó su forma de candela para adquirir la de una mesa servida.

Meditad sobre los accidentes en pleno día. Catástrofes obscenas y ojos desanimados, he ahí el balance de nuestra vida.

6. MANERAS DE HABLAR DEL ENFERMO VIEJO LLENO DE PÚSTULAS

De la putrefacción de su tristeza nace la atmósfera rarificada que me rodea. Pierdo la conciencia del silencio y comienzo a existir en el rumor de mi propia asfixia. Como crueldad hacia ese morir complejo de mi ser, quiero constatar sus dos posibilidades de libertad y eternidad.

Manera de libertad: La incapacidad para el espíritu de realizarse en la materia exige que la libertad sea tratada en dos terrenos distintos: Físico y mental (es decir: como acción y como pensamiento).

1.º Libertad en el mundo físico: Toda acción ejecutada tiene una forma (como todo fenómeno del mundo físico). Ser formal consiste en estar limitado, es decir, fijo. La totalidad de las formas preexiste en el campo de lo posible: de lo que se infiere que formal equivale a predeterminado, a carente de libertad. Para el mundo de las apariencias (y para nosotros como apariencia, es decir, como vida) no existe la libertad. Podré exclamar, con voz irresistiblemente cierta, que toda acción es un fracaso.

Estimulante para arrojar sobre las desesperaciones y las risas: LA PREDESTINACIÓN FORMAL SE LLAMA DESTINO.

2.º Libertad en el mundo del espíritu: La carencia de formas permite en él la existencia simultánea de todas las direcciones y de todos los límites. El espíritu es libre porque cada cosa se realiza en el sentido de todas sus posibilidades.

Manera de eternidad. El problema de la inmortalidad exige también una disociación esclarecedora.

Pensando en nuestro estado vital es inseparable de la conciencia: es decir, de nuestra vida que no conoce como real sino el transcurso del nacimiento hasta la muerte. No podemos concebir el estado de prenacimiento ni el de muerte, porque concebir es una manera de estar. La vida es sólo uno de los estados en la evolución ilimitada del ser.

Para el ser hay inmortalidad, dada su inevitable presencia tanto en el estadio vital como en los pre y postvitales.

Pero para el consciente individual (que es contacto transitorio entre la vida y el ser) hay un comenzar y un acabar que está en el comienzo y término de dicho contacto.

Si ahora quiero alcanzar la esencia del ser, debo rechazar todas las cualidades de mi yo, que llevan con demasiada evidencia su carácter de circunstancial. Sólo en lo no perceptible y en lo no concebible veo yo cualidades eternas del ser. En el extremo último de este camino encuentro la única cualidad no transitoria de mi ser que es INEXISTENCIA.

El fondo real de mi ser es inexistencia.

Yo persisto como inexistencia.

ADOLFO ESTE

(Aldo Pellegrini, En *Que*, N.º 1, Nov., 1928).

(Por su sentido creador, estos textos merecerían integrar la antología poética que incluimos. Los hemos insertado aquí porque, a la vez, constituyen un claro testimonio del pensamiento de Pellegrini.)

VÍA LIBRE

Si identificamos la poesía y la vida, aquélla planteará al hombre un compromiso esencial que desborda ampliamente el campo de lo literario para presentarse como una conducta fundamental. Una línea particularmente viva del pensamiento contemporáneo, desde Rimbaud y Lautréamont hasta Breton y el Surrealismo precisa constantemente este concepto y proyecta sobre el mismo una luz a la cual podemos confiar toda esperanza. Únicamente concebida como la fusión ardiente del sueño y de la acción, sosteniendo con una voluntad encarnizada una empresa de liberación total del espíritu, puede asumir la poesía la misión de «cambiar la vida». Sólo desde tal ángulo —que pierde por completo de vista las tentaciones de la como-

didad— plantea en nuestros días a quienes se acercan a su
fuente de relámpagos el dilema irreductible cuyos términos
serían: o la aceptación de un orden mental cuyo sistema de
valores conduce a una implacable represión de las fuerzas más
puras de la imaginación y del deseo, o el rechazo de tales condiciones de la existencia, la recuperación de la vida en sus
movimientos más espontáneos, arrancándola al pesado mecanismo de prejuicios racionalistas, de prohibiciones de toda
índole, de terrores, de ideas recibidas y convencionalismos sólo
fundados en el carácter puramente utilitario de la vida social.

Resulta inconcebible, pese a las obras desgarradoras que
constantemente testimonian la desesperación del hombre y su
rebeldía ante el panorama de frustración que la sociedad le
ofrece, anulando en su ser cuanto hay de creador y espontáneo
—obras que transmiten de una época a otra ese «llamado de
cazadores perdidos entre los grandes bosques»— que aún sea
necesario insistir una y otra vez en la unidad indisoluble de la
poesía, el amor y la libertad. Esta trilogía ha llegado a constituir el punto central de la especulación surrealista considerada
en su sentido más profundo, es decir, como una actividad dirigida hacia el descrédito permanente de todos los mitos, sociales,
éticos y religiosos, en nombre de los cuales el hombre contemporáneo es dividido en una serie de compartimientos estancos
desde cuyo interior sólo alcanza una visión fragmentaria, totalmente mezquina, de la realidad, también dividida en planos
irreconciliables: oposición de lo irracional y lo racional, de la
vigilia y el sueño, de lo objetivo y lo subjetivo, del sueño y de
la acción, etc. Tales antinomias, frutos del racionalismo moderno y mantenidas por intereses del peor orden práctico, deben
ser revisadas con la independencia necesaria para conducir de
nuevo al hombre hacia la gran síntesis que le devuelva la unidad
perdida.

Escribir poemas es un bello ejercicio (en fin, ¿qué son poemas?). Incluso se lo puede practicar sin mayor resplandor de
todos los focos de la vanidad y el esteticismo. Vivir la poesía
es cosa distinta.

Sólo colocando la vida y la poesía como dos espejos geme-
los, cuyas imágenes se crean mutuamente, no tardarán en ponerse al descubierto las imposturas de todo género que constituyen la trama de nuestra cultura.

La poesía es la única fuerza capaz de restituir al hombre su
dignidad perdida, y nada tiene que ver con los ejercicios retóricos de aquellos que la invocan, sólo para adulterar con las
más bajas especies del conformismo y la adaptación al medio
ese alimento sagrado exigido por todo corazón humano y que
constituye uno de los pocos motivos válidos de la existencia.

Si la poesía deja de ser una actitud total, una fórmula de
cazadores de cabezas confabulados en la peligrosa tarea de
recuperar la pureza esencial de la vida, si no encierra en su
seno todas las potencias del amor, de la revolución, y no es
absolutamente incompatible con cuanto significa servidumbre,
domesticidad, conveniencia, arribismo, acaba por verse reducida al simple manipuleo litúrgico de restos fósiles retóricos, a
la composición de elegantes sonetos o de cualquiera otra de
esas banalidades decorativas elaboradas por el ocio y la cobardía. El disparo que arroja a Kleist al fondo de su alma, el
silencio de Rimbaud, la soga de la que pende el cadáver de
Nerval —precio de su tentativa para «dirigir el sueño»—, la
pureza sobrehumana que desgarra en Van Gogh todas las apariencias de la realidad, la bala que sella la absoluta sed de
libertad de Majakowsky, el gas que ilumina la noche eterna de
Crével, los nueve años que pasa Artaud en el hospicio de Rodez,
son pruebas demasiado dramáticas de que la aventura poética
es una auténtica aventura del conocimiento, y del precio que
la sociedad exige a quienes se atreven a poner su acento sólo
en las cosas esenciales. Todos esos «horribles trabajadores» han
arrojado una luz demasiado viva sobre el significado de su actividad para que todavía podamos engañarnos.

«Después de todo —señala Jacques Henry Levesque en su
monografía sobre Jarry— ¿no es natural exigir al poeta la prueba de su sinceridad? Si habla de la vida, de la muerte, de la
desesperación, de la rebelión, del amor, de la aventura, ¿no es
normal pretender que coloque alguna realidad bajo esas pala-

bras? Y más adelante: «Hace falta algo más que las palabras, aunque éstas sean las más emocionantes, las más selectas, las más grandiosas del mundo. Considerados desde este ángulo el número de candidatos al papel de gran poeta disminuye. Puede hablarse mucho de vivir, de morir, de amar, de conocer, pero hacer de tales palabras la realidad de su vida es muy diferente».

No es posible concebir de otra manera el fin de la poesía que como un propósito desesperado de cambiar la vida, como lo pedía Rimbaud. Ni con otro sentido que el de franquear los muros que cierran el horizonte. UNA INTENSA ACTIVIDAD POÉTICA PUEDE CAMBIAR LA MENTALIDAD DEL HOMBRE ante los problemas fundamentales de su condición y de la existencia. Entre el concierto de materiales ruinosos de que actualmente lo provee la moral, la estética, la religión, etc., sólo la poesía puede alcanzarle las «armas milagrosas» con que construir su porvenir.

La auténtica actitud poética no puede dejar de asumir hasta la repugnancia —y el surrealismo es un ejemplo— las condiciones sombrías de nuestra existencia y negarse a toda conciliación con las mismas, hasta su rechazo absoluto. Sólo una fe desesperada en tal acción nos ofrecerá la única respuesta válida a esa insobornable aspiración humana hacia la verdad y la belleza.

El más serio reproche que puede hacérsele a la poesía argentina en los últimos años —salvo las excepciones de siempre— es su carencia casi completa de ese espíritu de ruptura a que aludimos. La aceptación incondicional de las apariencias sensoriales del universo, sostenida por el lirismo más adocenado, no es el mejor camino para avanzar en el conocimiento del hombre. Están a la vista las consecuencias de tal aceptación: la importancia aguda de la crítica, la cobardía permanente provocando el confusionismo más bajo y la exaltación de cuanto conduzca, en el plano de la imaginación, el elemento esencial de toda manifestación artística, al avasallamiento más absoluto.

Hoy como nunca es necesario abrir de una vez las esclusas y recuperar el aire de las cavernas de la gran poesía. La poesía habrá de liberarse tarde o temprano para llegar a ser la versión instantánea del pensamiento y del mundo interior más profundo. Entonces quedarán atrás definitivamente el cúmulo de bellos sonetos y la gimnasia respiratoria. Ante todo hay que comenzar por liberar la palabra, demasiado sometida al orden exterior de la razón. Es necesario que la palabra se pliegue a lo maravilloso, a lo imprevisto, como las ropas al cuerpo de Ofelia. Dejarles expresar la vida con el olvido absoluto de cuanto se ha expresado, adocenado, endurecido y momificado durante siglos de cultura racionalista. Abandonar el juego de rectificaciones y mutilaciones encaminadas a reducir a la horma petrificada de una tradición estética «previa» las materias ardientes que sólo reclaman una espontánea cristalización. Que la poesía tome su forma con la misma radiante velocidad del fuego o del océano. Que devore los materiales vivos de la realidad, profundizada en una nueva síntesis de lo objetivo y lo subjetivo, reposando sólo en el poder incantatorio del lenguaje librado a sí mismo y por primera vez en libertad.

Una línea viva y permanente de la más honda poesía —dijimos— ha apuntado siempre hacia esa meta, desde el gran romanticismo alemán hasta las deslumbrantes experiencias del surrealismo, cuyas conquistas ha llegado el tiempo de capitalizar y de continuar hasta las últimas consecuencias.

Esta revista pretende la difusión de tales conceptos y ponerse en comunicación con todos aquellos que en nuestro medio y fuera de nuestras fronteras están empeñados en una misma empresa de liberación del espíritu. Sólo la poesía puede crear entre los hombres una fraternidad realmente auténtica, esa unión profunda y emocionante sostenida por la esperanza desesperada de un cambio radical de la existencia. No podemos aceptar ni otro destino ni otro consuelo que el de unirnos a ese propósito. Alguna vez llegará el tiempo en que la poesía —recordemos las palabras ardientes de Breton en el primer manifiesto —«decrete el fin del dinero y parta el pan del cielo para la tierra». Cuando todos se unan para crearla. Entonces la vida se abrirá salvaje y pura y el hombre volverá «a poseer la verdad en un alma y un cuerpo».

Enrique Molina

(En *A partir de Cero*, N.º 1, Bs. As., Nov. 1952).

LA BOLSA Y LA VIDA

Nunca, como hoy, ha sido tan precario el concepto humano de la *realidad*.

Las experiencias deslumbrantes de la física actual nos demuestran claramente la arbitrariedad de nuestra concepción del universo y la caducidad de buena parte de las premisas consideradas hasta ayer como conquistas en el terreno del conocimiento.

En efecto, todo indica la existencia de una realidad *ulterior*, profundamente oculta, cuya vigencia logrará tal vez un día, el fin extremo de todo auténtico creador: *cambiar la vida*.

El recurso del mito universal (generalmente referido a esquemas ético-sociales) parece ser el medio más eficaz de dar la espalda a la complejidad creciente del problema.

El artista es, en tanto que hombre, un generador de mitos en estado puro, pero no admite el traslado de los mismos a ningún tipo de sistema, ideal o ente arbitrario.

Los planteos económicos, políticos o sociales, acompañados por todo tipo de programa de acción, acaparan casi por entero la atención y el esfuerzo de la humanidad que deposita en ellos toda la ingenua esperanza de una supuesta «salvación».

La pintura, como la poesía, rechaza la unificación del plano del conocimiento con las condiciones materiales de la existencia y se lanza a las aventuras prohibidas, arrasando con todo, desentrañando los signos de una nueva vida, en un terreno en el que toda materialización es magia.

En un momento en el que la vorágine político-social, a través de sus infinitas mascaradas, cretiniza ejemplarmente los espíritus aterrados, el arte se halla frente a un problema sumamente más dramático que la incomprensión del público, el problema de su propia conducta, de su responsabilidad frente a los progresos de la ciencia, de su validez definitiva o de su definitivo fracaso.

En 1958, después de las experiencias cubistas, dadaístas, surrealistas, después de Kandinsky y de Mondrian, como de Hartung o Mathieu, no habrá pintura en el sentido extremo de la palabra, mientras no haya una incursión en lo imprevisible, un apasionado deseo de revelación inaudita. Y esa revelación sólo será posible por medio de imágenes capaces de inflamarse al menor contacto con la vida e iluminar con su resplandor apasionado los tenebrosos fantasmas de la conciencia humana. Frente a la degradación que implica la obra de una gran parte de los llamados «pintores del momento», ese deseo de revelación poética, esa profunda desesperación de un espacio incesantemente amenazante, en cuyos puntos se encontrarán las coordenadas del deseo absoluto, constituyen un vívido testimonio de la voluntad de transgredir los límites de una supuesta «condición humana».

La reputación indiscriminada de que goza la pintura «no figurativa» o «abstracta» bajo todas sus formas se basa en el desconocimiento del hecho innegable de que una gran parte del abstractivismo actual sólo es un signo de capitulación ante la realidad, del mismo modo —aunque bajo otra forma— que el realismo socialista.

Frente a tal mutilación, y por encima de las manifestaciones puramente decorativas que ni plantean ni resuelven problema alguno, un nuevo universo pictórico y poético extiende su zarpa sobre la conciencia de los creadores más auténticos del momento.

La existencia, en los lugares más distantes de la tierra, de pintores como Alechinsky, Arnal, Baj, Gotz, Herold, Jorn, Langlois, Matta, Georges, Viseux, Zanartu, etc., posibilita la concreción del centro neurálgico de una actitud *común*, cuyos alcances son imprevisibles.

Cualquiera que sea la forma bajo la cual aparezcan los signos de esa actitud, el elemento motriz es el mismo: una entrega total, una participación desenfrenada en los tormentos de *otra* realidad cuya existencia indiscutible quedará para siempre testimoniada sobre ese puñado de telas —cada vez mayor— que constituye el documento más lacerante y más vívido de nuestra época.   JULIO LLINÁS

(En *Boa*, Cuadernos Internacionales de documentación sobre la poesía y el arte de vanguardia. N.º 1, Bs. As., mayo de 1958).

EL CERO ES REY

No nos asombremos de despertar un día con las manos cortadas. La arbitrariedad, más temible que las emanaciones radioctivas, amenaza con destruir definitivamente el ya precario esqueleto mental del hombre.

Elemento natural y catalizador por excelencia, se ha erigido en sistema de juicio, respondiendo dócilmente a las debilidades del Ser, proyectando un rayo defensivo bajo las diversas formas de la agresión gratuita y cimentando una superestructura confusionista, cuyas desastrosas consecuencias configuran el aspecto tenebroso de la conciencia actual.

Al amparo de la fórmula del «libre-pensamiento» y sirviéndose de ella en una gama infinita de interpretaciones, los mayores devaneos están permitidos. El hombre *juzga* para tranquilizarse y su juicio es arbitrario. Y como, fundamentalmente, *arbitrariedad* es la negación de *juicio*, las consecuencias no se hacen esperar. La confusión se entroniza. El cero es rey. Y el verdadero Ser, debilitado y disminuido, confinado en el corazón de esa madeja de lodo, ve cómo sus poderes de comprensión y de conocimiento se adormecen progresivamente en su seno. El juicio, mata.

Cambiar la vida es una fórmula, probablemente la más válida que haya anotado concretamente la poesía en su trayecto hasta el presente, pero es también el peligroso juguete de la arbitrariedad humana, en su defensa inagotable de ese triste mendrugo que es su propia miseria.

A pesar de ciertas interpretaciones posibles, pero erróneas, de esa fórmula, su esencia no consiste tan sólo en obturar parcial o totalmente los numerosos rumbos de la nave social en cualquiera de sus aspectos ni en la planificación científica de un nuevo sistema de organización.

Tan sólo devolviendo el Ser al Ser, reintegrándolo a sus poderes, a su ingenuidad natural —único vehículo de sinceridad constante—, desmontando la máquina arbitraria de defensa y aniquilamiento, desvaneciendo las patrañas históricas y culturales, será posible desterrar la hiena hambrienta de la agresión y abrir los ojos a la Vida, que aguarda un paso más allá, detrás de la muralla, como una madre temporaria enloquecida y sola. El ejercicio sano, profundo y sincero de la poesía, si bien no siempre tiene por consecuencia la obra definitivamente reveladora, posibilita los pasos sucesivos de transgresión y de conocimiento, de aproximación a una existencia verdadera y total.

De ahí a los deambuleos retóricos a los que nos tiene tristemente acostumbrados la mayor parte de la poética actual, hay un largo paso. La poesía, cuando es confundida en el término global de literatura, carece de vigencia. Ejemplos como los de Rimbaud, Lautréamont y Artaud —para citar tres fulgurantes nombres de su historia— marcan la línea infranqueable entre ambos términos.

Es hora de que la actividad del poeta tenga una vigencia absoluta, y de que esa vigencia sea incesantemente comunicada y transmitida. Cuando la poesía sea «hecha por todos», cambiará la vida.

Julio Llinás

(Fragmentos). (En *Boa*, N.º 2, Bs. As., junio de 1958).

APÉNDICE III *

«LETTER FROM CHILE»

Santiago, 7 noviembre 1942.

Sr. André Breton,

Querido amigo, quiero agradecerle primeramente las expresiones de amistad y de confianza que ha tenido la bondad en dirigirnos con respecto al desarrollo en Chile de nuestra actividad surrealista. Desde 1938 —época en la cual conseguimos crear un grupo que veía en el surrealismo la única manifestación alta de la personalidad humana— hasta el momento presente (en que este grupo, superados ya todos los obstáculos que se oponían a manifestar de un modo palmario su adhesión a esos postulados, tiende a constituir en Chile el único punto de resistencia, uno de los últimos quizás de que pueda vanagloriarse el mundo), hemos trabajado en la incomprensión y hostilidad más grandes, manifestadas por el «medio» en que estas actividades se desarrollaban. Es por esta razón que nosotros consideramos doblemente precioso el estímulo vuestro hacia nuestra labor.

Quiero pasar a exponerle brevemente cuál ha sido la índole de nuestras preocupaciones durante estos últimos años:

1938, julio.

Fundación del grupo Mandrágora. (Este grupo se proponía incitar al estudio de los grandes ciclos de la poesía: novela de

---

* Fuente: Arenas, Braulio, «Letter from Chile», *VVV*, 2-3 (Marz. 1943), 124-125.

caballerías, teatro elisabetiano, novela inglesa del terror, romanticismo alemán, simbolismo francés, etc.; y proponer una actitud frente a los problemas que el surrealismo suscitaba.

1939, julio.

Miembros del grupo: Braulio Arenas, Jorge Cáceres, Teófilo Cid, Enrique Gómez-Correa, Armando Gaete, Mariano Medina, Fernando Onfray, Gustavo Ossorio, Gonzalo Rojas-Pizarro, Mario Urzúa y Eugenio Vidaurrazaga.

1938, julio.

Lectura de poemas en la Universidad de Chile. Se formulan declaraciones sobre posición del grupo.

1938, julio.

Se publica un programa con poemas.

1938, diciembre.

Revista Mandrágora, N.º I.

1939, junio.

Conferencias de Arenas, Cid y Gómez, defendiendo la posición surrealista, atacada en una conferencia anterior por Gonzáles Tuñón, escritor argentino. Violentos incidentes en la Universidad.

1939, junio.

Publicación de las conferencias. Polémica en la prensa.

1939, julio.

Publicación de una hoja de ataque contra la Alianza de Intelectuales.

1939, septiembre.

Folleto con poemas de Arenas, Cáceres, Cid y Gómez.

1939, diciembre.

Revista Mandrágora, N.º 2.

1939, diciembre.

En la prensa se publican ataques contra esta revista.

1940, abril.

Publicación del libro «El Mundo y su Doble», de Arenas. Revista Mandrágora, N.º 3.

1940, julio.

Arenas, Gómez y Onfray interrumpen un acto de homenaje a Pablo Neruda (Universidad de Chile), pidiendo que Neruda dé cuenta del resultado de las colectas que organizaba en favor de los niños españoles, en su calidad de Presidente de la Alianza de Intelectuales de Chile. Este homenaje se rendía a Neruda con motivo de su designación como Cónsul General de Chile en México. Braulio Arenas rompió la conferencia que Neruda leía, con lo que se suspendió el acto.

1940, julio.

Violenta polémica por la prensa a raíz de estas incidencias.

1940, julio.

Revista Mandrágora, N.º 4.

1940, diciembre.

Publicación del libro «Las Hijas de la Memoria», de Gómez-Correa.

1941, junio.

Revista Mandrágora, N.º 5.

1941, agosto.

Publicación del libro «Sobre los Pasos», de Jorge Cáceres.

1941, septiembre.

Publicación del libro «La Mujer Mnemotécnica», de B. Arenas.

1941, septiembre.

Revista Mandrágora, N.º 6.

1941, octubre.

Publicación del libro «Trillada fábula en pro de la abolición del colmillo», de Fernando Onfray (Collages de Arenas).

1941, diciembre.

Publicación del libro «René, o la Mecánica celeste», de Jorge Cáceres.

1941, diciembre.

Exposición surrealista. Participación de Braulio Arenas y Jorge Cáceres. Collages, dibujos, pinturas, esculturas y objetos surrealistas. La exposición es visitada por miles de personas. Las opiniones son adversas y favorables.

1941, diciembre.

Catálogo de la Exposición Surrealista. Prefacio de Enrique Gómez-Correa.

1941, diciembre.

Publicación de una hoja en respuesta a los ataques de la prensa por la Exposición.

1942, febrero.

Publicación del libro «Brouldoud», de Teófilo Cid.

1942, febrero.

Publicación del libro «Por el camino de la gran pirámide polar», de Jorge Cáceres (con una fotografía de Erich G. Schoof).

1942, febrero.

Publicación del libro «Cataclismo en los ojos», de E. Gómez-Correa.

1942, marzo.

Publicación del libro «Sociología de la Locura», de E. Gómez-Correa.

1942, junio.

Publicación del libro «Monumento a los Pájaros», de Jorge Cáceres.

1942, junio.

Carta de Benjamín Péret a Braulio Arenas. Primer contacto con el surrealismo internacional.

1942, septiembre.

B. Arenas da lectura en Valparaíso a una conferencia sobre la posición surrealista.

A la hora presente, superados ya todos los propósitos que dieron vida al grupo Mandrágora nosotros superamos también nuestra posición nacional y adherimos con entusiasmo a la posición internacional del surrealismo. Al efecto, terminada la trayectoria gloriosa de Mandrágora, comienza para nosotros otra no menos importante: la trayectoria surrealista.

Bajo esta luz, publicaremos una nueva revista (la cual cuenta ya con el aporte entusiasta de jóvenes poetas y pintores chilenos) para la cual, por su intermedio, solicitamos los trabajos de nuestros amigos que se agrupan hoy en *VVV*.

Este creo que es el resumen más fiel de nuestras actividades durante estos últimos años. Muchos de los que se reclamaron engañosamente como nuestros compañeros gracias a un pretendido desinterés para afrontar la vida, quedaron tendidos a medio camino, ya sea porque su pequeñez de pensamiento les impedía ver el verdadero objetivo de la existencia humana, o ya sea porque la realidad los venció con su apogeo utilitario.

Pero, pequeño o grande, con alzas y caídas, con contradicciones y con violencias, el paso nuestro hacia el pensamiento surrealista total ha estado siempre determinado por una gran pasión. Esta pasión moral ha sido para nosotros el más precioso de vuestros ejemplos.

Le saluda cordialmente, Braulio Arenas.

Dirección: Calle Mújica 0373, Santiago de Chile.

BIBLIOGRAFÍA

Alegría, Fernando, «Alejo Carpentier: realismo mágico», *Humanitas*, I (1960), 345-372.

—, *Historia de la novela hispanoamericana*, México: Ediciones de Andrea, 1965.

Allen, Martha E., «Dos estilos de novela: Marta Brunet y María Luisa Bomba», *Revista Iberoamericana*, XXXV (1952), 63-91.

Alquié, Ferdinand (ed.), *Entretiens sur le surréalisme*, Paris: Mouton and Company, 1968.

—, *The Philosophy of Surrealism*, Ann Arbor: The University of Michigan Press, 1969.

Amicola, José, *Sobre Cortázar*, Buenos Aires: Editorial Escuela, 1969.

Amorós, Andrés, *Introducción a la novela contemporánea*, Salamanca: Ediciones Anaya, S. A., 1966.

Anderson-Imbert, Enrique, «Análisis de *El Señor Presidente*», *Revista Iberoamericana*, XXXV, 67 (enero-abril de 1969), 53-57.

—, *Spanish American Literature*, Vol. I, Detroit: Wayne State University Press, 1969.

Arenas, Braulio, «Letter from Chile», *VVV*, 2-3 (Marz. 1943), 124-125.

Arévalo Martínez, Rafael, ¡*Ecce Pericles*!, Guatemala: Tipografía Nacional, 1945.

Arrabal, Fernando et al., *La revolución surrealista a través de André Breton*, Caracas: Monte Ávila Editores, C. A., 1970.

Asturias, Miguel Ángel, *El Señor Presidente*, Buenos Aires: Editorial Losada, S. A., 14.ª edición, 1970.

Aycinena, Luis, «Novela y dolor de Guatemala», *Cuadernos Hispanoamericanos*, 14 (marzo-abril de 1950), 375-378.

Baciu, Stefan, *Antología de la poesía surrealista latinoamericana*, México: Joaquín Mortiz, 1974.

Balakian, Anna, *Surrealism: the Road to the Absolute*, New York: Noonday Press, 1959.

Bajarlía, Juan Jacobo, *Notas sobre el barroco; Undurraga y la poesía chilena; gongorismo y surrealismo*, Buenos Aires: Santiago Rueda, Editor, 1950.

Barrenechea, Ana María and Speratti, Emma Susana, *La literatura fantástica argentina*, México: Imprenta Universitaria, 1957.

Barrenechea, Ana María, «*Rayuela*, una búsqueda a partir de cero», *Sur*, 228 (1964), 69-73.

Bédouin, Jean Louis, *La Poésie Surréaliste*, Paris: Editions Seghers, 1964.

Bellini, Giuseppe, *La narrativa de Miguel Ángel Asturias*, Buenos Aires: Editorial Losada, S. A., 1969.

Béhar, Henri, *Étude sur le théâtre dada et surréaliste*, Paris: Gallimard, 1967.

Benedetti, Mario, «Julio Cortázar, un narrador para lectores cómplices», *Letras del continente mestizo*, Montevideo: Arce, 1967, 58-76.

Bersani, Jacques et al., *La littérature en France depuis 1945*, Paris: Bordas, 1970.

Bodden, Rodney Vernon, *Modern Fantastic Literature in Argentina*, Madison: The University of Wisconsin, 1970. (Tesis doctoral inédita).

Boldori, Rosa, «La irrealidad en la narrativa de Cortázar», *Boletín de literaturas hispánicas*, 6, 1966, 13-28.

Bombal, María Luisa, *La última niebla*, Santiago: Nascimento, 1962.

Bosquet, Alain, «Octavio Paz ou le surréalisme tellurique», *Verbe et Vertige*, Paris: Hachette, 1961, Capítulo VII, 186-192.

Brée, Germaine and Margaret Guiton, *An Age of Fiction*, New Brunswick, N. J.: Rutgers University Press, 1957.

Breton, André, *Manifestoes of Surrealism*, Ann Arbor: The University of Michigan Press, 1969.

Brown, C. M., «Haunted Hacienda», *Saturday Review of Literature*, XXX (May. 3, 1947), 22.

Brown, Frederick, «The Inhuman Condition: An Essay Around Surrealism», *The Texas Quarterly*, V, 3 (Otoño, 1962), 161-173.

Brughetti, Romualdo, «Una nueva generación literaria argentina 1940-1950», *Cuadernos Americanos*, II, 3 (mayo-junio 1952), 261-281.

Brushwood, John S., *Mexico in its Novel*, Austin: University of Texas Press, 1966.

Bueno, Salvador, «Alejo Carpentier, novelista antillano y universal», *La letra como testigo*, Santa Clara, Cuba: Publicaciones de la Universidad Central de las Villas, 1957, 153-179.

Calasso, Roberto, «Th. W. Adorno, el surrealismo y el maná», *Sur* (marzo-abril 1962), 39-54.

Callan, Richard J., «El tema del amor y de la fertilidad en *El Señor Presidente*», *Cuadernos Hispanoamericanos*, 219 (1967), 194-205.

—, *Miguel Ángel Asturias*, New York: Twayne Publishers, 1970.

Campbell, Margaret V., «The Vaporous World of María Luisa Bombal», *Hispania*, XLIV (1961), 415-420.

Campos, Jorge, «Sobre Ernesto Sábato», *Ínsula*, 203 (octubre, 1963), página 11.

Canal-Feijoo, Bernardo, «*Sobre héroes y tumbas* de Ernesto Sábato», *Sur*, 275 (mayo-junio, 1962), 90-99.

Carmody, Francis J., «Éluard's Rupture with Surrealism», *PMLA*, LXXVI (1961), 436-446.

«Carpentier: autobiografía», *Bohemia*, 28 (9 de julio de 1965), 26-32.

Carpentier, Alejo, *Los pasos perdidos*, México: Compañía General de Ediciones, S. A., 1966.

—, *Tientos y diferencias*, México: Universidad Nacional Autónoma de México, 1964.

Carter, Boyd G., *Historia de la literatura hispanoamericana a través de sus revistas*, México: Ediciones de Andrea, 1968.

Castelpoggi, Atilo Jorge, *Miguel Ángel Asturias*, Buenos Aires: Editorial La Mandrágora, 1961.

Caws, Mary Ann, *The Poetry of Dada and Surrealism*, Princeton: Princeton University Press, 1970.

Ceselli, Juan José, *Poesía Argentina de Vanguardia: Surrealismo e Invencionismo*, Buenos Aires: Ministerio de Relaciones Exteriores, 1964.

Cirlot, J. E., *A Dictionary of Symbols*, New York: Philosophical Library, 1962.

Champigny, R., «Analyse d'une définition du surréalisme», *PMLA*, LXXI (1966), 139-144.

«Chile-Escapist», *Time*, XLIX (Abril 14, 1947), 42.

Coll, Edna, «Aspectos cervantinos en Julio Cortázar», *Revista Iberoamericana*, XXXIV, 3-4 (julio-octubre de 1968), 596-604.

Collazos, Oscar et al, *Literatura en la revolución y revolución en la literatura*, México: Siglo XXI Editores, S. A., 1971.

Copeland, John G., «Las imágenes de Rayuela», *Revista Iberoamericana*, XXXIII, 63 (enero-junio de 1968), 85-104.

Correa, Carlos R., «María Luisa Bombal», *Atenea* (enero de 1972), 17-22.

Correa, Gustavo, «Significado de *Poeta en Nueva York* de Federico García Lorca», *Cuadernos Americanos*, XVIII (enero-febrero, 1959), 224-233.

Cortázar, Julio, *Rayuela*, Buenos Aires: Editorial Sudamericana, 10.ª edición, 1969.

—, «Un cadáver viviente», *Realidad*, vol. V, 49-50.

Corvalán, Octavio, *Modernismo y Vanguardia*, New York: Las Americas Publishing Company, 1967.

Coyné, André, «Vallejo y el surrealismo», *Revista Iberoamericana*, XXXVI, 71 (abril-junio de 1970), 243-301.

Dávila, Carlos, «Cine en Norteamérica: una novela latinoamericana», *Revista de América* (septiembre de 1946), 366-368.

De Castellanos, Carmelina, «Aproximación a la obra de Ernesto Sábato», *Cuadernos Hispanoamericanos*, vol. 61, 183 (marzo de 1965), 486-503.

De Gregorio, María Isabel, «*Rayuela*», *Boletín de literaturas hispánicas*, 6, 43-58.

Dellepiane, Angela B., «Del barroco y las modernas técnicas novelísticas en Ernesto Sábato», *Inter-American Review of Bibliography*, vol. 15, 3 (Jul.-Sept. 1965), 226-250.

—, *Ernesto Sábato: el hombre y su obra*, New York: Las Americas Publishing Company, 1968.

—, «La novela argentina desde 1950-1965», *Revista Iberoamericana*, XXXIV, 66 (julio-diciembre de 1968), 237-282.

Del Saz, Agustín, «Superrealismo y pesimismo en Miguel Ángel Asturias», *Papeles de Son Armadáns*, VI, 17 (agosto de 1957), 135-146.

De Sola, Graciela, *Julio Cortázar y el hombre nuevo*, Buenos Aires: Editorial Sudamericana, 1968.

—, *Proyecciones del surrealismo en la literatura argentina*, Buenos Aires: Ediciones Culturales Argentinas, 1967.

De Torre, Guillermo, *Historia de las literaturas de vanguardia*, Madrid: Ediciones Guadarrama, 1965.

—, *Qué es el superrealismo*, Buenos Aires: Editorial Columba, 1955.

—, *Tres conceptos de la literatura hispanoamericana*, Buenos Aires: Editorial Losada, S. A., 1963.

De Undurraga, Antonio, *28 cuentistas de la literatura chilena*, Santiago: Empresa Editora Zig-Zag, S. A., 1963.

Diaz Rozzoto, Jaime, «El realismo mágico de Miguel Ángel Asturias», *Revista de Guatemala*, XVIII, 2 (enero-diciembre de 1960), 66-78.

Díaz Seijas, Pedro, «Una ojeada a la novelística hispanoamericana en cinco dimensiones», Caracas: Universidad Central de Venezuela, 1968, *Memorias* del Congreso Internacional de Literatura Iberoamericana.

Dictionnaire Abrégé du Surréalisme, Rennes: Gazette de Beaux Arts, José Cortí, 1969.

Donahue, Francis, «Alejo Carpentier: la preocupación del tiempo», Cuadernos Hispanoamericanos, LXVIII (octubre, 1966), 133-151.

—, «Miguel Ángel Asturias: su trayectoria literaria», Cuadernos Hispanoamericanos, LXII, 186 (junio de 1965), 507-527.

Donoso, José, Historia personal del «boom», Barcelona: Editorial Anagrama, 1972.

Dumas, Jean-Louis, «Asturias en France», Revista Iberoamericana, XXXV, 67 (enero-abril de 1969), 117-125.

Duplissis, Yves, Le Surréalisme, Paris: Presses Universitaires de France, 1958.

Durán, Manuel, «Julio Cortázar y su Pequeño mundo de cronopios y famas», Revista Iberoamericana, XXXI, 59 (enero-junio de 1965), 33-46.

Durand, José, «Julio Cortázar: Storytelling Giant», Américas (enero de 1963), 39-43.

Edel, Leon, The Modern Psychological Novel, New York: Grove Press Inc., 1955.

Ehrenbourg, Ilya, «The Surrealists», Partisan Review (Oct.-Nov. 1935), 11-16.

Encyclopedia Americana, vol. 19, New York: Americana Corporation, 1968.

Fernández Retamar, Roberto, La Poesía Contemporánea en Cuba (1927-1953), La Habana: Orígenes, 1954.

Filer, Malva E., Los mundos de Julio Cortázar, New York: Las Americas Publishing Company, 1970.

Flores, Ángel, «Magical Realism in Spanish American Fiction», Hispania, XXXVIII (1955), 187-201.

Flores, Ángel y Silva Cáceres, Raúl, La novela hispanoamericana actual, New York: Las Américas Publishing Company, 1971.

Florit, Eugenio y Olivio Jiménez, José, La poesía hispanoamericana desde el modernismo, New York: Appleton-Century-Crofts, 1968.

Fowlie, Wallace, Age of Surrealism, New York: The Swallow Press and William Morrow and Company, Inc., 1950.

Foppa, Alaide, «Realidad e irrealidad en la obra de Miguel Ángel Asturias», Cuadernos Americanos, XXVII, 1 (enero-febrero de 1968), 53-69.

Franco, Jean, An Introduction to Spanish American Literature, Cambridge, England: The University Press, 1969.

Franklin, Richard L., «Observations on El Señor Presidente», Hispania, XLIV, 4 (Dic. 1961), 683-685.

Freud, Sigmund, The Interpretation of Dreams, New York: Modern Library, 1938.

Fuentes, Carlos, La nueva novela hispanoamericana, México: Cuadernos de Joaquín Mortiz, 1969.

Galaos, José Antonio, «Los dos ejes de la novelística de Miguel Ángel Asturias», *Cuadernos Hispanoamericanos*, LII, 154 (noviembre-diciembre de 1962), 126-139.

Geel, María Carolina, *Siete escritores chilenos*, Santiago: Editorial Rapa Nui, S. A., 1949.

Gershman, Herbert S., *The Surrealist Revolution in France*, Ann Arbor: The University of Michigan Press, 1969.

Gertel, Zunilda, *La novela hispanoamericana contemporánea*, Buenos Aires: Nuevos Esquemas, 1970.

Giacoman, Helmy F. (ed.), *Homenaje a Alejo Carpentier*, New York: Las Américas Publishing Company, 1970.

—, *Homenaje a Julio Cortázar*, New York: Las Américas Publishing Company, 1972.

Giacoman, Helmy F. y Oviedo, José Miguel, *Homenaje a Mario Vargas Llosa*, New York: Las Américas Publishing Company, 1971.

Goiç, Cedomil, «La novela chilena actual», *Anales de la Universidad de Chile*, 119 (1960), 250-262.

—, «*La última niebla*: Consideraciones en torno a la estructura de la novela contemporánea», *Anales de la Universidad de Chile*, CXXI, 128 (septiembre-diciembre de 1963), 59-83.

Gómez de la Serna, Ramón, *Ismos*, Buenos Aires: Editorial Poseidón, 1943.

Gómez-Gil, Orlando, *Historia crítica de la Literatura Hispanoamericana*, New York: Holt, Rinehart and Winston, 1968.

Guillot Muñoz, Gervasio, «Revisión y justiprecio del superrealismo», *Sur*, 10 (julio de 1935), 84-91.

Gutheil, M. D., Emil A., *The Handbook of Dream Analysis*, New York: Liverright Publishing Corporation, 1951.

Harss, Luis, *Los nuestros*, Buenos Aires: Editorial Sudamericana, 1969.

Hauser, Arnold, *The Social History of Art*, vol. IV, New York: Alfred Knopf, 1957.

Hatzfeld, Helmut, *Trends and Styles in Twentieth Century French Literature*, Washington, D. C.: The Catholic University of America Press, 1966.

Henríquez Ureña, Max, *Panorama histórico de la literatura cubana*, vol. II, Puerto Rico: Ediciones Mirador, 1963.

Himelblau, Jack, «*El Señor Presidente*: Antecedents, Sources, and Reality», *Hispanic Review* (Winter, 1973).

Hoffman, Frederick J., *Freudianism and the Literary Mind*, Baton Rouge: Louisiana State University Press, 1967.

Holzapfel, Tamara, «*Sobre héroes y tumbas*, novela del siglo», *Revista Iberoamericana*, XXXIV, 65 (enero-abril de 1968), 117-121.

Hoog, Armand, «The Surrealist Novel», *Yale French Review*, 8 (1951), 17-25.

Humphrey, Robert, *Stream of Consciousness in the Modern Novel*, Berkeley: University of California Press, 1959.

Ilie, Paul, *The Surrealist Mode in Spanish Literature*, Ann Arbor: The University of Michigan Press, 1968.

Irby, James E., «Cortázar, *Hopscotch* and Other Games», *Novel*, I, 1 (Fall, 1967), 64-70.

Irving, T. B., «Stifled Protest in the City», *Revista Interamericana de Bibliografía*, XV, 2 (abril-junio de 1965), 127-140.

Jimenes-Grullón, Juan Isidro, *Anti-Sábato o Ernesto Sábato*, Maracaibo, Venezuela: Universidad del Zulia, 1968.

Jitrik, Noe et al., *La vuelta a Cortázar en nueve ensayos*, Buenos Aires: C. Pérez, 1968.

Jones, Chester Lloyd, *Guatemala: Past and Present*, New York: Russell and Russell, 1966.

Josephson, Matthew, *Life Among the Surrealists*, New York: Holt, Rinehart and Winston, 1962.

King, Lloyd, «Surrealism and the Sacred in the Aesthetic Credo of Octavio Paz», *Hispanic Review*, XXXVII, 3, 383-393.

Lafforgue, Jorge, ed., *Nueva novela latinoamericana*, vol. I, Buenos Aires: Editorial Paidós, 1962.

Lagmanovich, David, «Sobre la función del surrealismo en *Hombres de Maíz*», 1-15 (Paper read at the MLA Convention in Dec. 1971).

Lake, Carlton y Maillard, Robert (eds.), *Dictionary of Modern Painting*, New York: Tudor Publishing Company, 1964.

Larrea, Juan, «El surrealismo entre viejo y nuevo mundo», *Cuadernos Americanos* (enero-marzo de 1944), 235-255.

Leal, Luis, *Breve historia de la literatura hispanoamericana*, New York: Alfred A. Knopf, Inc., 1971.

—, «El realismo mágico en la literatura hispanoamericana», *Cuadernos Americanos*, 153 (1967), 230-235.

—, «Myth and Social Realism in Miguel Ángel Asturias», *Comparative Literature Studies*, VI, 3 (1969), 237-247.

Lemaître, Georges, *From Cubism to Surrealism in French Literature*, Cambridge, Massachusetts: Harvard University Press, 1947.

Lipp, Solomon, «Ernesto Sábato: Síntoma de una época», *Journal of Interamerican Studies*, vol. 8, 1 (1966), 143-155.

López Alvarez, Luis, *Conversaciones con Miguel Ángel Asturias*, Madrid: Editorial Magisterio Español, S. A., 1974.

López Chuhurra, Osvaldo, «Sobre Julio Cortázar», *Cuadernos Hispanoamericanos*, 71 (1967), 5-30.

Loveluck, Juan, «Aproximación a *Rayuela*», *Revista Iberoamericana*, XXXIV, 65 (enero-abril de 1968), 83-93.

—, *La novela hispanoamericana*, Concepción, Chile: Editorial Universitaria, S. A., 1966.

—, «Sobre una novela de nuestro tiempo», *Atenea*, XVII, 310 (abril de 1951), 49-63.

Ludmer, Iris Josefina, «Ernesto Sábato y un testimonio del fracaso», *Boletín de literaturas hispánicas*, V (1963), 83-100.

Lyon, Thomas E., «Miguel Ángel Asturias; Timeless Fantasy; The 1967 Nobel Prize for Literature», *Books Abroad*, XLII (Spring, 1968), 183-189.

Maldonado Denís, Manuel, «Miguel Ángel Asturias, novelista americano», *Cuadernos Americanos*, XII, 3 (mayo-junio de 1963), 250-258.

Mañach, Jorge, *Historia y estilo*, La Habana: Editorial Minerva, 1944.

«María Luisa Bombal», *The Inter-American*, II, 1 (January, 1943), 33-34.

Martínez-Palacio, Javier, «Los anti-héroes de Alejo Carpentier», *Insula*, XX, 226 (1965), 1 y 14.

Matthews, J. H., «Forty Years of Surrealism (1924-1964): A Preliminary Bibliography», *Comparative Literature Studies*, III, 3 (1966), 309-350.

—, «Surrealism and the Cinema», *Criticism*, IV, 2 (1962), 120-133.

—, *Surrealism and the Novel*, Ann Arbor: The University Press, 1969.

—, *Surrealist Poetry in France*, Syracuse: Syracuse University Press, 1969.

—, «The Case for Surrealist Painting», *Journal of Aesthetics and Art Criticism*, XXI, 2 (Winter, 1962), 139-147.

Mendilov, A. A., *Time and the Novel*, New York: Humanities Press, 1965.

Menton, Seymour, «Asturias Carpentier y Yáñez: paralelismos y divergencias», *Revista Iberoamericana*, XXXV, 67 (enero-abril de 1969), 31-52.

—, *Historia crítica de la novela guatemalteca*, Guatemala: Editorial Universitaria, 1960.

Merino Reyes, Luis, *Perfil humano de la literatura chilena*, Santiago: Editorial Orbe, 1967.

Meseguer, S. J., Pedro, *The Secret of Dreams*, Westminster, Maryland: The Newman Press, 1960.

M. F., «Conversación con Vargas Llosa», *Imagen*, núm. 6, agosto de 1967.

Miller, Henry, «An Open Letter to Surrealists Everywhere», *The Cosmological Eye*, Norfolk, Conn.: New Directions, 1939, 151-196.

Mullen, E. J., «Critical Reaction to the Review *Contemporáneos*», *Hispania*, vol. 54 (March, 1971), 145-148.

Müller-Bergh, Klaus, «Alejo Carpentier: autor y obra en su época», *Revista Iberoamericana*, XXXIII, 63 (enero-junio de 1967), 9-43.

Nadeau, Maurice, *Histoire du Surréalisme*, Paris: Editions du Seuil, 1945.

Navarro, Carlos, «La Desintegración Social en *El Señor Presidente*», *Revista Iberoamericana*, XXXV, 67 (enero-abril de 1969), 53-57.

—, «La hipotiposis del miedo en *El Señor Presidente*», *Revista Iberoamericana*, XXXII, 61 (enero-junio de 1966), 51-60.

Núñez, Estuardo, *La literatura peruana en el siglo XX*, México: Editorial Pormaca, S. A., 1965.

—, «Realidad y Mitos Latinoamericanos en el Surrealismo Francés», *Revista Iberoamericana*, XXXVII, 75, 311-324.

Oberhelman, Harley D., *Ernesto Sábato*, New York: Twayne Publishers, 1970.

Oviedo, José Miguel, *Mario Vargas Llosa: La invención de una Realidad*, Barcelona: Seix Barral, 1960.

Paz, Octavio, «André Breton», *Mundo Nuevo*, 6 (dic. de 1966), 59-62.

—, *El laberinto de la soledad*, México: Fondo de Cultura Económica, 5.ª edición, 1967.

Petersen, Fred J., *Ernesto Sábato: Essayist and Novelist*, Seattle: The University of Washington, 1963. (Tesis doctoral inédita).

Peyre, Henri, «The Significance of Surrealism», *Yale French Review* (Otoño-Invierno, 1948), 34-49.

Ray, P. C., «Sir Herbert Read and English Surrealism», *Journal of Aesthetics and Art Criticism*, XXIV (1966), 401-413.

Read, Herbert, *Surrealism*, London: Faber and Faber Limited, 1936.

Reinhardt, Kurt F., *The Existentialist Revolt*, New York: Frederick Ungar Publishing Company, 1960.

Ripoll, Carlos, «*La Revista de Avance* (1927-30): Vocero de Vanguardismo y Pórtico de Revolución», *Revista Iberoamericana*, XXX, 58 (julio-diciembre de 1964), 261-284.

Rodríguez-Alcalá, Hugo, *El Arte de Juan Rulfo*, México: Instituto Internacional de Bellas Artes, 1965.

—, *Narrativa hispanoamericana*, Madrid: Editorial Gredos, S. A., 1973.

Rodríguez Monegal, Emir, «Los dos Asturias», *Revista Iberoamericana*, XXXV, 67 (enero-abril de 1969), 13-20.

—, «Madurez de Vargas Llosa», *Mundo Nuevo*, núm. 3 (septiembre de 1966).

Rodríguez Prampolini, Ida, *El surrealismo y el arte fantástico de México*, México: Universidad Nacional Autónoma de México.

Rulfo, Juan, *Pedro Páramo*, México: Fondo de Cultura Económica, 7.ª edición, 1965.

Russell, M. D., James A., *The Layman's Guide to Psychiatry*, New York: Barnes and Noble, Inc., 1961.

Sábato, Ernesto, *El escritor y sus fantasmas*, Buenos Aires: Aguilar, 1967.

—, *Hombres y engranajes*, Buenos Aires: Emece, 1951.

—, *Sobre héroes y tumbas*, Buenos Aires: Editorial Sudamericana, 7.ª edición, 1967.

—, *Uno y el universo*, Buenos Aires: Editorial Sudamericana, 1969.

Sánchez, Luis Alberto, *Proceso y contenido de la novela hispanoamericana*, Madrid: Gredos, 1953.

Sánchez-Boudy, José, *La temática novelística de Alejo Carpentier*, Miami: Ediciones Universal, 1969.

Santander, Carlos, «Lo maravilloso en la obra de Alejo Carpentier», *Atenea*, CLIX, 409 (1965), 95-126.

Seator, Lynette, «La creación del ensueño en *La última niebla*», *Armas y Letras*, VIII, 4 (diciembre de 1965), 38-45.

Sierra Franco, Aurora, *Miguel Ángel Asturias en la literatura*, Ciudad de Guatemala: La Editorial Istmo, 1969.

Silva Cáceres, «Una novela de Carpentier», *Mundo Nuevo*, 17 (1967), 33-37.

Sima, Ana María et al., *Cinco miradas sobre Cortázar*, Buenos Aires: Editorial Tiempo Contemporáneo, 1968.

Schlauch, Margaret, «The Language of James Joyce», *Science and Society*, vol. 3 (1939), 428-497.

Shattuck, Roger, *The Banquet Years*, New York: Random House, edición de 1968.

Sorel, Andrés, «La nueva novela latinoamericana», *Cuadernos Hispanoamericanos*, 191 (noviembre de 1965), 221-254.

Sorel Martínez, Andrés, «El mundo novelístico de Alejo Carpentier», *Cuadernos Hispanoamericanos*, LXI (1965), 304-318.

Stekel, M. D., Wilhelm, *The Interpretation of Dreams*, New York: Liverright Publishing Corporation, 1943.

Tamayo Vargas, Augusto, *Literatura Peruana*, tomo II, Lima: Universidad Nacional Mayor de San Marcos, 1965.

Tiempo, César, «Ernesto Sábato», *La Estafeta Literaria*, 370 (20 de mayo de 1967), 14-15.

Troisfontaines, Roger, *What is Existentialism?*, Albany, N. Y.: Magi Books, Inc., 1968.

Tuñón de Lara, Manuel, «Un Romancier Social des Tropiques: Miguel Ángel Asturias», *Lettres Françaises* (Marz. 1953), 650-657.

Tzara, Tristan, *Surrealismo de Hoy*, Buenos Aires: Ediciones Alpe, 1955.

Vargas Llosa, Mario, *La ciudad y los perros*, Barcelona: Seix Barral, 1963.

—, *La Casa Verde*, Barcelona: Seix Barral, 6.ª edición, 1968.

Verdevoye, Paul, «Miguel Ángel Asturias y la nueva novela», *Revista Iberoamericana*, XXXV, 67 (enero-abril de 1969), 21-29.

Verdugo, Iber H., *El carácter de la literatura hispanoamericana y la nove-*

lística de Miguel Angel Asturias, Guatemala: Editorial Universitaria, 1968.

«What is Pataphysics?», *Evergreen Review*, IV, 13 (May.-Jun. 1960), 147-192.

Wyers Weber, Francis, «El acoso: Alejo Carpentier's War on Time», *PMLA*, LXXVIII (1963), 440-448.

XIII Congreso Internacional de Literatura Iberoamericana, *La novela iberoamericana contemporánea*, Caracas: Universidad Central de Venezuela, 1968.

Zum Felde, Alberto, *Indice crítico de la literatura hispanoamericana*, tomo II: La Narrativa, México: Editorial Guaranía, 1959.

ÍNDICE GENERAL

BIBLIOTECA ROMÁNICA HISPÁNICA

Dirigida por: DÁMASO ALONSO

I. TRATADOS Y MONOGRAFÍAS

1. Wartburg, W. von: *La fragmentación lingüística de la Romania.* Segunda edición aumentada. Reimpresión. 208 págs. 17 mapas.
2. Wellek, R. y Warren, A.: *Teoría literaria.* Prólogo de Dámaso Alonso. Cuarta edición. Reimpresión. 432 págs.
3. Kayser, W.: *Interpretación y análisis de la obra literaria.* Cuarta edición revisada. Reimpresión. 594 págs.
4. Peers, E. A.: *Historia del movimiento romántico español.* 2 vols. Segunda edición. Reimpresión. 1.026 págs.
5. Alonso, A.: *De la pronunciación medieval a la moderna en español.* 2 vols.
9. Wellek, R.: *Historia de la crítica moderna (1750-1950).* 3 vols.
10. Baldinger, K.: *La formación de los dominios lingüísticos en la Península Ibérica.* Segunda edición corregida y muy aumentada. 496 págs. 23 mapas.
11. Morley, S. G. y Bruerton, C.: *Cronología de las comedias de Lope de Vega.* 694 págs.
12. Martí, A.: *La preceptiva retórica española en el Siglo de Oro.* Premio Nacional de Literatura. 346 págs.
13. Aguiar e Silva, V. M. de: *Teoría de la literatura.* Segunda reimpresión. 550 págs.
14. Hörmann, H.: *Psicología del lenguaje.* 496 págs.
15. Rodríguez Adrados, F.: *Lingüística indoeuropea.* 2 vols. 1.152 págs.

II. ESTUDIOS Y ENSAYOS

1. Alonso, D.: *Poesía española (Ensayo de métodos y límites estilísticos).* Quinta edición. Reimpresión. 672 págs. 2 láminas.
2. Alonso, A.: *Estudios lingüísticos (Temas españoles).* Tercera edición. Reimpresión. 286 págs.
3. Alonso, D. y Bousoño, C.: *Seis calas en la expresión literaria española (Prosa-Poesía-Teatro).* Cuarta edición. 446 págs.
4. García de Diego, V.: *Lecciones de lingüística española (Conferencias pronunciadas en el Ateneo de Madrid).* Tercera edición. Reimpresión. 234 págs.
5. Casalduero, J.: *Vida y obra de Galdós (1843-1920).* Cuarta edición ampliada. 312 págs.
6. Alonso, D.: *Poetas españoles contemporáneos.* Tercera edición aumentada. Reimpresión. 424 págs.
7. Bousoño, C.: *Teoría de la expresión poética.* Premio «Fastenrath». 2 vols. Sexta edición aumentada. 1.120 págs.

9. Menéndez Pidal, R.: *Toponimia prerrománica hispana*. Reimpresión. 314 págs. 3 mapas.
10. Clavería, C.: *Temas de Unamuno*. Segunda edición. 168 págs.
11. Sánchez, L. A.: *Proceso y contenido de la novela hispanoamericana*. Tercera edición. 630 págs.
12. Alonso, A.: *Estudios lingüísticos (Temas hispanoamericanos)*. Tercera edición. Reimpresión. 360 págs.
16. Hatzfeld, H.: *Estudios literarios sobre mística española*. Tercera edición corregida y aumentada. 460 págs.
17. Alonso, A.: *Materia y forma en poesía*. Tercera edición. Reimpresión. 402 págs.
18. Alonso, D.: *Estudios y ensayos gongorinos*. Tercera edición. 602 páginas. 15 láminas.
19. Spitzer, L.: *Lingüística e historia literaria*. Segunda edición. Reimpresión. 308 págs.
20. Zamora Vicente, A.: *Las sonatas de Valle Inclán*. Segunda edición. Reimpresión. 190 págs.
21. Zubiría, R. de: *La poesía de Antonio Machado*. Tercera edición. Reimpresión. 268 págs.
24. Gaos, V.: *La poética de Campoamor*. Segunda edición corregida y aumentada, con un apéndice sobre la poesía de Campoamor. 234 págs.
27. Bousoño, C.: *La poesía de Vicente Aleixandre*. Tercera edición aumentada. 558 págs.
28. Sobejano, G.: *El epíteto en la lírica española*. Agotado.
31. Palau de Nemes, G.: *Vida y obra de Juan Ramón Jiménez (La poesía desnuda)*. 2 vols. Segunda edición completamente renovada. 678 págs.
33. Sánchez, L. A.: *Escritores representativos de América*. Véase sección VII, Campo Abierto núm. 11.
34. Asensio, E.: *Poética y realidad en el cancionero peninsular de la Edad Media*. Segunda edición aumentada. 308 págs.
37. Alonso, D.: *De los siglos oscuros al de Oro*. Véase sección VII, Campo Abierto núm. 14.
39. Díaz, J. P.: *Gustavo Adolfo Bécquer (Vida y poesía)*. Tercera edición corregida y aumentada. 514 págs.
40. Carilla, E.: *El Romanticismo en la América hispánica*. 2 vols. Tercera edición revisada y ampliada. 668 págs.
41. Nora, E. G. de: *La novela española contemporánea (1898-1967)*. Premio de la Crítica. 3 vols.
42. Eich, Ch.: *Federico García Lorca, poeta de la intensidad*. Segunda edición revisada. Reimpresión. 206 págs.
43. Macrí, O.: *Fernando de Herrera*. Segunda edición corregida y aumentada. 696 págs.
44. Bayo, M. J.: *Virgilio y la pastoral española del Renacimiento (1480-1550)*. Segunda edición. 290 págs.

73. Hatzfeld, H.: *Estudios sobre el barroco*. Tercera edición aumentada. 562 págs.

74. Ramos, V.: *El mundo de Gabriel Miró*. Segunda edición corregida y aumentada. 526 págs.

75. García Blanco, M.: *América y Unamuno*. 434 págs. 2 láminas.

76. Gullón, R.: *Autobiografías de Unamuno*. Reimpresión. 390 págs.

80. Maravall, J. A.: *El mundo social de «La Celestina»*. Premio de los Escritores Europeos. Tercera edición. Reimpresión. 188 págs.

82. Asensio, E.: *Itinerario del entremés desde Lope de Rueda a Quiñones de Benavente (Con cinco entremeses inéditos de Don Francisco de Quevedo)*. Segunda edición revisada. 374 págs.

83. Feal Deibe, C.: *La poesía de Pedro Salinas*. Segunda edición. 270 págs.

84. Gariano, C.: *Análisis estilístico de los «Milagros de Nuestra Señora» de Berceo*. Segunda edición corregida. 236 págs.

85. Díaz-Plaja, G.: *Las estéticas de Valle-Inclán*. Reimpresión. 298 págs.

89. Lorenzo, E.: *El español de hoy, lengua en ebullición*. Prólogo de Dámaso Alonso. Tercera edición actualizada y aumentada. 284 págs.

90. Zuleta, E. de: *Historia de la crítica española contemporánea*. Segunda edición notablemente aumentada. 482 págs.

91. Predmore, M. P.: *La obra en prosa de Juan Ramón Jiménez*. Segunda edición ampliada. 322 págs.

92. Snell, B.: *La estructura del lenguaje*. Reimpresión. 218 págs.

93. Serrano de Haro, A.: *Personalidad y destino de Jorge Manrique*. Segunda edición revisada. 450 págs.

94. Gullón, R.: *Galdós, novelista moderno*. Tercera edición revisada y aumentada. 374 págs.

95. Casalduero, J.: *Sentido y forma del teatro de Cervantes*. Reimpresión. 288 págs.

96. Risco, A.: *La estética de Valle-Inclán en los esperpentos y en «El Ruedo Ibérico»*. Segunda edición. 278 págs.

97. Szertics, J.: *Tiempo y verbo en el romancero viejo*. Segunda edición. 208 págs.

98. Batllori, M., S. I.: *La cultura hispano-italiana de los jesuitas expulsos (Españoles-Hispanoamericanos-Filipinos. 1767-1814)*. 698 págs.

99. Carilla, E.: *Una etapa decisiva de Darío (Rubén Darío en la Argentina)*. 200 págs.

100. Flys, M. J.: *La poesía existencial de Dámaso Alonso*. 344 págs.

101. Chasca, E. de: *El arte juglaresco en el «Cantar de Mío Cid»*. Segunda edición aumentada. 418 págs.

102. Sobejano, G.: *Nietzsche en España*. 688 págs.

104. Lapesa, R.: *De la Edad Media a nuestros días (Estudios de historia literaria)*. Reimpresión. 310 págs.

105. Rossi, G. C.: *Estudios sobre las letras en el siglo XVIII (Temas españoles. Temas hispano-portugueses. Temas hispano-italianos)*. 336 págs.

106. Albornoz, A. de: *La presencia de Miguel de Unamuno en Antonio Machado*. 374 págs.

107. Gariano, C.: *El mundo poético de Juan Ruiz.* Segunda edición corregida y ampliada. 272 págs.

109. Fogelquist, D. F.: *Españoles de América y americanos de España.* 348 págs.

110. Pottier, B.: *Lingüística moderna y filología hispánica.* Reimpresión. 246 págs.

111. Kock, J. de: *Introducción al Cancionero de Miguel de Unamuno.* 198 págs.

112. Alazraki, J.: *La prosa narrativa de Jorge Luis Borges (Temas-Estilo).* Segunda edición aumentada. 438 págs.

113. Debicki, A. P.: *Estudios sobre poesía española contemporánea (La generación de 1924-1925).* Segunda edición en prensa.

114. Zardoya, C.: *Poesía española del siglo XX (Estudios temáticos y estilísticos).* 4 vols. (Segunda edición muy aumentada de la obra *Poesía española del 98 y del 27).* 1.398 págs.

115. Weinrich, H.: *Estructura y función de los tiempos en el lenguaje.* Reimpresión. 430 págs.

116. Regalado García, A.: *El siervo y el Señor (La dialéctica agónica de Miguel de Unamuno).* 220 págs.

117. Beser, S.: *Leopoldo Alas, crítico literario.* 372 págs.

118. Bermejo Marcos, M.: *Don Juan Valera, crítico literario.* 256 págs.

119. Salinas de Marichal, S.: *El mundo poético de Rafael Alberti.* Reimpresión. 272 págs.

120. Tacca, O.: *La historia literaria.* 204 págs.

121. *Estudios críticos sobre el modernismo.* Introducción, selección y bibliografía general por H. Castillo. Reimpresión. 416 págs.

122. Macrí, O.: *Ensayo de métrica sintagmática (Ejemplos del «Libro de Buen Amor» y del «Laberinto» de Juan de Mena).* 296 págs.

123. Zamora Vicente, A.: *La realidad esperpéntica (Aproximación a «Luces de bohemia»).* Premio Nacional de Literatura. Segunda edición ampliada. 220 págs.

125. Goode, H. D.: *La prosa retórica de Fray Luis de León en «Los nombres de Cristo» (Aportación al estudio de un estilista del Renacimiento español).* 186 págs.

126. Green, O. H.: *España y la tradición occidental (El espíritu castellano en la literatura desde «El Cid» hasta Calderón).* 4 vols.

127. Schulman, I. A. y González, M. P.: *Martí, Darío y el modernismo.* Reimpresión. 268 págs.

128. Zubizarreta, A. de: *Pedro Salinas: El diálogo creador.* Prólogo de J. Guillén. 424 págs.

129. Fernández-Shaw, G.: *Un poeta de transición. Vida y obra de Carlos Fernández Shaw (1865-1911).* 340 págs. 1 lámina.

130. Camacho Guizado, E.: *La elegía funeral en la poesía española.* 424 páginas.

131. Sánchez Romeralo, A.: *El villancico (Estudios sobre la lírica popular en los siglos XV y XVI).* 624 págs.

132. Rosales, L.: *Pasión y muerte del Conde de Villamediana.* 252 págs.

133. Arróniz, O.: *La influencia italiana en el nacimiento de la comedia española.* 340 págs.
134. Catalán, D.: *Siete siglos de romancero (Historia y poesía).* 224 págs.
135. Chomsky, N.: *Lingüística cartesiana (Un capítulo de la historia del pensamiento racionalista).* Reimpresión. 160 págs.
136. Kany, Ch. E.: *Sintaxis hispanoamericana.* Reimpresión. 552 págs.
137. Alvar, M.: *Estructuralismo, geografía lingüística y dialectología actual.* Segunda edición ampliada. 266 págs.
138. Richthofen, E. von: *Nuevos estudios épicos medievales* 294 págs.
140. Cohen, J.: *Estructura del lenguaje poético.* Reimpresión. 228 págs.
141. Livingstone, L.: *Tema y forma en las novelas de Azorín.* 242 págs.
142. Catalán, D.: *Por campos del romancero (Estudios sobre la tradición oral moderna).* 310 págs.
143. López, M.ª L.: *Problemas y métodos en el análisis de preposiciones.* Reimpresión. 224 págs.
144. Correa, G.: *La poesía mítica de Federico García Lorca.* Segunda edición. 250 págs.
145. Tate, R. B.: *Ensayos sobre la historiografía peninsular del siglo XV.* 360 págs.
146. García Barrón, C.: *La obra crítica y literaria de Don Antonio Alcalá Galiano.* 250 págs.
147. Alarcos Llorach, E.: *Estudios de gramática funcional del español.* Tercera edición. 352 págs.
148. Benítez, R.: *Bécquer tradicionalista.* 354 págs.
149. Araya, G.: *Claves filológicas para la comprensión de Ortega.* 250 págs.
150. Martinet, A.: *El lenguaje desde el punto de vista funcional.* Reimpresión. 218 págs.
151. Irizarry, E.: *Teoría y creación literaria en Francisco Ayala.* 274 págs.
152. Mounin, G.: *Los problemas teóricos de la traducción.* Segunda edición revisada. 338 págs.
153. Peñuelas, M. C.: *La obra narrativa de Ramón J. Sender.* 294 págs.
154. Alvar, M.: *Estudios y ensayos de literatura contemporánea.* 410 págs.
155. Hjelmslev, L.: *Prolegómenos a una teoría del lenguaje.* Segunda edición. Reimpresión. 198 págs.
156. Zuleta, E. de: *Cinco poetas españoles (Salinas, Guillén, Lorca, Alberti, Cernuda).* Segunda edición aumentada. 526 págs.
157. Fernández Alonso, M.ª del R.: *Una visión de la muerte en la lírica española (La muerte como amada).* Premio Rivadeneira. Premio Nacional Uruguayo de Ensayo. 450 págs. 5 láminas.
158. Rosenblat, A.: *La lengua del «Quijote».* Reimpresión. 380 págs.
159. Pollmann, L.: *La «Nueva Novela» en Francia y en Iberoamérica.* 380 págs.
160. Capote Benot, J. M.ª: *El período sevillano de Luis Cernuda.* Prólogo de F. López Estrada. 172 págs.
161. García Morejón, J.: *Unamuno y Portugal.* Prólogo de Dámaso Alonso. Segunda edición corregida y aumentada. 580 págs.

162. Ribbans, G.: *Niebla y soledad (Aspectos de Unamuno y Machado)*. 332 págs.

163. Scholberg, K. R.: *Sátira e invectiva en la España medieval*. 376 págs.

164. Parker, A. A.: *Los pícaros en la literatura (La novela picaresca en España y Europa, 1599-1753)*. Segunda edición. 218 págs. 11 láminas.

165. Rudat, E. M.: *Las ideas estéticas de Esteban de Arteaga (Orígenes, significado y actualidad)*. 340 págs.

166. San Miguel, A.: *Sentido y estructura del «Guzmán de Alfarache» de Mateo Alemán*. Prólogo de F. Rauhut. 312 págs.

167. Marcos Marín, F.: *Poesía narrativa árabe y épica hispánica (Elementos árabes en los orígenes de la épica hispánica)*. 388 págs.

168. Cano Ballesta, J.: *La poesía española entre pureza y revolución (1930-1936)*. 284 págs.

169. Corominas, J.: *Tópica hespérica (Estudios sobre los antiguos dialectos, el substrato y la toponimia romances)*. 2 vols. 840 págs.

170. Amorós, A.: *La novela intelectual de Ramón Pérez de Ayala*. 500 págs.

171. Porqueras Mayo, A.: *Temas y formas de la literatura española*. 196 págs.

172. Brancaforte, B.: *Benedetto Croce y su crítica de la literatura española*. 152 págs.

173. Martín, C.: *América en Rubén Darío (Aproximación al concepto de la literatura hispanoamericana)*. 276 págs.

174. García de la Torre, J. M.: *Análisis temático de «El Ruedo Ibérico»*. 362 págs.

175. Rodríguez-Puértolas, J.: *De la Edad Media a la edad conflictiva (Estudios de literatura española)*. 406 págs.

176. López Estrada, F.: *Poética para un poeta (Las «Cartas literarias a una mujer» de Bécquer)*. 246 págs.

177. Hjelmslev, L.: *Ensayos lingüísticos*. 362 págs.

178. Alonso, D.: *En torno a Lope (Marino, Cervantes, Benavente, Góngora, los Cardenios)*. 212 págs.

179. Pabst, W.: *La novela corta en la teoría y en la creación literaria (Notas para la historia de su antinomia en las literaturas románicas)*. 510 págs.

180. Rumeu de Armas, A.: *Alfonso de Ulloa, introductor de la cultura española en Italia*. 192 págs. 2 láminas.

181. León, P. R.: *Algunas observaciones sobre Pedro de Cieza de León y la Crónica del Perú*. 278 págs.

182. Roberts, G.: *Temas existenciales en la novela española de postguerra*. Segunda edición corregida y aumentada. 326 págs.

184. Durán, A.: *Estructura y técnicas de la novela sentimental y caballeresca*. 182 págs.

185. Beinhauer, W.: *El humorismo en el español hablado (Improvisadas creaciones espontáneas)*. Prólogo de R. Lapesa. 270 págs.

186. Predmore, M. P.: *La poesía hermética de Juan Ramón Jiménez (El «Diario» como centro de su mundo poético)*. 234 págs.

187. Manent, A.: *Tres escritores catalanes: Carner, Riba, Pla*. 338 págs.

188. Bratosevich, N. A. S.: *El estilo de Horacio Quiroga en sus cuentos*. 204 págs.

189. Soldevila Durante, I.: *La obra narrativa de Max Aub (1929-1969)*. 472 págs.

190. Pollmann, L.: *Sartre y Camus (Literatura de la existencia)*. 286 págs.

191. Bobes Naves, M.ª del C.: *La semiótica como teoría lingüística*. Segunda edición revisada y ampliada. 274 págs.

192. Carilla, E.: *La creación del «Martín Fierro»*. 308 págs.

193. Coseriu, E.: *Sincronía, diacronía e historia (El problema del cambio lingüístico)*. Tercera edición. 290 págs.

194. Tacca, O.: *Las voces de la novela*. Segunda edición corregida y aumentada. 206 págs.

195. Fortea, J. L.: *La obra de Andrés Carranque de Ríos*. 240 págs.

196. Náñez Fernández, E.: *El diminutivo (Historia y funciones en el español clásico y moderno)*. 458 págs.

197. Debicki, A. P.: *La poesía de Jorge Guillén*. 362 págs.

198. Doménech, R.: *El teatro de Buero Vallejo (Una meditación española)*. 372 págs.

199. Márquez Villanueva, F.: *Fuentes literarias cervantinas*. 374 págs.

200. Orozco Díaz, E.: *Lope y Góngora frente a frente*. 410 págs. 8 láminas.

201. Muller, Ch.: *Estadística lingüística*. 416 págs.

202. Kock, J. de: *Introducción a la lingüística automática en las lenguas románicas*. 246 págs.

203. Avalle-Arce, J. B.: *Temas hispánicos medievales (Literatura e historia)*. 390 págs.

204. Quintián, A. R.: *Cultura y literatura españolas en Rubén Darío*. 302 páginas.

205. Caracciolo Trejo, E.: *La poesía de Vicente Huidobro y la vanguardia*. 140 págs.

206. Martín, J. L.: *La narrativa de Vargas Llosa (Acercamiento estilístico)*. 282 págs.

207. Nolting-Hauff, I.: *Visión, sátira y agudeza en los «Sueños» de Quevedo*. 318 págs.

208. Phillips, A. W.: *Temas del modernismo hispánico y otros estudios*. 360 págs.

209. Mayoral, M.: *La poesía de Rosalía de Castro*. Prólogo de R. Lapesa. 596 págs.

210. Casalduero, J.: *«Cántico» de Jorge Guillén y «Aire nuestro»*. 268 págs.

211. Catalán, D.: *La tradición manuscrita en la «Crónica de Alfonso XI»*. 416 págs.

212. Devoto, D.: *Textos y contextos (Estudios sobre la tradición)*. 610 páginas.

213. López Estrada, F.: *Los libros de pastores en la literatura española (La órbita previa)*. 576 págs. 16 láminas.

214. Martinet, A.: *Economía de los cambios fonéticos (Tratado de fonología diacrónica)*. 564 págs.

215. Sebold, R. P.: *Cadalso: el primer romántico «europeo» de España.* 294 págs.

216. Cambria, R.: *Los toros: tema polémico en el ensayo español del siglo XX.* 386 págs.

217. Percas de Ponseti, H.: *Cervantes y su concepto del arte (Estudio crítico de algunos aspectos y episodios del «Quijote»).* 2 vols. 690 págs.

218. Hammarström, G.: *Las unidades lingüísticas en el marco de la lingüística moderna.* 190 págs.

219. Salvador Martínez, H.: *El «Poema de Almería» y la épica románica.* 478 págs.

220. Casalduero, J.: *Sentido y forma de «Los trabajos de Persiles y Segismunda».* 236 págs.

221. Bandera, C.: *Mímesis conflictiva (Ficción literaria y violencia en Cervantes y Calderón).* Prólogo de R. Girard. 262 págs.

222. Cabrera, V.: *Tres poetas a la luz de la metáfora: Salinas, Aleixandre y Guillén.* 228 págs.

223. Ferreres, R.: *Verlaine y los modernistas españoles.* 272 págs.

224. Schrader, L.: *Sensación y sinestesia (Estudios y materiales para la prehistoria de la sinestesia y para la valoración de los sentidos en las literaturas italiana, española y francesa).* 528 págs.

225. Picon Garfield, E.: *¿Es Julio Cortázar un surrealista?* 266 págs. 5 láminas.

226. Peña, A.: *Américo Castro y su visión de España y de Cervantes.* 318 págs.

227. Palmer, L. R.: *Introducción crítica a la lingüística descriptiva y comparada.* 586 págs. 1 lámina.

228. Pauk, E.: *Miguel Delibes: Desarrollo de un escritor (1947-1974).* 330 páginas.

229. Molho, M.: *Sistemática del verbo español (Aspectos, modos y tiempos).* 2 vols. 780 págs.

230. Gómez-Martínez, J. L.: *Américo Castro y el origen de los españoles: Historia de una polémica.* 242 págs.

231. García Sarriá, F.: *Clarín o la herejía amorosa.* 302 págs.

232. Santos Escudero, C.: *Símbolos y Dios en el último Juan Ramón Jiménez.* 566 págs.

233. Taylor, M. C.: *Sensibilidad religiosa de Gabriela Mistral.* 232 págs. 4 láminas.

234. *De la teoría lingüística a la enseñanza de la lengua.* Publicada bajo la dirección de J. Martinet, con la colaboración de O. Ducrot, D. François, F. François, B.-N. Grunig, M. Mahmoudian, A. Martinet, G. Mounin, T. Tabouret-Keller y H. Walter. 262 págs.

235. Trabant, J.: *Semiología de la obra literaria (Glosemántica y teoría de la literatura).* 370 págs.

236. Montes, H.: *Ensayos estilísticos.* 186 págs.

237. Cerezo Galán, P.: *Palabra en el tiempo (Poesía y filosofía en Antonio Machado).* 614 págs.

238. Durán, M. y González Echevarría, R.: *Calderón y la crítica: Historia y Antología.* 2 vols. 786 págs.
239. Artiles, J.: *El «Libro de Apolonio», poema español del siglo XIII.* 222 págs.
240. Morón Arroyo, C.: *Nuevas meditaciones del «Quijote».* 366 págs.
241. Geckeler, H.: *Semántica estructural y teoría del campo léxico.* 390 páginas.
242. Aranguren, J. L. L.: *Estudios literarios.* 350 págs.
243. Molho, M.: *Cervantes: Raíces folklóricas.* 358 págs.
244. Baamonde, M. A.: *La vocación teatral de Antonio Machado.* 306 págs.
245. Colón, G.: *El léxico catalán en la Romania.* 542 págs.
246. Pottier, B.: *Lingüística general (Teoría y descripción).* 426 págs.
247. Carilla, E.: *El libro de los «misterios»: «El lazarillo de ciegos caminantes».* 190 págs.
248. Almeida, J.: *La crítica literaria de Fernando de Herrera.* 142 págs.
249. Hjelmslev, L.: *Sistema lingüístico y cambio lingüístico.* 262 págs.
250. Blanch, A.: *La poesía pura española (Conexiones con la cultura francesa).* 354 págs.
251. Hjelmslev, L.: *Principios de gramática general.* 384 págs.
252. Hess, R.: *El drama religioso románico como comedia religiosa y profana (Siglos XV y XVI).* 334 págs.
253. Wandruszka, M.: *Nuestros idiomas: comparables e incomparables.* 2 vols. 788 págs.
254. Debicki, A. P.: *Poetas hispanoamericanos contemporáneos.* 266 págs.
255. Tejada, J. L.: *Rafael Alberti, entre la tradición y la vanguardia (Poesía primera: 1920-1926).* Prólogo de F. López Estrada. 650 págs.
256. List, G.: *Introducción a la psicolingüística.* 198 págs.
257. Gurza, E.: *Lectura existencialista de «La Celestina».* 352 págs.
258. Correa, G.: *Realidad, ficción y símbolo en las novelas de Pérez Galdós (Ensayo de estética realista).* 308 págs.
259. Coseriu, E.: *Principios de semántica estructural.* 248 págs.
260. Arróniz, O.: *Teatros y escenarios del Siglo de Oro.* 272 págs.
261. Risco, A.: *El demiurgo y su mundo. Hacia un nuevo enfoque de la obra de Valle-Inclán.* 310 págs.
262. Schlieben-Lange, B.: *Iniciación a la sociolingüística.* 200 págs.
263. Lapesa, R.: *Poetas y prosistas de ayer y de hoy.* 424 págs.
264. Camamis, G.: *Estudios sobre el cautiverio en el Siglo de Oro.* 262 páginas.
265. Coseriu, E.: *Tradición y novedad en la ciencia del lenguaje (Estudios de historia de la lingüística).* 374 págs.
266. Stockwell, R. P. y Macaulay, R. K. S. (eds.): *Cambio lingüístico y teoría generativa.* 398 págs.
267. Zuleta, E. de: *Arte y vida en la obra de Benjamín Jarnés.* 278 págs.
268. Kirkpatrick, S.: *Larra: El laberinto inextricable de un romántico liberal.* 298 págs.
269. Coseriu, E.: *Estudios de lingüística románica.* 314 págs.

270. Anderson, J. M.: *Aspectos estructurales del cambio lingüístico.* 374 páginas.
271. Bousoño, C.: *El irracionalismo poético (El símbolo).* Premio Nacional de Literatura 1978. 458 págs.
272. Coseriu, E.: *El hombre y su lenguaje (Estudios de teoría y metodología lingüística).* 270 págs.
273. Rohrer, Ch.: *Lingüística funcional y gramática transformativa (La transformación en francés de oraciones en miembros de oración).* 324 págs.
274. Francis, A.: *Picaresca, decadencia, historia (Aproximación a una realidad histórico-literaria).* 230 págs.
275. Picoche, J. L.: *Un romántico español: Enrique Gil y Carrasco (1815-1846).* 398 págs.
276. Ramírez Molas, P.: *Tiempo y narración (Enfoque de la temporalidad en Borges, Carpentier, Cortázar y García Márquez).* 218 págs.
277. Pêcheux, M.: *Hacia el análisis automático del discurso.* 374 págs.
278. Alonso, D.: *La «Epístola moral a Fabio», de Andrés Fernández de Andrada (Edición y Estudio).* 286 págs. 4 láminas.
279. Hjelmslev, L.: *La categoría de los casos (Estudio de gramática general).* 346 págs.
280. Coseriu, E.: *Gramática, semántica, universales (Estudios de lingüística funcional).* 270 págs.
281. Martinet, A.: *Estudios de sintaxis funcional.* 342 págs.
282. Granda, G. de: *Estudios lingüísticos hispánicos, afrohispánicos y criollos.* 522 págs.
283. Marcos Marín, F.: *Estudios sobre el pronombre.* 338 págs.
284. Kimball, J. P.: *La teoría formal de la gramática.* 222 págs.
285. Carreño, A.: *El romancero lírico de Lope de Vega.* Premio Ramón Menéndez Pidal, 1976. 302 págs.
286. Marcellesi, J. B. y Gardin, B.: *Introducción a la sociolingüística (La lingüística social).* 448 págs.
287. Martín Zorraquino, M.ª A.: *Las construcciones pronominales en español (Paradigma y desviaciones).* 414 págs.
288. Bousoño, C.: *Superrealismo poético y simbolización.* 542 págs.
289. Spillner, B.: *Lingüística y literatura (Investigación del estilo, retórica, lingüística del texto).* 252 págs.
290. Kutschera, F. von: *Filosofía del lenguaje.* 410 págs.
291. Mounin, G.: *Lingüística y filosofía.* 270 págs.
292. Corneille, J. P.: *La lingüística estructural (Su proyección, sus límites).* 434 págs.
293. Krömer, W.: *Formas de la narración breve en las literaturas románicas hasta 1700.* 316 págs.
294. Rohlfs, G.: *Estudios sobre el léxico románico.* Reelaboración parcial y notas de M. Alvar. Edición conjunta revisada y aumentada. 444 págs.
295. Matas, J.: *La cuestión del género literario (Casos de las letras hispánicas).* 256 págs.

296. Haug, U. y Rammer, G.: *Psicología del lenguaje y teoría de la comprensión.* 278 págs.
297. Weisgerber, L.: *Dos enfoques del lenguaje («Lingüística» y ciencia energética del lenguaje).* 284 págs.
298. Wotjak, G.: *Investigaciones sobre la estructura del significado.* 480 páginas.
299. Sesé, B.: *Antonio Machado (1875-1939). El hombre. El poeta. El pensador.* Premio Internacional «Antonio Machado». 2 vols. 970 páginas.
300. Wayne Ashhurst, A.: *La literatura hispanoamericana en la crítica española.* 644 págs.
301. Martín, E. H.: *La teoría fonológica y el modelo de estructura compleja.* Prólogo de Ofelia Kovacci. 188 págs.
302. Hoffmeister, G.: *España y Alemania (Historia y documentación de sus relaciones literarias).* 310 págs.
303. Fontaine, J.: *El círculo lingüístico de Praga.* 182 págs.
304. Stockwell, R. P.: *Fundamentos de teoría sintáctica.* 316 págs.
305. Wandruszka, M.: *Interlingüística (Esbozo para una nueva ciencia del lenguaje).* 154 págs.
306. Agud, A.: *Historia y teoría de los casos.* 492 págs.
307. Aguiar e Silva, V. M. de: *Competencia lingüística y competencia literaria (Sobre la posibilidad de una poética generativa).* 166 págs.
308. Pratt, Ch.: *El anglicismo en el español peninsular contemporáneo.* 276 págs.
309. Calvo Ramos, L.: *Introducción al estudio del lenguaje administrativo.* 290 págs.
310. Cano Aguilar, R., *Estructuras sintácticas transitivas en el español actual.* 416 págs.
311. Bousoño, C.: *Épocas literarias y evolución (Edad Media, Romanticismo, Época Contemporánea).* 756 págs. 2 vols.
312. Weinrich, Harald: *Lenguaje en textos.* 466 págs.
313. Sicard, A.: *El pensamiento poético de Pablo Neruda.* 648 págs.
314. Binon, T.: *Lingüística Histórica.* 424 págs.
315. Hagège, C.: *La gramática generativa.* 255 págs.
316. Engelkamp, J.: *Psicolingüística.* 314 págs.
317. Carreño, A.: *La dialéctica de la identidad en la poesía contemporánea (La persona, la máscara).* 254 págs.
318. Pupo-Walker, E.: *La vocación literaria del pensamiento histórico en América.* 220 págs.
319. Hörmann, H.: *Querer decir y entender (Fundamentos para una semántica psicológica).* 674 págs.
320. Langowski J. Gerald: *El surrealismo en la ficción hispanoamericana.* 228 págs.

III. MANUALES

1. Alarcos Llorach, E.: *Fonología española.* Cuarta edición aumentada y revisada. Reimpresión. 290 págs.
2. Gili Gaya, S.: *Elementos de fonética general.* Quinta edición corregida y ampliada. Reimpresión. 200 págs.
3. Alarcos Llorach, E.: *Gramática estructural (Según la escuela de Copenhague y con especial atención a la lengua española).* Segunda edición. Reimpresión. 132 págs.
4. López Estrada, F.: *Introducción a la literatura medieval española.* Cuarta edición renovada. 606 págs.
6. Lázaro Carreter, F.: *Diccionario de términos filológicos.* Tercera edición corregida. Reimpresión. 444 págs.
8. Zamora Vicente, A.: *Dialectología española.* Segunda edición muy aumentada. Reimpresión. 588 págs. 22 mapas.
9. Vázquez Cuesta, P. y Mendez da Luz, M.ª A.: *Gramática portuguesa.* 2 vols. Tercera edición corregida y aumentada. 818 págs.
10. Badia Margarit, A. M.: *Gramática catalana.* 2 vols. Reimpresión. 1.020 págs.
11. Porzig, W.: *El mundo maravilloso del lenguaje (Problemas, métodos y resultados de la lingüística moderna).* Segunda edición corregida y aumentada. Reimpresión. 486 págs.
12. Lausberg, H.: *Lingüística románica.* 2 vols.
13. Martinet, A.: *Elementos de lingüística general.* Segunda edición revisada. Reimpresión. 274 págs.
15. Lausberg, H.: *Manual de retórica literaria (Fundamentos de una ciencia de la literatura).* 3 vols.
16. Mounin, G.: *Historia de la lingüística (Desde los orígenes al siglo XX).* Reimpresión. 236 págs.
17. Martinet, A.: *La lingüística sincrónica (Estudios e investigaciones).* Reimpresión. 228 págs.
18. Migliorini, B.: *Historia de la lengua italiana.* 2 vols. 1.262 págs. 36 láminas.
19. Hjelmslev, L.: *El lenguaje.* Segunda edición. Reimpresión. 196 págs. 1 lámina.
20. Malmberg, B.: *Lingüística estructural y comunicación humana (Introducción al mecanismo del lenguaje y a la metodología de la lingüística).* Reimpresión. 328 págs. 9 láminas.
22. Rodríguez Adrados, F.: *Lingüística estructural.* 2 vols. Segunda edición revisada y aumentada. Reimpresión. 1.036 págs.
23. Pichois, C. y Rousseau, A.-M.: *La literatura comparada.* 246 págs.
24. López Estrada, F.: *Métrica española del siglo XX.* Reimpresión. 226 págs.
25. Baehr, R.: *Manual de versificación española.* Reimpresión. 444 págs.
26. Gleason, H. A., Jr.: *Introducción a la lingüística descriptiva.* Reimpresión. 700 págs.

CE - F. 986 págs. Tomo III: G - MA. 904 págs. Tomo IV: ME - RE. 908 págs.

8. Alcalá Venceslada, A.: *Vocabulario andaluz.* Edición facsímil. 676 páginas.

9. Abraham, W.: *Diccionario de terminología lingüística actual.* 510 págs.

VI. ANTOLOGÍA HISPÁNICA

2. Camba, J.: *Mis páginas mejores.* Reimpresión. 254 págs.

3. Alonso, D. y Blecua, J. M.: *Antología de la poesía española.* Vol. I: *Lírica de tipo tradicional.* Segunda edición corregida. Reimpresión. 352 págs.

6. Aleixandre, V., Premio Nobel de Literatura 1977: *Mis poemas mejores.* Quinta edición. 406 págs.

7. Menéndez Pidal, R.: *Mis páginas preferidas (Temas literarios).* Reimpresión. 372 págs.

8. Menéndez Pidal, R.: *Mis páginas preferidas (Temas lingüísticos e históricos).* Reimpresión. 328 págs.

9. Blecua, J. M.: *Floresta de lírica española.* 2 vols. Tercera edición aumentada. Reimpresión. 692 págs.

11. Laín Entralgo, P.: *Mis páginas preferidas.* 388 págs.

12. Cano, J. L.: *Antología de la nueva poesía española.* Cuarta edición. 438 págs.

13. Jiménez, J. R.: *Pájinas escojidas (Prosa).* Reimpresión. 264 págs.

14. Jiménez, J. R.: *Pájinas escojidas (Verso).* Reimpresión. 238 págs.

15. Zunzunegui, J. A. de: *Mis páginas preferidas.* 354 págs.

16. García Pavón, F.: *Antología de cuentistas españoles contemporáneos.* Tercera edición. 478 págs.

17. Alonso, D.: *Góngora y el «Polifemo».* 3 vols. Sexta edición ampliada. Reimpresión. 896 págs.

21. Avalle-Arce, J. B.: *El Inca Garcilaso en sus «Comentarios» (Antología vivida).* Reimpresión. 282 págs.

22. Ayala, F.: *Mis páginas mejores.* 310 págs.

23. Guillén, J., Premio Cervantes de Literatura 1976: *Selección de Poemas.* Tercera edición aumentada. 482 págs.

24. Aub, M.: *Mis páginas mejores.* 278 págs.

25. Rodríguez-Puértolas, J.: *Poesía de protesta en la Edad Media castellana (Historia y antología).* 348 págs.

26. Fernández Moreno, C. y Becco, H. J.: *Antología lineal de la poesía argentina.* 384 págs.

27. Scarpa, R. E. y Montes, H.: *Antología de la poesía chilena contemporánea.* 372 págs.

28. Alonso, D.: *Poemas escogidos.* 212 págs.

29. Diego, G.: *Versos escogidos.* 394 págs.

30. Arias y Arias, R.: *La poesía de los goliardos.* 316 págs.

VII. CAMPO ABIERTO

OBRAS DE OTRAS COLECCIONES

Dámaso Alonso: *Obras completas.*

Tomo I: *Estudios lingüísticos peninsulares.* 706 págs.

Tomo II: *Estudios y ensayos sobre literatura.* Primera parte: *Desde los orígenes románicos hasta finales del siglo XVI.* 1.090 págs.

Tomo III: *Estudios y ensayos sobre literatura.* Segunda parte: *Finales del siglo XVI, y siglo XVII.* 1.008 págs.

Tomo IV: *Estudios y ensayos sobre literatura.* Tercera parte: *Ensayos sobre literatura contemporánea.* 1.010 págs.

Tomo V: *Góngora y el gongorismo.* 792 págs.

Homenaje Universitario a Dámaso Alonso. Reunido por los estudiantes de Filología Románica. 358 págs.

Homenaje a Casalduero. 510 págs.

Homenaje a Antonio Tovar. 470 págs.

Studia Hispanica in Honoren R. Lapesa. Vol. I: 622 págs. Vol. II: 634 páginas. Vol. III: 542 págs. 16 láminas.

Logos Semantikos, Studia Linguistica in Honorem Eugenio Coseriu. 5 vols.

Juan Luis Alborg: *Historia de la literatura española.*

Tomo I: *Edad Media y Renacimiento.* 2.ª edición. Reimpresión. 1.082 páginas.

Tomo II: *Época Barroca.* 2.ª edición. Reimpresión. 996 págs.

Tomo III: *El siglo XVIII.* Reimpresión. 980 págs.

Tomo IV: *El Romanticismo.* 934 págs.

José Luis Martín: *Crítica estilística.* 410 págs.

Vicente García de Diego: *Gramática histórica española.* 3.ª edición revisada y aumentada con un índice completo de palabras. 624 págs.

Marina Mayoral: *Análisis de textos (Poesía y prosa españolas).* Segunda edición ampliada. 294 págs.

Wilhelm Grenzmann: *Problemas y figuras de la literatura contemporánea.* 388 págs.

Veikko Väänänen: *Introducción al latín vulgar.* Reimpresión. 414 págs.

Luis Díez del Corral: *La función del mito clásico en la literatura contemporánea.* 2.ª edición. 268 págs.

Étienne M. Gilson: *Lingüística y filosofía (Ensayos sobre las constantes filosóficas del lenguaje).* 334 págs.

Francisco Fernández: *Historia de la lengua inglesa.* 738 págs.